# グローバル・ヒストリー

*What Is*
*Global History?*

# グローバル・ヒストリー

## 批判的歴史叙述のために

ゼバスティアン・コンラート［著］ 小田原 琳［訳］

*What Is Global History?*

Sebastian Conrad

岩波書店

WHAT IS GLOBAL HISTORY?

by Sebastian Conrad



First published 2016 by Princeton University Press, Princeton.
This Japanese edition published 2021
by Iwanami Shoten, Publishers, Tokyo
by arrangement with Princeton University Press
through The English Agency (Japan), Tokyo.

# 目　次

装丁＝桂川　潤

# 第1章　イントロダクション

C・A・ベイリはいくぶんか挑発的に、「すべての歴史家は、今や世界史家なのである」と宣言したが、そのあとに、「その多くはいまだ意識していないにもかかわらず」とつけくわえた。[1] たしかに、グローバル・ヒストリー、ワールド・ヒストリーが現在のところブームであることは間違いないだろう。アメリカ合衆国や、他の言語と並んで英語も解される世界（アングロフォン）では、歴史学の領域のなかで近年もっとも急速に成長した分野である。ヨーロッパや東アジアの一部でも流行し、グローバル・ヒストリーは若い世代の歴史家に熱狂的にとりあげられ、沸騰の一途をたどっている。あちこちで雑誌や会議がつくられ、首尾よく研究資金を獲得するためには、計画に「グローバルな次元」を組み込むことが多くの場所でほぼ必須になっている。しかし果たして、人気があるということはすべての歴史家がグローバル史家でもあることを真に意味するのだろうか？　グローバル・ヒストリーがそれほどまでに人気がある理由はなんだろうか？　そして、なぜ、いまなのだろうか？

このブームには数多くの理由がある。なによりグローバルな変化への関心が、冷戦終結以後、また二〇〇一年九月一一日以降、顕著に高まった。これほど多くのひとびとが「グローバリゼーション」こそ現代のキーワードであると熱心に断言していることに鑑（かんが）みれば、この変化の歴史的起源を時を遡って探究する必然性は自明であるように思われる。多くの地域で、とりわけ移民社会では、グローバル・ヒストリーはさまざまな社会的困難や、過去についての、ナショナルな視野に閉ざされないより包括的な視点の創造を求める声に対する応答でもある。アメリカ合衆国において歴史教育のカリキュラムが西洋文明からグローバル・ヒストリーへと移行しているのは、こうした社会的圧力の典型的な結果だ。学界におけるこのような流行は、歴史学という学問の社会的、文化的、そしてエスニックな体質が変化していることを反映している。知の社会学におけるこの変容によって、各国史をそれぞれに分離した自己充足的な空間であると考える、長きにわたって染みついた傾向への不満が強まったのである。(2)

一九九〇年代に始まった通信革命も、過去についての私たちの解釈に重要なインパクトを与えた。歴史家たち——とその読者たち——は、かつてないほどに世界を旅し、経験している。高まる移動性はインターネットによってさらに強化され、ネットワークづくりを容易にし、歴史家たちがグローバルな討議に参加することを可能にした——もちろんいまなお、かつて植民地化された諸国からの声はしばしば聞きとりづらくはあるが。結果として、今日(こんにち)の歴史家たちは、たがいに競合する多くのナラティブを扱い、まさにその声の多様性のうちに、新しい知見の可能性を見ている。コンピューターテクノロジーによって促進されたネットワークの論理は歴史家の思考にも影響を与え、以前の領土的な語彙(ごい)にかえて、彼らはネットワークや節点(ノード)といった用語を用いるようになっている。二一世紀の歴史叙述は、かつてとは異なったものになっているのである。

## なぜグローバル・ヒストリーか?
## 内在主義とヨーロッパ中心主義を超えて

グローバル・ヒストリーは、過去を分析するために従来使ってきた道具ではもはや十分ではないという歴史家たちの確信から生まれた。グローバリゼーションは、社会科学と、社会的変化についての支配的なナラティブに対して、根本的な挑戦をつきつけた。絡み合いとネットワークは、それ自体相互作用と交換のシステムから生まれた現在という瞬間の特徴である。しかし多くの点で、ネットワーク化しグローバル化した世界の現実を理解するために正しい問いを立て、答えを出すことが、もはや今日の社会科学にはできていない。

とくに、近代の社会科学と人文学のふたつの「先天的欠陥」が、世界をつなぐさまざまなプロセスを体系的に把握しようとする私たちの能力をせばめている。そのどちらも、一九世紀ヨーロッパにおける近代的な学問領域の形成まで遡ることができる。第一に、社会科学と人文学の起源は国民国家と結びついていた。そのテーマや問い、社会的機能においてさえ、歴史学や社会学、言語学はその国の社会自身とのつながりを保っていた。それ以上に、学問領域がもつ「方法論的ナショナリズム」は、理論上国民国家を基本的な研究の単位として想定した。国民国家は社会の「容器」となる、領土的実体であった。領域的に画定された容器との強いかかわりは、歴史学においては隣接諸分野よりもはっきり見られた。世界についての知は、それによって、言説的にも制度的にも、境界を越えた交換の関係の役割が見えなくなるように、あらかじめ構造化されてしまったのである。多くの場所で歴史とはナショナルな歴史に限定されてしまった[3]。

第二に、近代の学問分野はきわめてヨーロッパ中心主義的であった。そこではヨーロッパの発展が最前面に据えられ、ヨーロッパが世界史の駆動力と見なされた。より根本的な問題は、社会科学と人文学で道具として用いられる諸概念が、ヨーロッパ史から抽出され、ヨーロッパ史を普遍的な発展モデルとして創造したことである。おもてむき分析用語であるかのように見える「国民」「革命」「社会」「進歩」といった概念は、ヨーロッパの具体的な経験を、どこにでも応用することのできるであろう(普遍主義的な)理論の用語へと変容させた。方法論的にいえば、こうして、固有のカテゴリーを他の人間の過去に無理やり押しつけることを通じて、近代諸学は他のすべての社会をヨーロッパの植民地と化さしめたのである。(4)

グローバル・ヒストリーとはこれらの結果によって生じた問題に向き合い、近代諸学が生まれながらにもつふたつの瑕疵(かし)を克服するためのひとつの試みである。したがって従来の歴史学に対する修正主義的アプローチであるが、とはいえそれは先駆者たちの仕事のうえに築かれている。移民、植民地主義、交易などは、長い間歴史家たちの関心の的であった。境界横断的な現象を考察するという関心それ自体は新しいものではないだろう。しかしいま、それは新しい要求を掲げている。すなわち、歴史家の思考する地平を変化させるということだ。したがって総体として、グローバル・ヒストリーは論争的次元をもっている。グローバル・ヒストリーは、多くのまず「容器」ありきのパラダイムを攻撃する。その最たるものが、国民史(ナショナル・ヒストリー)である。第4章で詳細に検討するけれども、これは、歴史的変化を一国内で説明しようとする、内在主義的、ないしは血統主義的な歴史的思考に対する矯正である。

同時に、そして方法の問題以上に、グローバル・ヒストリーは知の制度的秩序やその編成に変化をもたらすことを目指してもいる。多くの国々で、「歴史」と呼ばれるものは実際のところ長らく、その国のナショナル・ヒストリーと等しかった。ほとんどのイタリア人歴史家はイタリアについて、韓国人の同業者たちは、韓国について研究している。実質的にあらゆるところで、学生たちは何世代にもわたって、国民の過去の物語を手引きとして歴史に導かれてきた。これに対してグローバル・ヒストリーは、包括性、より広い視野への呼びかけである。他の国の過去もまた、歴史なのだ。

歴史学部に人員が揃っていて、より広範囲をカバーすることが可能なところでさえ、国民や文明の歴史が単体で孤立して存在しているかのように、コースが組まれていることが多い。たとえば中国の世界史の教科書は、無条件に中国を排除している——国民の過去は、別の学部で教えることになっているからである。歴史的現実を、国史と世界史、歴史と地域研究のように区画化するということは、すなわち、並行ともつれは視野には入らないということである。したがってグローバル・ヒストリーは、このような分断を克服し、近代世界をつくった相互作用と接続をより総合的に理解することを目指す申し立てでもある。

グローバル・ヒストリーは当然唯一の選択肢というわけではないし、他のアプローチに対して根本的に優れているというわけでもない。グローバル・ヒストリーは多くのアプローチのひとつだが、ある種の問いや関心を提起するには他のものにくらべて向いている。その核となる関心は、移動や交換、国境や境界を超えるプロセスにある。世界は相互に連関しているという見方がその出発点であり、もの、ひと、観念、制度の循環と交換などが鍵となる主題となる。

ひとまず大雑把に定義するならば、グローバル・ヒストリーは歴史分析の一形態であり、そこでは現象、できごと、プロセスがグローバルな文脈に位置づけられる。しかし、それがどれほど達成されたかについては異論もある。他の無数のアプローチ——比較史やトランスナショナル・ヒストリーから、世界史や大きな歴史（ビッグ・ヒストリー）、ポストコロニアル・スタディーズ、グローバリゼーションの歴史にいたる——が今日、研究者の関心を競い合っている。グローバル・ヒストリーとまったく同様に、それらも、のと考えることである。「グローバル・ヒストリーとは、厳密に理解するならば、世界中で起こるできごとの歴史である」とフェリペ・フェルナンデス＝アルメストとベンジャミン・サックスは書いている。「地球という惑星全体を、あたかも宇宙の見張り台から見るがごとく、莫大な距離をとることで一望できるという利点がある」[7]。このようによくばりな視点から見れば、地球上で起こったあらゆることが、グローバル・ヒストリーにもっともふさわしい要素ということになる。

その実践にあたっては、たがいにおおいに異なるさまざまな戦略がとられることになった。第一のそれは、全部入りのグローバル・ヒストリーとでも呼ぶことができる。そのもっとも顕著な表現は、ある特定の時代のグローバルな現実を捉えようと試みた、大縮尺の総合的な著作に見られる。たとえば、たいていの歴史家は特定の年のグローバルなパノラマを描くだけで満足するものだが、一九世紀の洗練された全体像を描いた歴史家もいた。さらに射程を広げ、「世界史」そのものとは言えないものの、千年紀の肖像を描いた歴史家もいる。ビッグ・ヒストリーの場合その尺度はさらに広がり、ビッグ・バンから現在にいたる。尺度はどうあれ、全体的な流儀は共通している。ここでの「グローバル」とは、地球（グローブ）ごと理解することを意味している[8]。

似たようなやり方として、歴史家が特定の観念や歴史的構成体をとりあげ、時代を超え、地球を横断して追いかけることもある。この種の仕事のわかりやすい例は、帝国の編成と住民管理の戦略を古代ローマ（あるいはティムール）から現代までチャート化したグローバル・ヒストリー研究である[9]。しかし基本的にはどのような対象であってもグローバルに描きうるだろう。いまや、王権のグローバル・ヒストリーがあり、高級娼婦のグローバル・ヒストリーがある。茶とコーヒー、砂糖と綿、ガラスと金の歴史、移民と交易の歴史、自然と宗教のグローバル・ヒストリー、戦争と、そして平和の歴史等々、無数に例を挙げられる。

こうしてみると、グローバル・ヒストリーという用語は世界を対象にしていることを示唆しているようだが、必然的にそうであるというわけではない。原理的には、グローバル・ヒストリーの歴史家にとってはなんでも正当な焦点になりうる。オムニバスとしてのグローバル・ヒストリー。ということは、南アフリカのヴィトヴァーテルスラントの鉱山労働者、ハワイ王カラカウアの即位、一三世紀南フランスのある村といった多様な主体が、グローバル・ヒストリーにつけくわえられるべきものとして研究される可能性があるということだ。グローバル・ヒストリーとはすべてであるということが確立されれば、すべてがグローバル・ヒストリーになりうる。これは、見た目ほど滑稽なことではない。ナショナル・ヒストリーが至高の権力をふるっていたときも、状況はたいして違わなかった。ある研究が国民全体を十分に射程に入れていなかったときにも、それはナショナル・ヒストリーであると仮定されていた。たとえば、ベンジャミン・フランクリンの伝記やデトロイトの自動車産業についての突っ込んだ研究がアメリカ合衆国の歴史に寄与することを、だれも疑わないだろう。ナショナル・ヒストリーという総合的な枠組みが確立されるや、その容器のなかにあるものはすべて、自然な構成要素であるように見えたのである。

グローバル・ヒストリーの全部入りバージョンにも同じことが言える。ブエノスアイレス、ダカール、リヴォルノ〔イタリア・トスカーナの港町〕の労働者階級についての研究は、グローバルな地平それ自体の探究ではないが、労働のグローバル・ヒストリーに貢献しうるだろう。同種の現象についての諸研究に注意を払い、それらに影響を受けている歴史家の場合はとくにそうだ。ベンガルのジュート(麻)労働者についてのディペシュ・チャクラバルティの本や、モンバサ〔ケニア〕の港湾労働者についてのフレデリック・クーパーの研究などがそれにあたる[10]。歴史家たちが同じ問題を念頭に置いて研究を進め、地球上の他の場所での関連する主題についての本を参考文献に含めていれば、当然グローバル・ヒストリー的な要素はさらに増す。

この分野の第二のパラダイムは、交換と接続に焦点を当てている。近年の研究がとっているもっともポピュラーな形態がこれだ。この種の研究をつないでいる共通の糸は、どのような社会も国民も文明も、孤立して存在することはないという全体的な見通しである。この惑星の人類の生活は、ごく初期の段階から移動と相互作用によって特徴づけられていた。したがって、そうした運動は第一義的に絡み合いの歴史として理解されているグローバル・ヒストリーの特権的な主題となる。接続性への熱狂は、知が旅する範囲を国民国家や帝国、文明の境界にとにもかくにもとどめてきた従来の枠組みのつましさとでも呼びうるものを補完し、修正している。

移動するひとびと、思想の循環、遠距離交易にいたるまで、この視点から研究されうる主題は無限だ。ネットワークや接続の到達範囲はやはり可変的であり、地球規模である必要はない。これらの関係性のおよぶ範囲は、問題となっている主題、問われている問題による。地中海交易、インド洋をまたぐメッカ巡礼、中国―シンガポール間の連鎖移民、ヴァティカンの外交使節団。数世紀にわたってそのあとをたどることのできるこれらすべての事例に見られる、世界がたがいにつながっているということ、それがグローバル・ヒストリー研究の出発点である[11]。

ここまで議論したグローバル・ヒストリーのふたつのバージョンはどちらも、基本的に、すべての場所、すべての時代に適用できる。それと異なり、第三のよりせまいアプローチはグローバルな統合についてある形態を想定し、そして明確に、それを批判的に考察している。その核には、規則的・持続的で、それゆえに社会を根底から規定する力をもった交換のパターンがある。境界横断的な交換はつねに存在してきたが、その作用とインパクトは、グローバルな規模での体系的統合の度合いによって異なっていた。

この第三のモデル(第4章、第5章でより詳細に検討される)が、近年の洗練された諸研究の多くが向かっている方向であり、本書で探究されるパラダイムである。例として、一九世紀後半のフランス、アメリカ合衆国、日本での近代的な歴史記述の誕生を扱ったクリストファー・ヒルの仕事をとりあげよう。著者はそのなかで、伝統的な歴史書と近代のナショナルなナラティブの関係という、従来の研究が注意を向けてきたであろうところには焦点を合わせない。三つの事例の接続も、主たる焦点にはなっていない。ヒルはむしろ、三つの国民を、国内の変化とグローバルな変容という文脈に位置づける。三つの社会はいずれも、内部の動揺に直面していた――合衆国は南北戦争から、フランスはプロイセンに対する敗北からの回復過程にあり、日本は明治維新を経て新たな政治形態を創造したところであった。同時にそれらの社会は、資本主義と帝国主義に基づく国家システムによる世界秩序の根本的な再編過程に絡めとられていた。この危機的状況にあって歴史記述は、より大きな階層的秩序内部の各国民の異なる位置を概念化し、国民国家の出現を必然的で自然であるように見せるための手段として奉仕した。そして、分析的には、三つの場所でそのような歴史のナラティブが生まれ、形成される前提になったグローバルな条件が強調される。[12]

同じように他の歴史家たちも、個々の事例をグローバルな文脈に明確に位置づけてきた。彼らは、「人間の活動の所産であると同時にその活動の条件でもあるような構造(の内部)で、そうした活動の偶発性と、基層的なプロセス」を説明しようとしている。[13] この解釈において、グローバルは、過去について理解する際に参照しなくてはならない究極の枠組みとなる。原則的には、このような文脈化は近い過去にかぎられるものではなく、さまざまな時代に応用することができる。とはいえその場合、統合の度合いは弱いかもしれない。しかし世界が単一の政治的、経済的、文化的実体へと変容すればするほど、因果関係はグローバルなレベルで強くなるだろう。そうした関係が増殖し、永続化してゆくと、各地のできごとはしだいに、構造、あるいは体系に作用するものとして理解しうる、グローバルな文脈に反応して形づくられてゆくことになる。

## プロセスと視点

グローバル・ヒストリーとは、研究対象でもあり、ひとつの歴史の見方でもある。プロセスでもあり視点でもあり、主題でもあり方法論でもある。双貌のヤヌスのようなこの性質は、社会史やジェンダー史のような、歴史学のなかの他の分野／アプローチに似ている。実践においてはふたつの貌(かお)はたいていつながっているのだが、問題を適切に発見するためには、分けておくほうがいい。そうすることで、歴史家の視点としてのグローバル・ヒストリーと、歴史的過程それ自体の規模としてのグローバル・ヒストリーを区別することができるだろう(14)。

グローバル・ヒストリーは、さまざまな視点のうちのひとつである。他のアプローチによって創り出されるのとは異なる問いを設定し、答えを生むことを可能にする、問題発見のための装置である。大西洋世界の奴隷制の歴史はよい例だ。歴史家たちは、奴隷の人口や労働環境、コミュニティ形成の社会史を探究してきた。また、ジェンダーアプローチをとることによって、家族や幼児期、セクシュアリティや男性性についての新しい物語を語ることができるようになった。生産性や、他の労働者や年季奉公の使用人と比較した生活水準、プランテーション生産へのマクロ経済学的インパクトに焦点をしぼった奴隷制の経済史の成果は非常に豊かである。しかし、奴隷制と奴隷貿易の経験は、グローバルな文脈に位置づけることもできる。上述の課題以外にも、つぎのような論点を検討しうるだろう。「黒い大西洋(ブラック・アトランティック)」(アフリカ、アメリカ、イギリス、カリブ海の諸文化の要素を合わせた大西洋の黒人文化の形成の歴史)における横断的空間の創造、奴隷貿易が西アフリカの諸社会にもたらした反響、サハラ砂漠とインド洋を横断する奴隷補給ルートのつながり、奴隷化の他の形態との比較などである。視点としてのグローバル・ヒストリーは、奴隷という経験の、他のアプローチでは注意を向けられない可能性のある固有の次元に光をあてる。

グローバル・ヒストリーを、ジェンダー史や経済史のようにひとつの視点として扱うことの重要な効果は、研究が必ずしも全世界を覆わなくてもよいということだ。これは重要な但し書きである。グローバルという言い方は、調査研究の範囲があたかも無際限に広がっていることを意味しているように見える。しかし多くの主題は、より小さな枠に入れたほうがよく見える。このことはまた、グローバル・ヒストリーのアプローチの多くは、すでに確立された各国史のパラダイムを、「世界」という抽象的な全体性に置き換えようとしているわけではない、すなわち地球の全体史を書こうとしているわけではないということでもある。むしろ、境界の画定された、つまりは「グローバル」ではない空間の歴史を、グローバルな接続と構造的条件を意識しながら書くことの問題なのだ。この分野で基準となる仕事と考えられている近年の研究の多くは、せいぜい二つか三つの場所をカバーしているにすぎない。というわけで、グローバル・ヒストリーとはマクロ・ヒストリーの同義語ではない。もっとも興味深い問いは、しばしば、グローバルなプロセスと、その局地的な現れとの交差点に生まれる。

しかし他方で、グローバル・ヒストリーはたんなる視点ではない。グローバル・ヒストリーのアプローチはどんな主題についても見境なく使えるわけではない。このアプローチを適用することでよりその意義が増す時期、場所、プロセスがある。ある時代、ある場所でのできごとをグローバルな文脈に位置づけようとするあらゆる試みは、世界とのかかわりの程度と質を考慮しなければならない。一八七三年のウィーン株価市場の崩壊のもつ意味は、一九二九年と二〇〇八年の経済危機のそれと同じではない。単純に、一八七〇年代の世界経済とメディアの統合の程度は、それ以降ほどのレベルには達していなかったからである。この点に関していえば、視点としてのグローバル・ヒストリーは、しばしば、境界横断的な構造ができごとや社会にインパクトを与えることができるという仮定と暗黙のうちに結びついている。プロセスと視点のあいだの緊張関係については、後の章で再度検討するだろう[15]。

視点とプロセスの弁証法は複雑なものだ。一方で、一七六〇年代の茶貿易にグローバルな視点を向けることは、グローバルな力学の影響が少なかった中世のそれに向けるよりも大きな意義をもつ。他方で、一八世紀のそのようなグローバルな連関は、グローバル化した現在に生きる私たちにとってとくに目立って見えるのであって、数十年前の歴史家たちにとってはそうではなかっただろう。扱いを誤れば、グローバルな視点は結果として一八世紀を、実際そうであった以上にグローバルに見せてしまう。つまり、グローバルな視点と、グローバルな統合の進行は相互に連関し、ほどくことができないのである[16]。

しかし、問題発見的には、視点とプロセスとは分けておくほうがよい。結局のところ、グローバルなアプローチは、グローバル化のプロセスよりずっと新しい。パラダイムとしてのグローバル・ヒストリーの起源はごく最近だが、それが研究対象とする歴史的プロセスははるかな過去におよぶ。アプローチとプロセスの進行は厳密には対応していないのだから、分析的には分けておいたほうがよい。くわえて、この分野はまだ、発展途上である。この理由から、歴史家は方法論的な課題について自覚的である必要があり、また以下の章ではアプローチの問題に重点が置かれることになるだろう。どこか「向こう」にプロセスがあると想定しつつ、それを発見する方法論的挑戦と、私たちの選択がもつ意味について、深く考えることは決定的に重要である。

## 約束と限界

グローバル・ヒストリーの流行はすぐにはおさまりそうになく、すでに歴史学研究になんらかの重大な変化をもたらすにいたっている。これについての明確なしるしのひとつは、『アメリカン・ヒストリカル・レヴュー』や『パスト・アンド・プレゼント』といった主要な歴史雑誌が、この新しい分野での仕事をますます掲載するようになっているという事実である。グローバル・ヒストリーは長い間、たんなるニッチか、下位区分にとどまってきた。それが、研究と教育の双方に広がるメインストリームになったのである。専門誌やシリーズ書籍、会議などが、研究者たちがアイディアを交換し研究を論じ合う場をつくりだした。これらの討議の場は、歴史学の他の分野と並んで、たんにそれらのひとつとして存在しているのではない。それらはいまや、ものめずらしいなにかではない。「世界史」、つまりかつてのグローバル・ヒストリーが、きわめてしばしばすでに名声を確立した、総じて年配の歴史家たちの独占事業であったのに対して、今日では、学位論文でもグローバルな課題が追究される。このアプローチの教育への影響は、専門ゼミでも学位課程全体でも大きい。きわめて多様な領域へと議論が広がっていることも興味深い。環境史家や経済史家も、社会史家や文化史家と同様に、グローバルな歴史的文脈に関心を抱いている。実際、歴史学研究のすべての面が、グローバル・ヒストリーという視点の対象となりうる。

今日の世界の相互接続性のもとでは、この流れがあっさりと覆されるとは想像しづらいが、乗り越えなければならない障壁も数多い。制度的には、新しいアプローチのための空間を創造するにはなお困難なプロセスが残っている。西ヨーロッパやアメリカ合衆国においてさえ、歴史学という学問領域は国民の歴史に強固に支配されており、グローバルな歴史的視野に関わる諸問題へと当然開かれてゆくであろうとはとても言えない。グローバルな視点が全体的な支持を得ることができたところでも、資金やポストに関しては他のアプローチと競合する。グローバル・ヒストリーのカテゴリーでひとり雇用されるということは、中世史など、ナショナルな過去の由緒ある分野のポジションをひとつ犠牲にすることを意味するかもしれない。グローバル・ヒストリーは無償ではない[17]。

総じて言えば、グローバルな視点の誕生は、現実をごく部分的に見てしまうことから離れさせてくれる、重要な発展である。領土的境界の自明性が問われるようになり、歴史はより複雑なものになった。ふりかえってみれば、古い研究のなかにはまるでサッカーの試合の実況放送のようなものもあった。ふたつのチームの片方しか見ようとせず、観客や天候、リーグでの順位といった他のファクターについてはなにも言わないような。グローバル・ヒストリーは、それとは対照的に、長らくアカデミーの知のシステムでは検出不可能であったか、あるいは少なくとも見当違いだと考えられていたようなプロセスを見る目を開いてくれる。

したがってこれは歓迎すべき、そしてある面においては解放をもたらしてくれる、重要な発展である。だが古いことわざにあるように、なんでも新しいものはなにかを犠牲にしてやってくる。グローバル・ヒストリーのアプローチは、万能薬でもなければどこにでも入れるマスターキーでもない。研究上のすべての問いが、グローバルなアプローチを必要とするわけではない。グローバルな文脈がいつでも中心であるということでもない。なんでもかんでもが、他のなんでもかんでもとつながり、接続しているわけではないのだ。グローバル・ヒストリーを唯一有効なアプローチ——歴史叙述の視点として、あるいはそれが探究しようとする絡み合いの範囲や密度において——であると見なすのは、間違いなく誤りだろう。どのような状況でもさまざまな力が働いており、グローバルはいうまでもなく、境界横断のプロセスも、アプリオリに重要であるわけではない。多くの現象はこれからも、具体的な、厳密に領域を画定された文脈で研究されるだろう。同様に、広大なネットワークに統合されなかった数々の歴史のアクターたちを忘れて、彼らを移動という流行り（はやり）の強迫観念の犠牲にしてしまうことは、あってはならない。とはいえ、後戻りして、グローバル・ヒストリーへの転回（グローバル・ターン）が生んだ知見を捨て去ることもやはり難しいだろう。

# 第2章 「グローバル思考」小史

今日、グローバリゼーションのレトリックが騒々しくまたしつこいが、世界における自分の場所についてひとびとが考えたのはこれが初めてではない。実際、記録された歴史が始まって以来、人類は自分たち自身をより広く包括的な文脈に位置づけてきた。当然、これらの「世界」の範囲と視野は、接続の密度や境界を横断する交換の頻度の変化にしたがって多様であった。しかし世界を想像することは、グローバルな統合の自動的な結果では決してなかった。それはつねに、あるひとつの視野、すなわち「世界制作」world-making への欲望の結果でもあった。今日のグローバル概念の特殊性をより正しく評価するためには、世界という観念が時代を追ってどのように変化してきたかを理解することが役に立つだろう。これから見るように、自分自身の社会をより広い人類世界に位置づける探究は主要文明のすべてに共有されていた。真のグローバル意識は、初期近代に、互いに遠く離れたユーラシア大陸の諸地域で形をとりはじめる。そしてヨーロッパの覇権時代、物質的進歩と国民(ネイション)の発展という共通のナラティブが生まれた。

## 人類世界の歴史叙述

世界史を書くという行為は、ある意味で、歴史叙述それ自体と同じくらい古い。史上もっともよく知られた歴史家たち――ヘロドトス、ポリビウスから、司馬遷、ラシードゥッディーン、イブン・ハルドゥーンまで――はみな、それぞれの人類世界の歴史を書きつつ、それを取り巻く「世界」があるとも考えていたが、世界を叙述したり説明したりすること自体はこれらの研究の目標ではなかった。むしろ主たる関心は、自身の社会あるいは人類世界の精髄を讃えることであった。その唯一無二の文化的アイデンティティ――と、一般的にはその優越性――は、所与のものであった。したがって、「世界」とは、第一義的には、常軌を逸した土地、みずからと野蛮とを隔てる薄紙の役割を果たしていた。たとえば、古王国から中王国(紀元前二一三七~前一七八一年頃)にかけてのエジプトの年代記では、あらゆる非エジプト人は、たとえ平和で、エジプトと協定を結ぶような関係であったとしても、「卑しい敵」と記述された。エジプトは理性によって秩序化された世界に等しく、その境界の向こうには、「いかなる関わりをもつことも考えられない完全なる異種族」が暮らしていた。[1]

やや時代を下った例は、ヘロドトス(紀元前四八四~前四二四年頃)と彼の九巻からなる『歴史』である。[2] 彼はギリシャ人とペルシャ人の戦いに、西洋と東洋、自由と専制の衝突という役柄を与えた。ヘロドトスの名を知らしめたこの文明と野蛮の弁証法は、それ以後何世紀にもわたって歴史叙述において構成的な役割を果たした。アラブや中国の多くの年代記作者たちの作品にもそれを見出すことができる。

とはいえ、ある社会の外側の世界を知覚する方法を、たんに「他者化」の戦略と見なすことはできない。早くもヘロドトス――彼はメソポタミア、フェニキア、エジプト中を旅したと主張していた――や司馬遷(紀元前一四五~前九〇年頃)の仕事には、他のひとびとや慣習を、民族学的に描写しようとする傾向があった。とりわけ、ギリシャ人や中国人たちがそれぞれより緊密な政治的・経済的紐帯を結んでいたひとびとは、境界線を明確にしたいという欲望以上のものに特徴づけられた関心の対象となった。境界地域は紛争と敵意によってだけでなく、交換と出会いによってもしるしづけられた。こうした、異種混淆と文化交流への関心の事例は数多い。バグダード出身のアブー・アル＝ハサン・アリ・アル＝マスウーディー（八九五〜九五六年頃）は『黄金の牧場』という華麗な題名の本で、彼の知る世界を描いている。彼はイスラームの諸社会についてだけでなく、ガリツィア〔ポーランド南東部からウクライナの北西部あたり〕からインドまでをつなぐ、イスラーム以前の交易関係によって接続されていたインド洋の諸地方についても報告している。ヘロドトスの書と同様、この作品は、インド、セイロン、東アフリカ、エジプト、そして恐らくはインドネシアや中国まで、マスウーディーをイスラーム世界の多くの場所へ導いた、長大な旅の結果であった。[3]

民族学的視点はそれ自体が目的ではなかったが、しばしば権力の利益と手を結んでいた。たとえば、司馬遷が中華文明の囲いの外の遊牧集団を記述するとき、背景にある関心は、中国のさらなる拡大への期待であった。[4] 究極的には、それぞれの「世界」――たいていは隣り合った領域や地方に限られる――は、自身の文化の視野から理解された。たしかに、他の社会をその内側から記述し、見知らぬ慣習を数え上げてそれらを異様なものと見なさないつもりだと宣言した歴史家たちはいた。異国の諸制度は、機能主義的な術語と、異国のひとびと固有の論理によって説明されるべきであった。[5] しかし、他の集団の評価と道徳的な分類は、概して自分自身の文化のパラメーターに拠るままであった。

これらのパラダイムは、世界中のさまざまな歴史叙述の伝統の特徴であった。当然、地域間や地域内でも、大きな違いがあった。ヨーロッパでは、ギリシャの歴史叙述はのちのキリスト教の、神の啓示をめぐって展開する歴史叙述とはほとんど似たところがない。非イスラームの南アジアでは、植民地期になるまで個別のジャンルとしての歴史叙述は生まれず、世界史モデルはほとんど存在しなかった。アフリカも同様であった。それとは対照的に、世界史への重要な介入のいくつかは、ムスリムの伝統にその根をもっている。これらは総体としては普遍的使命をもつ唯一の宗教と考えられていたイスラームの誕生とつながっていた。先述のマスウーディーや、ペルシャ語話者のほかに明らかにモンゴルと中国の読者に向けてイスラーム世界やインド、中国について詳細に書いたラシードゥッディーン(一二四七～一三一八年)にくわえて、やはりイブン・ハルドゥーン(一三三二～一四〇六年)に言及しておく必要がある。ハルドゥーンと、なかでも重要な著作『歴史序説』(これは実際には彼の人類史の序説にすぎないのだが)は、因果関係の説明に基づく科学的イスラーム歴史研究の起源と考えられている。

このように、世界についての歴史叙述の伝統と視野は、きわめて多様であった。しかし、これらのあいだの差異を架橋する、重要な類似点があった。どの場合も、「世界」は概して、自身の人類世界の視野から構築されていた。とりわけそれは、過去が――他のひとびとや集団のそれも含めて――、歴史家自身の社会の道徳的・政治的価値規範の基準にしたがって評価され、判定されることを意味していた。この世界とは、私たちが知るような地球全体ではなく、「問題だと見なされた世界だけを指していた」[6]。

したがってそのナラティブは、しばしば特定のゴールを念頭において組み立てられた――キリスト教的「神の王国」へ向かっての人間の発展、ダールル・イスラーム(字義は「イスラームの家」、すなわちイスラーム法の支配の下にある領域)の創造、あるいは無知で野蛮な遊牧民の、儒教的中国文明への包摂といったように[7]。

## 世界史的タブロー、一六～一八世紀

人類世界の歴史叙述の基本的な信条は、一九世紀にいたるまで概ね変わらなかった。しかし、まったくなんの変化もなかったということではない。とくに、地方間、大陸間の交流が盛んになった時期には、それに応じて他の世界への意識や、他の文化への関心、そして、自身の社会をより広い文脈で理解したいという願望も高まった。一六世紀以降にさまざまな場所で生産された多くの仕事は、このような要求に応えるものだった。

一六世紀以来、両アメリカ大陸が拡大する交易と知の循環に組み込まれたのはその一例である。両アメリカ大陸をアフリカ、ヨーロッパ、中東、東および東南アジアへと接触させた大陸間の相互作用は、認識と文化への挑戦をもたらした。伝統的な王朝史の形態にかわって、世界規模の歴史が徐々に生まれていったのはこうした文脈においてであった(8)。

多くの場所で、世界史モデルが現れはじめた。早くも一五八〇年にはイスタンブールで、新世界の発見によってもたらされた予期せぬ地平線の広がりと、世界観の危機を把握する試みとして、『西インドの歴史』が書かれた。無名の年代記作者はこう書いている。「預言者アダムが世界にその足を踏み入れて以来今日まで、このように奇妙で驚異的なできごとが起こったことはない(9)」。バルト諸国で長年を過ごしたのちメキシコにわたった、ハンブルク生まれのハインリヒ・マルティン〔エンリコ・マルティネス〕は、世界史のアメリカ版を執筆した。たとえば彼は、両アメリカ大陸にはアジアから来たひとびとが住んでいると信じていた。先住民集団が彼にクールラント〔ラトビア西部〕の土着のひとびとを思い出させたからであった。イスタンブールの年代記作者とハインリヒ・マルティンはほぼ同時にその世界史を生み出しており、コロンブスの旅が当時の世界意識に与えた衝撃を物語っている。とはいえ彼らの説明は、それぞれの属する共同体の世界観に影響されているため、根本的に異なっていた。世界史的プロセス——ヨーロッパによる両アメリカの「発見」——は彼らの世界観の中核に衝撃を与えたが、そのできごとに対する応答は異なる基準にのっとっており、多くの点で通約不可能であった。

　新しい世界認識をもったのは、これらふたりの歴史家だけだったわけではもちろんない。たとえば、オスマンの歴史家、ムスタファ・アーリー（一五四一〜一六〇〇年）が挙げられよう。彼の『諸事件の本質』は、オスマン帝国をそれが関わると見なした世界の一地域として扱いながら、モンゴルの諸帝国と、同時代のもっとも重要だと彼が考えていた三つの帝国——ウズベク人たちのハン国、ペルシャのサファヴィー朝、インドのムガル帝国——の広範な研究も含んでいた。〔メキシコ先住民の〕ドミンゴ・チマルパイン（一五七九〜一六五〇年頃）は、ナワトル語で書いたメキシコ史を、世界全体の見通しのなかに埋め込んだ——ヨーロッパにくわえ、中国、日本、モンゴル、モスクワ、ペルシャ、アフリカの一部をも彼は見ていた。イタリアのジョヴァンニ・バッティスタ・ラムージオ（一四八五〜一五五七年）とポーランドのマルチン・ビエルスキ（一四九五〜一五七五年）は、ヨーロッパ規模のニュースが次第に手に入りやすくなるなかで、それをもとに一種の「安楽椅子世界史」を書くことができた。ムガル帝国のタヒール・ムハンマドは一七世紀初めに、セイロン、ペグー、アチェに、ポルトガル王国まで含む地域について書いている[10]。

　この時代の著作の多くは、公的な地位のない、したがって関心を引くことも少ない、アマチュアの歴史家によって書かれていた。しかしそれらが示しているのは、世界史モデルが一八世紀後半以前にすでに生まれていたこと、そして当たり前だがヨーロッパの専売特許ではなかったことである。それらの歴史叙述は、接続や相互作用に焦点を当てているというよりは、累積的な性質のものであることが多かった。しかし、他のひとびとの過去はおおむね歴史家自身の価値基準によって判断されたとはいえ、もはや、差異の構築を主要な目的として書かれてはいなかった。これらの世界史的視野は多様な系譜と歴史叙述の伝統に依拠し、「世界」の観念もそれぞれ異なっていた。セルジュ・グリュジンスキはこう書いている。「イベリアのグローバリゼーションは、あらゆる場所で、世界のグローバルな性質を把握するための努力という点においてたがいに相容れないが、相互補完的な、複数の視点を生んだ」[11]。

時とともに、商業ネットワークと帝国の構造が拡大しつづけると、より詳細で、経験に裏打ちされた、洗練された世界史のパノラマが現れた。その目的は、なにかを知りうることのできたすべての社会を可能なかぎり詳しく、完全に、叙述することであった。もっとも有名な例は、一七三六年から六五年にかけてロンドンで出版され、その後四言語に訳された『普遍史(ユニバーサル・ヒストリー)』である。本質的には並立構造の、膨大な情報の寄せ集め(全六五巻)であった。その目標は、できるかぎり多くの社会を、過去と現在において記録し、すべて並べて示すことにあった。この作品は、一八世紀ヨーロッパで手に入れることのできた多数の旅行記を基にしている[12]。中世を扱う『普遍史』第二部では、テクストの半分がヨーロッパの過去に捧げられ、四分の一が日本と中国、残りが東南アジア、ペルー、メキシコ、コンゴ王国とアンゴラ王国にあてられている。とはいえ、その百科事典的な性格によって、娯楽のための読み物というよりは、参考書的な著作になった。エドワード・ギボン(一七三七~九四年)はこれを、「哲学や審美眼のひらめきの光ることのない、〔中略〕つまらない塊」以外のなにものでもないと見なした。[13]

世界史や普遍史というジャンルは、一八〇〇年ごろに、ことにヨーロッパで盛んになった。これらの歴史記述は、世界のあらゆる地域から情報を伝えて、社会制度と発展のタブローを創りだすことを通じて、大規模な「人類史」を目指した。ヴォルテール（一六九四〜一七七八年）やエドワード・ギボンの仕事もここに含まれる。ギボンの『ローマ帝国衰亡史』は、モンゴル帝国の誕生と、トルコ人によるコンスタンティノープルの奪取にいたるまで、ユーラシア大陸全体を扱っている。[14] 普遍史記述の初期の中心は、ゲッティンゲン大学であった。ヨハン・クリストフ・ガッテラー（一七二七〜九九年）といった歴史家が、人類史についての全体像を著している。総体としてこれらの比較史は、異なる「文明」という概念にとらわれ、ヨーロッパ文化（ないし、ガッテラーがそうであるように、聖書のナラティブ）の視点から書かれた。[15]

## 西洋の覇権の時代の世界史

一九世紀のあいだに、世界の多くの場所で、過去の見方について根本的な変化が起こった。ヨーロッパ（と、そのすぐ後の北アメリカ）の覇権の時代に、過去へのアプローチは次第に同じようなナラティブに向かい、同じような方法論的基準にしたがいはじめた。従来の史学史としての歴史叙述はこれをおもに、西洋化の結果であり勝利であると考えてきた。すなわち、歴史に対する啓蒙的・理性的アプローチの普及であり、過去についての神話や宗教と結びついたアプローチと比較すれば、進歩した形態であると。多くのやり方でこの解釈は再生産され、近年のポストコロニアル・スタディーズの文脈のなかでも展開された。しかしその力点は変わった。近代ヨーロッパの歴史学の普及は、もはや歴史思想の近代化への貢献ではなく、文化的価値観をおしつけ、帝国の覇権を高らかに宣言するものと解釈されたのである。しかし本質的には、ポストコロニアル・スタディーズの支持者たちも、ヨーロッパのイデアの普及という観念を共有していた[16]。

そして実際、これらの説明は的を射ている。ヨーロッパによって支配された世界秩序は、世界の他の部分に対して、ヨーロッパの世界観と、過去の解釈の仕方にしたがうよう強いた。歴史家たちはしだいに、一九世紀の自由主義世界秩序の優位に対応した、歴史の駆動力としての国民（ネイション）と、「近代化」という一般的な観念に基づく歴史のナラティブの例にならうようになった。ヨーロッパ史は普遍的発展としてみずからを装い、ものさし、モデルとして扱われた。フランソワ・ギゾーやヘンリー・バックルのような歴史家たちの著作や、オーギュスト・コントの実証主義、ハーバート・スペンサーの社会ダーウィニズムなど、ヨーロッパの著作の他地域への翻訳が、ここでは重要な役割を演じた。たとえば、一八六〇年代のアルゼンチン大統領バルトロメ・ミトレは、彼の国の独立の歴史を書いたが、広くいきわたった実証主義的な啓蒙の歴史叙述の仮定――科学と進歩、世俗化と自由主義的自由――にしたがった。それは、国際的な国家システムのパワー・ポリティクスと、自由貿易体制によって下支えされていた[17]。ヨーロッパの歴史学の制度的輸出――大学の歴史学部や歴史家協会の創設、史学雑誌や教科書の出版――が、歴史分析の標準化にさらに貢献した[18]。

とはいえ、このすべてがヨーロッパの歴史記述の世界の他の地域への輸出の結果であると示唆するのは単純化がすぎるだろう。結局のところ、歴史の近代的理解は、ヨーロッパでも新しく馴染みのないものであった。国民への焦点、進歩の理念に基づく時間の概念、史料を批判的に評価する必要を強調する方法論、諸現象のグローバルな文脈への位置づけ――こうしたことはすべて、多くのヨーロッ過去において見られた接続性を理解しようとしている。

これらのパラダイムはそれぞれ強みをもっている。第3章ではそのうちの際立って優れたいくつかをとりあげよう。しかし、それらのあいだの相違点を強調しすぎるべきではない。共通性や、対象領域の重なりも多い。実際のところ、グローバル・ヒストリーの特殊性や独自性を厳密に定義するのは難しい。グローバル・ヒストリーという語の実際の使用法を見れば、なおさら容易ではない。研究状況をちらりとでも見てみれば、この語がじつにさまざまな目的で使用され、乗っ取られていることがすぐにわかる。その用いられ方は、他の語としばしば交換可能である。そして、そのように幅広く用いられることによって露わにされているのは、方法論的厳密さではなく、むしろこの概念の魅力や、とらえどころのなさなのである。(5)

## 三種類のグローバル・ヒストリー

このような折衷や理論的混乱のなかでは、「グローバル」という挑戦に対するさまざまな反応を分類することが問題発見に役立つかもしれない。細かいところに目をつぶれば、それらは三つの陣営のどれかに分けられるだろう。第一に、すべてのものごとの歴史としてのグローバル・ヒストリー、第二に接続の歴史としてのグローバル・ヒストリー、第三に統合という概念を基礎に置くグローバル・ヒストリーである。後の章ではっきりするように、接続性への形ばかりの取り組みを超えようとするグローバル・ヒストリーの歴史家たちにとってもっとも有望なのは第三のアプローチだ。それでは三つを順に見ていこう。(6)

グローバル・ヒストリーにアプローチする第一の方法は、それをすべてのものごとの歴史と同じもパ人にとっても根本的な挑戦となった。とくに、ヨーロッパでもどこでもしばしば深刻な断絶として感知された、新たな時間概念をめぐる事例に、それはっきりと現れている。学術的な歴史学が確立されてゆくにつれ、この概念が広がったところでは、過去を領有するための他のさまざまな方法を追いやっていった[19]。

さらに、ヨーロッパの起源と、ヨーロッパ的なるものが世界大に拡張したことについての標準的な説明は、グローバル・ヒストリーの視点から練り直され、またある程度修正をくわえる必要がある。これは二つの理由による。第一に、歴史家はつねに、新しいものを採用するときでさえ、彼らが属する伝統と文化的資源を少なくとも部分的には利用したからである。たとえば、日本では一八世紀末に「国学」と呼ばれる歴史学の形式が生まれ、中国の文化的支配からの学問の解放に専心した。微細なテクスト批評を通じて、中国から輸入された宗教と文化から、彼らの考える「純粋」な日本古代を守るという目的を追究したのである[20]。同時代に中国では「考証学」が誕生した。この学問運動は、古文書の文献学的評価と事実の確定、そして必要な場合には捏造の発見に関心を抱いていた[21]。これらの事例は、一般的にはレオポルト・フォン・ランケの名と結びつけられる近代歴史学の証明——国民の歴史への注目や史料批判といった——が必ずしも外国の文化的影響の歓迎されざるおしつけではなかったことを示している。

第二に、より重要なことは、歴史の解釈は、権力の地政学的バランスの変化に対応したものであった。「西洋からその他の地域への普及が、世界規模の現象としての学術的歴史学の生成がもつ無比の力の証明であると単純に見なすのは誤りだろう」とドミニク・ザクセンマイアーは論じている。「学術的歴史学の多くの特徴——強固なヨーロッパ中心主義世界観など——は、たんなる素朴なヨーロッパの輸出品ではなく、ヨーロッパ大陸の拡大と、それによって生じた多くの複合的な社会・政治的変容の結果として考える必要がある[22]」。

言い換えれば、どこの世界史記述も、地政学の、とりわけヨーロッパの覇権の下の地球的統合の刻印を帯びていた。ヨーロッパでもそうであった――たとえ当時、ヨーロッパの歴史叙述がグローバルな変化の衝撃を受けていたと認識されていなかったとしても。欧米の外では、それは一層はっきりと触知できた。他の諸社会は、西ヨーロッパ(と、のちにはアメリカ合衆国)によって支配されたグローバル秩序に従属させられると、彼ら自身の記録すべき歴史のナラティブも国民国家と進歩の物語に適合させた。しかし、進化論的な時間概念や国民国家の輪郭に沿った歴史的現実の区分、世界の単一性などは、主に翻訳プロセスや知の移転の結果というわけではなかった。むしろ、帝国の構造と市場の拡大を通じてのグローバルな統合に直面した多くの同時代人が、それらのようなことを歴史叙述の明快で自然な基礎となる前提と考えたのだった。したがって、近代歴史学の優位は、世界中の多くの著者たちの多様なニーズと関心に応えた合作だった。歴史の知は、次第に統合されてゆく世界に応答していた[23]。

一九世紀から二〇世紀はじめの世界史の多くがもつ中核的特徴――空間と時間のヨーロッパ中心主義的概念化――は、したがって、グローバルなヒエラルキーと、非対称的な地政学的構造の結果として理解されなければならない。発展段階として構造化され、目的論的にヨーロッパを目指すメタナラティブは、さまざまに変奏された。ここに含まれるのは、コンドルセとその科学的・哲学的発展一〇段階論、スコットランド啓蒙主義の推測的歴史とその発展段階と文化的進化のモデル、非ヨーロッパ社会の歴史を「先史」――アフリカについての「幼年期の大地」という悪名高いメタファーと同様に

——と蔑んだヘーゲルの哲学史講義などである。[24] つづく世紀には、進歩のパラダイムに基づく世界史の解釈がヨーロッパの外でも生まれた。中国の梁啓超(一九〇二年)、日本の福澤諭吉(一八六九年)、インドのジャワハルラル・ネルー(一九三四年)はよく知られている。彼らの著作は世界史研究の幅広さをよく表しており、地域ごとの違いにもかかわらず、世界のさまざまな場所でよく似た形のグローバル意識が生まれたことを立証している。

世界中のすべての地域の包括的説明よりも実践面でさらに重要なことは、世界史のマスター・ナラティブとしての機能であった。多くの国々で、世界史として様式化された説明が、各民族の発展の度合いを測り、評価するものさしの役割を果たしたのである。多くの場合、進歩は内側から説明されたので、進歩の欠如もまた国内の障害と制約に帰された。しかし、歴史家たちは民族の歴史に関心を向けるときにも、総体として、グローバルなモデルを意識していた——たとえば、オスマン帝国から国民国家トルコへの移行を普遍的プロセスの現れとして描いた、〔トルコの社会学者、作家〕ズィヤ・ギョカルプ(一八七六～一九二四年)のように。

したがって、一九世紀末から二〇世紀初頭の、普遍的なプロセスとして想像された世界史の確立は、しばしば言われるような、ヨーロッパに生じた知の移転の結果であると単純に見なすべきではない。[25] ヨーロッパの外の歴史家や社会思想家たちが、啓蒙思想のカテゴリーに基づく明らかにヨーロッパ中心主義的な表現にたよっていても、それらのナラティブは単なる複製ではなく、著者たちの改革への関心や、グローバルな変化のもたらすさまざまな現実についての彼らの見方を踏まえたものであった。多くの歴史家は、ヨーロッパに焦点を当てるべきなのは、そこがある特定の時期において物質的にもっとも先進的な社会であるからであって——将来的には変化する可能性があると考えていた。つまり彼らは文明という概念を用いたが、それをたしかに普遍的ではあるけれども、アプリオリにヨーロッパに結びついているものとは理解していなかった。[26]

非対称的な権力関係によって、ヨーロッパ中心主義的ナラティブは長期にわたって覇権的な力をもっていた。しかしこのことは、それが唯一の選択肢であった、あるいは批判の対象にならなかったということを意味するのではない。たとえば〔清末・中華民国の学者・政治家〕梁啓超（一八七三～一九二九年）は、「アーリア人の歴史はしばしば誤って「世界史」と名づけられている」と抗議した。[27] こうした留保の他にも、基本的な批判は一九世紀にはすでに現れており、その一部は今日もなお影響力をもっている。批判にはふたつの主要な方向があった。それらを「体系アプローチ」と「文明概念」と呼ぶことができるだろう。

前者はおそらくカール・マルクスまで遡る。たしかに史的唯物論も発展段階論に基づき、当時のヨーロッパ中心主義の跡を残してはいる。しかし、唯物論的マルクス主義アプローチは、他のアプローチよりも、絡み合いや相互作用、すなわち社会発展のグローバルな規模での体系的条件を強調した。フリードリヒ・エンゲルスとの共著、一八四八年の『共産党宣言』はこの視点を簡潔にこう表現している。「ブルジョアジーは、世界市場を開発することによって、あらゆる国々の生産と消費を世界主義的なものにした。工業の足もとから国民的な基盤をとりさって〔中略〕大昔からの国民的な工業は滅ぼされてしまい、なおも日々に滅ぼされている。〔中略〕昔の地方的、また国民的な自給自足や閉鎖性にかわって、諸国民相互の全面的な交易、その全体的な依存関係が現れてくる」。[28] 以後の世界史叙述は――とくに世界システム論が、しかし反対の立場に立つ「下からの」歴史叙述やサバルタン・スタディーズも、この知見に立って築かれていった。

文明概念に基づく第二のアプローチは、一八八〇年代にアラブ・イスラーム世界と東アジアで人気を得た。文明アプローチの核心では、文化的差異と異なる伝統は時間の単線的な概念をともなう進化のパラダイムには組み込むことができないという観念に、力点がおかれた。その初期の例である日本の岡倉天心(一八六二〜一九一三年)とベンガルのラビンドラナート・タゴール(一八六一〜一九四一年)は、物質主義的な西洋と、精神的な東洋という二分法にのっとって他者性を認識する歴史理解に依拠していた。[29]

文明概念を採用した著述家たちの一部には、ドイツの哲学者ヨハン・ゴットフリート・ヘルダー(一七八四〜一八〇三年)の仕事に影響を受けた。ヘルダーの四巻に及ぶ『人類歴史哲学考』(一七八四〜九一年)は世界のさまざまな文化の個性と独自性を仮定し、それがヨーロッパの拡大にともなって破壊の危機に瀕しているとした。ヘルダーのテクストは多くの場所で知識人たちの着想の重要な源泉となった。[30]しかしここでも但し書きが必要である。文明概念の訴求力は、ヘルダーの遺産というばかりではない。それは一九世紀末の世界秩序に生じた地殻変動と関連していた。世界を個々の文明へと分割することが、帝国主義を背景として展開する人種理論や汎民族主義諸運動に対抗して、次第にもっともらしく映るようになったのである。[31]諸社会を先進から後進へ単純に分類することへの抵抗であった「文化」の複数性という観念は、第一次世界大戦の勃発によってさらなる人気を獲得した——世紀末の文明批判や、一九一八年以後では、ドイツの歴史家オスヴァルト・シュペングラーの『西洋の没落』が大衆的に歓呼して迎えられるなど、ヨーロッパではとりわけそうであった。[32]

## 一九四五年以後の世界史

文明パラダイムは二〇世紀後半まで生き延びて、アーノルド・トインビーの『歴史の研究』全一二巻とともに息を吹き返した。第一巻は一九三〇年代に出版されたが、その衝撃が真に感じられたのは、第二次世界大戦以後のことであった。イギリスの歴史家トインビーは世界を二一の文明に分割し、ひとつひとつは固有の文化的な、とくに宗教的な特徴によって性格づけられ、それぞれの台頭と没落は基本的にそれぞれの文明内部の論理によって説明された。第二次世界大戦によって引き起こされた荒廃のあとで、進歩という普遍的なナラティブを批判するこの見方は、世界中の読者たちの琴線に触れた。しかし、トインビーの記念碑的著作は一般大衆のあいだに広い反響を呼び起こしたけれども、彼自身は歴史家のなかではアウトサイダーのままであった[33]。

実のところ、歴史学における世界史の地位は、一九九〇年代までほとんどの国々で不確実なものにとどまっていた[34]。当然のことながら、世界の広汎な地域で戦後とは、国民形成（ネイション・ビルディング）の時代であった。とくに独立したばかりの旧植民地の多くでは、国民の歴史の研究は緊急的課題の筆頭におかれた。政治権力のバランスにしたがって、これらの国々の歴史家たちは自分たちの国の歴史を測るものさしとして、ヨーロッパの過去を用いたのであった。この時代、英語による歴史叙述の支配が高まった。カナダの歴史家ウィリアム・マクニールの、一九六三年に出版され、いみじくも『西洋の台頭』と題された大著がもっとも影響力のある参照点のひとつとなったのは、こうした文脈においてである。同書は、断固たるヨーロッパ中心主義的マクロ視点のヘゲモニーを代表していた。ここでは近代世界は西洋の伝統の産物、ヨーロッパがまったく独自に達成したものであり、その栄光の頂点で、他の地域へと輸出された、と表された。この見方は、つづく脱植民地化時代の「先進」国と「低開発」国という二分法に一致していた[35]。

とはいえ、世界史という伝統の誕生に関しては、一方のトインビーの内在的・自己完結的な文明論、他方のマクニールによるヨーロッパの神格化に応用された近代化論よりも、マルクス主義の諸著作と史的唯物論に影響を受けたひとびとがグローバルな規模でより大きな重要性をもっていた。とりわけ一九四五年以降、マルクス主義的アプローチは——ソヴィエト連邦と東側ブロックのみならず、ラテンアメリカ、フランス、イタリア、インド、日本でも決定的に重要になった。とくにソ連と中国では共産党の権力獲得後に世界史が制度化され、西側よりもはるかに研究が進んだ。世界史学科が多くの大学に設立された。中国では、大学に所属する全歴史家の約三分の一が、世界史に特化した組織で仕事をしていた——それは当時のヨーロッパや合衆国では想像もおよばない様相であった。たしかに中国の世界史は一種独特で、トインビーやマクニールのように広範囲を論じてはいなかった。多くのマルクス主義歴史家はただ一国の歴史に集中し、それを、歴史的発展の普遍的マルクス主義モデルに沿って組み立てるのであった。ソ連では、スターリンが認めカノン化した「ソヴィエト連邦共産党史(ボルシェヴィキ)概説」が比較的厳密な発展段階を提示した。研究者たちは概ね演繹的に作業を進め、概説で確立された発展の普遍的パターンの証拠を求めた。経験的な研究の役割は、現実を理論にアプリオリに一致させることであった[36]。

世界システム論は一九七〇年代に、このような、スターリンの金言をパラフレーズするならば「一国世界史」とでも呼びうる形態に対する抗議として生まれた。第一巻が一九七四年に出版された、アメリカの社会学者ウォーラーステインのこの未完の大著は、多くの場所ですぐさま熱狂的な反応を引き起こした。焦点は、過去をグローバルな規模で、そして発展の抽象的な論理に基づいてだけでなく理解することを歴史家たちにうながした、体系的プロセスであった[37](第3章を参照)。

ヨーロッパ中心主義的な世界史解釈は圧倒的ではあったが――ウォーラーステインのアプローチでさえ、世界のすべての国や地域がヨーロッパ世界システムに次第に組み込まれてゆくと仮定する、明確な核をもっていた――、もちろんなんの批判も受けなかったわけではない。批判的視点の誕生には、歴史学内部の分裂や複数化が大きな役割を果たしていた。アナール学派の心性史やさまざまな形の「ミクロストーリア」と「下からの歴史」、女性・ジェンダー研究、「言語論的転回」といったさまざまなアプローチが、マクロ・ヒストリー的ナラティブを掘り崩し、ヨーロッパ中心主義的な前提に挑戦した[38]。同時に、地域研究の重要性が次第に高まっていった。世界史家は地域専門の歴史家の豊かな研究成果に経験的にたよっていたが、地域の動態と変化の軌跡に関心を寄せる地域研究も、「西洋の台頭」神話の訂正に一役買った[39]。

世界史のヨーロッパ中心主義的メタナラティブに面と向かって挑戦する、明確に非西洋的視点からの批判も、等しく重要であった。ここには、仏領マルティニークのフランツ・ファノンやエメ・セゼール、仏領セネガルのレオポルド・サンゴールらが第二次世界大戦直後の時期に、ときに非常に異なったやり方でとった、初期の「ポストコロニアル」な立場も含まれる。彼らの仕事には、いくつかの点において、西洋による文明化の使命と、発展の普遍的進路への信念の基礎をなす仮定と価値観への根源的な批判となるものが含まれていた。一九五五年バンドンでの非同盟諸国会議の開催、脱植民地化時代の反帝国主義抵抗運動、一九六八年のグローバルな規模での抵抗などを契機として、これらやそれに惹起されたアプローチの衝撃は大きくなっていった[40]。学術的なサークルのなかでは従属理論アプローチがきわめて大きな影響力をもった。このモデルは、はじめ、ラテンアメリカで研究に携わり、当地について執筆していた社会科学者たちによって発展した。初期のポストコロニアル作家たちと同様に、従属理論もまた政治的な意味をもち、南米大陸におけるアメリカ合衆国の開発政策に批判的であった。貧困と「後進性」を、いまだグローバル経済の動態の影響を受けていない非近代的なローカルな伝統の結果と見るのではなく、まったく逆に、ローカルな伝統がグローバル資本主義の構造に統合された結果であるとする視点が、このアプローチの理論的貢献であった[41]。

一九八〇年代以来、サバルタン・スタディーズにつらなる歴史家たちは、ヨーロッパ中心主義的な仮定条件に大きな挑戦をつきつけた。他の多くのアプローチの場合と同様、このグループも、知のトランスナショナルな生産の例証である。サバルタン・スタディーズはインドで、当初は周縁化された「サバルタン」階級の視点からの歴史として生まれた(一九八〇年代前半にインドで生まれたこの研究グループは、エリートとヨーロッパ中心の歴史の再検討を目指し、歴史叙述に対する植民地主義の影響を厳しく批判した。「サバルタン」の名称は、イタリアのマルクス主義者アントニオ・グラムシが、抑圧され、歴史のなかにその存在が反映されてこなかった従属的社会集団を指すのに用いた用語に由来する)。一種の批判的な「下からの歴史」を書く試みは、インディラ・ガンディーによる戒厳令以後の時代という特殊な社会的条件の下で展開した。このため、地域に根ざしつつ、グラムシからフーコー、サイード、デリダなど、多様な国際的モデルを利用した。サバルタン・スタディーズの歴史家たちが提示した研究課題は、すぐさま南アジア史のフィールドを超えた関心を呼んだ。この運動の牽引者たちは英語圏の大学で高い地位を獲得したが、サバルタン・スタディーズはインドと関わりつづけた。彼らのヨーロッパ中心主義批判は、西洋の外部であるというその特別な位置との結びつきから力を得ていたからである[42]。

こうして二〇世紀末には、世界史記述は多くの国々で学術分野の周辺にとどまっていたとはいうものの、きわめて多様になった。グローバルな過去をめぐる、ヨーロッパの台頭に支配された解釈は依然顕著であったが、同時にヨーロッパ中心主義的ナラティブに対する批判は増加し、そうした批評はほんの一世紀前にくらべて中心的な位置を占めるようになった(43)。

世界史記述の歴史が示しているのは、境界や文化を超えるプロセスに対する今日の関心は、ヨーロッパでも他の多くの地域でも、なにも新しいものではないということだ。歴史家たちが世界を書く、より正確には彼らの世界――本章でその輪郭を見たように、議論の対象になっている「世界」はいつも同じものでは決してなかったのだから――を書こうとするのは、初めてではない。世界をどのように理解するかは、視点によっても、歴史家やその同時代人たちが何を発見し、何を証明することに熱意を傾けているかによっても変化した。しかしまた、相互作用と交換のパターンや、地球が実際にどの程度接続されているかにも影響を受けた。したがって、一八世紀の普遍史は、古代社会で人類世界の歴史を生み出した経験とは異なる経験に基づいていた。文明化の使命みなぎる一九〇〇年ごろの世界の見方とも、グローバリゼーションによって引き金を引かれた今日の議論とも、異なっていた。グローバルな接続についての解釈が行われる地域や地理的位置の違いも、同じように重要であった。梁啓超の世界は、ドイツの同時代人、カール・ランプレヒトと同じものではなかった。グローバル・ヒストリーは――今日もそうなのだが――特定の視点であった。それはつまり、それが書かれる時と場所の状況によって形づくられるということだ。

こうした理解――世界の関連づけ方、「世界」という観念それ自体が歴史を有するということ――をもっておくことは重要なことである。それは私たちへの警告ともなる。グローバリゼーションについての今日のさまざまな仮説は、非時間的なものと見なされるべきではない。今日のグローバル・ヒストリーはその先駆的形態とはいくつかの重要な点について異なっている。それは主に、今日のグローバル・ヒストリーが絡み合いと統合を強調し、独自に存在する諸文明であれ、ヨーロッパの伝播であれ、目的論的ナラティヴであれ、それ以前の観念を超えようとしていることによる。

# 第3章　競合するアプローチ

今日のグローバル・ヒストリーに対する関心は、根源的には新しいものではない。多くの分野――たとえば帝国主義と植民地主義の歴史、移動と移民、思想史のいくつかの分野、最近では環境史など――で、ずっと昔から、歴史家たちは国家の境界を越え、これまで優勢であった過去の区分の仕方に挑戦していた。今日のグローバル・ヒストリーの歴史家は多くの面で先駆者たちに負っている。彼らは世界史記述の古き伝統の直接の後継者ではないが、にもかかわらず彼らは同じ質問をし、同じ道を旅している。やはり、根源的な新しさを主張するのは誤りというものだろう。

学術的な市場では、グローバル・ヒストリーは今、現代世界の動態に取り組もうとしている他の多くのアプローチと競合している。さまざまな可能性のなかから、五つのアプローチを本章では紹介しよう。比較史、トランスナショナル・ヒストリー、世界システム論、ポストコロニアル・スタディーズ、「複数の近代」論である。これらのアプローチは、すべてが歴史学の分野に属しているわけではないし、すべてがグローバルなプロセスと動態をその総体として説明する大志を抱いているわけでもない。以下の節では、それぞれのアプローチを紹介し、グローバル・ヒストリーという視点がどこまでこれらの思想を生かすことができるかを論じよう。

議論に入るまえに、五つのパラダイムが相互の差異にもかかわらず共通してもっているものに注目するべきだろう。これらのパラダイムは隔絶しているのではなく、実際のところは相互に多くの点で影響を与えあっている。もっとも重要なのは、狭隘(きょうあい)なナショナルな視点を超克し、西洋の覇権という解釈を超えてゆくという全体的な関心が共有されていることだ。また、みずからをアプリオリに国民国家や帝国、他の政治的実体の境界に閉じ込めることなく、歴史的な問題を探究するという目的を共有している。このことが、過去一五〇年にわたって書かれた歴史の多くから、これらのアプローチを区別している。歴史学はほとんどどこにおいても、国民国家建設のプロジェクトと密接に結びついてきたからである。それぞれのアプローチの特徴と限界を議論する際には、それらの目標と関心は多くの点で重なり合っているということも、心に留めておくべきだろう。

## 比較史

世界史的思考の長い歴史をふりかえると、比較という方法は古代の人類世界史観(自身の文明を隣りあった野蛮と比較する)から、二〇世紀の世界史の多くが実践したマクロ地域の並列にいたるまで、由緒正しい伝統をもつ。マックス・ヴェーバーによる近代資本主義の起源の探究や、近代化論まっさかりのころの国家や革命、社会変化についての規模の大きな比較など、歴史社会学は特に比較アプローチに傾きがちであった。しかし近年では、比較の方法は接続と流動(フロー)を賞賛する研究からの攻撃を受け、社会科学の四角四面な言葉遣いに対する懐疑を強めている。比較という枠組みの解毒剤として、グローバル・ヒストリーが導入されているようなところもある。とはいえ近年の比較史はやはりグローバルな転回を迎えており、したがって双方のアプローチのあいだに本質的な矛盾はない。

まず、どのような歴史家も、まったく比較することなく仕事をすることはできないということを思い出しておくとよい。事実上、あらゆる解釈と歴史的評価は、ある種の比較のうえでの判断に立っている。変化（あるいは停滞）や、固有性、際立った特徴といったものへの言及は、それ以前の時代や他の社会集団、他の社会と向かい合っての差異の観念に拠って立っている。歴史家が採用している術語のほとんどは――発展や革命といった概念を考えてみるとよい――、イメージや時代、できごとの比較対照によって機能している。明示的ではないにせよ、比較のレンズを用いるのを完全に避けた歴史的解釈の仕事がありうると想像することは難しい。

グローバルな規模で投げかけられた大きな歴史的問いに答えようとする歴史家たちにとって、比較の枠組みは必須であると思われる。なぜ産業革命は、中国ではなくイギリスで最初に起こったのか？なぜスペインの船が一四九二年にアメリカ大陸に到達したのか？　その逆ではなく？　オーストラリアとアフリカの先住民社会は、ヨーロッパよりも劇的ではない形でその環境条件を変化させたか？なぜ徳川期日本は大規模な森林破壊を避けることができたのか？　なぜ他のいかなる初期近代社会もそうできなかったのか？　これらのような疑問は、体系的な比較の作業をともなわなければ、提起することは難しい。

比較アプローチの利点をみつけるのは難しくない。個々の事例を超えて、異なる歴史的軌跡と経験とのあいだの対話を開いてくれる。比較はまた、歴史家たちを、明確な問いを立て、問題志向型の研究戦略を追究する方向へと導く。純粋な叙述的ナラティヴを超えて、歴史調査における分析的厳密さを保証する手助けとなる。さらに、直接的な接触や交換が最小規模である状況にとって、比較は有用なツールとなる。時間を超えた個別の事例を見ているときなどにはきわめて適切な方法だ。たとえば、紀元前三〇〇〇年、メソポタミアでの最初の都市文明の誕生を、エジプトのヒエラコンポリス、インダス渓谷のハラッパーとモヘンジョダロを経て、おおよそ二〇〇〇年後の最初のマヤの都市にいたるまで、比較することができる。こうした研究は、分業と新しい社会的ヒエラルキーに基づく強力な都市の集合体が誕生するファクターについて、多くのことを教えてくれる[1]。

このように、比較という方法は非常に大きな問題発見的価値を持っているが、限界もある。そのうちのいくつかは、すべての比較史家が向き合わざるをえない一般的なものだ。たとえば、比較は議論の対象となっているものを均質化し、その内部の差異を消してしまう傾向がある。中国美術とオランダ美術、アルゼンチンの歴史記述とナイジェリアの歴史記述、ロシアにおける社会移動とメキシコにおけるそれを並列させるとき、そのような「実験」の構造は、それぞれの事例の内部の非均質性を平らにしてしまうことがある。

世界の歴史を理解するための道具としての比較について考えると、とくにふたつの問題が浮かび上がる。第一に、そこには目的論の亡霊がいる。明確には定義しないまでも、比較は共通のものさしによって、標準と対照して個々の事例を測定する。その結果しばしば、ある事例の発展は印象が弱くなり、「不足」のレトリックを用いて「未達」の状態、さまざまな種類の後進性が描かれる。第二に、比較は——とりわけ「体系的比較」という社会学的手法においては——きまって、自律のフィクションと呼びうるものに苦しめられる。比較の方法ではふたつの事例を個別の、本質的に無関係のものとして扱う。接触が多すぎると、必然的に導きうる結論が混乱する——あるいは、社会科学の用語でいえば「汚染される」——からである。このためマクロ比較の多くは、対象が多かれ少なかれ互いに独立して発展したという仮定のもとに作業してきた[2]。

これらのふたつの特徴——目的論と自律のフィクション——の産物のひとつが、長きにわたって歴史書に住みついてきた、独自性というナラティブである。ある社会全体が――とくに目立つのはドイツ、ロシア、日本である――、標準的な軌道から外れ、逸脱した道、「特殊な道(ゾンダーヴェーク)」にしたがう。同じコインの裏側は、アメリカ合衆国の事例のような、例外論だ。世界史記述においてもっとも大きな関心を集めてきたのは、いわゆる「ヨーロッパの奇跡」、ヨーロッパがたどった独自の近代への道のりである。

このような独自性のナラティブは、ある部分では比較というアプローチ自体が生み出したものであるということに気づいておく必要がある。相互作用や交換の結果ではなく、主要には内的要素によって引き起こされる社会変化に焦点を当てることによって、比較は国民の、そして/あるいは文明の特殊性という物語を創造し、再生産する傾向がある。ヨーロッパ中心主義的パラダイムや例外論的解釈に明確に抗する諸研究にも、究極的にはこうした事例が見られる。それらの研究が多かれ少なかれ独立した事例を比較するかぎり、類似性を説明することは困難になり、個々の事例のあいだの「奇妙な並行」にただ驚いているということになる(3)。

こうした欠点を修正するためのさまざまな提案がなされてきた。移転の歴史、絡み合いの歴史、接続史が、もっとも頻繁に示唆される候補だろう(4)。いずれも、接続と交換、ひとや観念、ものの境界を越えた往還に主たる焦点を当てている。移転史と比較は明らかに、おたがいを排除しない。主題のほとんどは少なくとも一定程度の接続性を共有している。他方、異なる形態の移転を比較することも有益だろう――サッカーはアルゼンチンとガーナには伝わったのに、なぜインドとアメリカ合衆国には伝わらなかったのか？　なぜあるネイティブ・アメリカンの集団は他の集団にくらべて容易にキリスト教を取り入れたのか？　ひとびとは相互作用のある種の結果は認めるのに、たとえば中世ヨーロッパにイスラーム科学が与えた恩義といった、別の形態をなぜ認めないのだろうか？

比較研究は移転史や接続史からつきつけられた挑戦のおかげで、結果的によりダイナミックに、より過程を重視するようになった。けれども、移転の歴史にも既存の実体の観念との結びつきが残っているため、同様の問題にぶつかることになった。比較研究にも移転研究にも共通する主要な限界は、どちらも、ふたつの事例のあいだの類似点と差異、つながりを見るという、二分法的な論理にのっとっているということだ。しかしこのような枠組みでは十分ではない。たとえば一九二九年の経済危機は世界中の、それぞれが直接には関連していない多くの事業に影響を与えた。このような場合、移転や直接的な相互作用にのみこだわっていては明らかに限界がある。つまるところ、比較と移転／接続史の方法論的な限界は、それらの二分法的な構造にあるといえよう。

こうして、グローバル・ヒストリーの分野では、接続関係やよりひろい文脈をもたない比較は次第に少なくなりつつある。比較史と移転史を融合することを試みた重要な仕事として、ケネス・ポメランツの『大分岐』がある。本質的にはイングランドと中国・揚子江デルタの経済発展を比較した作品であるが、ポメランツは、ふたつの重要なやり方で、二分法的な枠組みを複雑化している。一方で、イングランドを中国のものさしとし、中国をイングランドのものさしとする「双方向的比較」を用いることによって、彼はイングランドを規範化したり、目的論的になったりすることを避けようとしている。その意図は、なぜ上海地域がランカシャーと同じようには発展しなかったかを探究するだけではなく、「ヨーロッパも中国になりえた可能性を検討する」ことにもある。[5] もう一方でポメランツはイングランドと揚子江デルタが異なった方法で外の世界と接続されていたことを強調し、「システマティック」な比較を乗り越えようとする。イギリスのテイクオフと中国の停滞を説明するために従来語られてきた一連の内的要因を議論したのち，彼は，大英帝国の後背地と，北アメリカ市場へのアクセスが，違いをもたらしたと結論する。イギリスの経済発展は，グローバルな背景に置かなければ説明はできないとポメランツは主張する。「市場外のさまざまな力とヨーロッパ外の諸々の複合状況こそは，ほかにはなんの変哲もない中核のひとつであった西ヨーロッパが，唯一，ブレイクスルーを達成し〔中略〕一九世紀の新しい世界経済の特権的中心としての地位を固めえた最も重要な原因であった」[6]。

グローバル・ヒストリーの歴史家たちにとって，マクロな比較は便利な道具でありつづけるだろう。フローや交換の世界では，比較の視点が要求される。だが古き良き，個別の事例の厳密で「システマティック」な比較の時代は終わりを迎えつつあるかもしれない。比較の方法はみずからを二分法の枠組みにもはや閉じ込めることなく，次第に，研究対象を包摂し――そしてしばしばそれに構造を与えている，よりひろい世界を考慮に入れるようになっている。伝統的な比較においては，グローバルな視点は歴史家の構築物であって，具体的な連関や相互作用には基づかない，つまりは，見る者の目の中にしかないものであった。いまやこれは変化しつつある。比較史の歴史家たちはグローバル・ヒストリーを出発点とし，グローバルな環境を背景として，問いを追究するようになっている。事実，グローバル・ヒストリーのもっともわくわくさせる仕事のいくつかは比較のレンズを用いている。ただしそこには違いがある。ふたつの単位――二国家，二都市，ふたつの社会運動といった――を別個の所与のものとして扱うのではなく，両者が異なったやり方で関係したり応答したりしている体系的な文脈のなかに，公平に位置づけている。ふたつを共通のグローバルな状況に位置づけることによって，比較それ自体が，グローバル・ヒストリーのアプローチの一部になるのである[7]。

## トランスナショナル・ヒストリー

グローバルな視界をもった多くの比較研究が大規模で、帝国や文明全体を包摂するものであるのに対して、トランスナショナルな歴史は、地理的にはもっとずっと限定された諸現象に焦点を絞っている。比較の枠組みとは対照的に、「トランスナショナル」は歴史的過程の流動的でたがいに編み合わされた次元に焦点を当てることを提案している。トランスナショナル・ヒストリーは諸社会を、それらを形成し、またそれらがそこに寄与する、もつれた状況において研究する。国家の境界を越えるさまざまなプロセスは、どの程度まで、社会の動態にインパクトを与えただろうか? このような問題を提起するにあたって、トランスナショナル・ヒストリーは、移動や循環、移転にとくに注意を払う。トランスナショナルは、インターナショナルと、無関係ではないが同じではない。トランスナショナルと言ったとき、ある国の外国との関係、たとえば外交や外国との貿易を探究するだけではなく、さまざまな社会に外的な力がどこまで浸透し、それによってその社会がどのように形づくられたかをも検討する。また、国家のみをアクターとせず、国境にとらわれることなく、トランスナショナルな組織——NGOや企業、トランスナショナルな公共圏——に特別な関心を抱いている。トランスナショナルな研究は、ある国が世界に位置づけられたそのやり方——そして反対に、世界がどのように個々の社会の深部に到達したかを探究する。[8]

このように定義するならば、トランスナショナル・ヒストリーとは必ずしも新しい試みではなく、ナショナルな境界を越えるフローや交換の追跡に関する研究の長い伝統を遡ることができる。とはいえ、こうしたアプローチが集中的に発生し、それがトランスナショナルという用語で呼ばれるようになったのは、一九九〇年代にグローバリゼーションのレトリックが国民国家の力を掘り崩すかに見え、歴史家たちが社会科学の方法論的ナショナリズムを乗り越える道を求め出したときであった。以来、世界中のいたるところで、トランスナショナルな視点がますます増えているのを見出すことができる。インド洋や大西洋を見わたす研究、アンデスや東ヨーロッパの相互に浸透性の高い境界地域への注目などである。今もほぼあらゆるところで国民の歴史が歴史叙述の特権的形態であるとしても、この種の研究の発展は、オルタナティブな空間像の必要性が高まっていることを証明している。トランスナショナルな研究は多くの国々で喫緊の課題とされているが、ときにそれは、おおげさで無遠慮にすら見えるグローバル・ヒストリーという語彙を使わずに済ませるためであったりもする。

しかしながらトランスナショナルな視野とグローバルな視野の関係はとても近い。両者は歴史的現実についての閉ざされた思考と既存の単位への細分化を乗り越えるという目的を共有し、本質的には内向きの分析にとどまることなく進もうとしている。トランスナショナルなアプローチに特有なのは、過去二世紀にわたって世界の大部分で国民国家が強力な役割を果たしてきたという認識である。このおかげで、トランスナショナル・ヒストリーは諸国民の歴史をよりダイナミックで複雑なものにすることができた。新たに生まれた多くの研究は、ナショナル・ヒストリーを捨て去ることを目指しているのではなく、それを拡張し、それによって「国民史を乗り越え（トランスナショナライズ）」ようとしているのである。

トーマス・ベンダーの『諸国民のなかの国民』は、合衆国の近代史を再考し、そしてなにより、その枠組み自体を再構成する、影響力のある試みだ。トランスナショナルなアプローチの利点と限界を描き出すよい例となるだろう。同書は、「私たちの知るアメリカ史の終焉」をしるしづける著作であると高らかに宣言し、「国民史はグローバル・ヒストリーの一部である。どの国民も、世界を構成する諸地域のなかの一地域なのだ」という洞察から出発する。[9] それに応じて、ベンダーは北アメリカ史の五大エピソード――植民地化の歴史、アメリカ独立革命、南北戦争、帝国、福祉国家――を、よりひろいトランスナショナルでグローバルな時間の流れのなかに位置づける。たとえばベンダーは、アメリカの独立を再解釈し、植民地アメリカにおいて英仏の対立とハイチ革命というふたつのできごとがもった影響を示してみせる。北大西洋を越えて、アメリカ独立革命を他の一八世紀末の反乱と連結させ、独立を目指す闘争を、ペルーやカイロ、ブラジル、ベンガルの同様のできごとと接続させるのである。奴隷制に関する章では、問題が南北戦争の枠組みから取り出され、しばしばアメリカ特有の問題と見なされるものが実際にはより広範な、世界規模の奴隷制廃止運動と切り離すことのできない重要な一部であることが、みごとに示される。

内的発展を重視してきた従来の語りを、同書はきわめて効果的に動揺させている。「国民はそれ自身の歴史的文脈になることはできない[10]」として、例外主義を乗り越えようとする。そこで示されるのは、これまで歴史家たちが国民の歩みからの脱線と解釈してきたもの――一八九八年以降の帝国主義的企てのような――は、むしろよりひろいグローバルな発展の不可欠な一部であったということである。つまるところ、『諸国民のなかの国民』は、より複雑で、深く関わりあった国民国家の歴史に到達したいという狙いを、トランスナショナルな視野をもつ近年の多くの研究と共有している。そのタイトルが期待させる通り、同書が第一に関心を寄せているのは、国民の過去をよりよく理解することだ。ベンダーが公言している目標は「合衆国史の新しい枠組みづくり」と「アメリカ史の中心的な諸テーマ」のよりよい理解である。[11]

ある面でこれは、このアプローチが乗り越えようと主張しているまさにその実体にしがみつくということでもある。これは、「トランスナショナル」という語そのものに、内在している緊張関係だ。字義通りにとれば、このアプローチは初期近代、すなわち国民国家形成以前には応用することができない。イギリス帝国史・インド史家のＣ・Ａ・ベイリは認めている。「告白しなければならないが、私が関心を抱いているたぐいの仕事にとって、「トランスナショナル」ということばは使いづらい。一八五〇年以前には、地球の大部分は諸国民によってではなく、帝国や都市国家やディアスポラなどによって占められていた」[12]。一八五〇年以降でも、トランスナショナルという概念はいくつかの西洋社会ではうまく働くが、世界の他の部分ではそうでないことは明らかである。この概念をよりひろく適用可能で、規範的でないものにするために、「トランスリージョナル」や「トランスローカル」といった代替案を提示する研究者も現れた[13]。

方法論的なレベルでより重要なのは、トランスナショナルなアプローチがしばしば、グローバルな身ぶりをするだけで、それがもつ挑戦に真正面から向き合うことがないということだ。たとえばベンダーは、主として広範囲におよぶ比較に依拠し、相互作用や接続に重きをおく説明で補強しつつ、同時並行性を強調する。それと対照的に、より大きなグローバルな構造は一般的な背景とされているように見え、合衆国内の発展と明確に結びつけられてはいない。トランスナショナルをパラダイムとする多くの仕事に特徴的なのは、グローバルな背景がネイションを位置づけるための引き立て役となっていて、原因と結果を体系的に問うための尺度にはなっていないということである。

## 世界システム論

比較とトランスナショナルなアプローチが個々の事例やネイションを出発点とするのに対して、世界システム論はより広域の地域ブロックと「諸システム」が歴史的分析の基礎的な単位であり、より小さいすべての統一体はこれらの大きな構造から生まれた派生物であると想定するところから始まる。一九七〇年代、八〇年代に、世界システムの歴史は、グローバルな規模での変化を考える枠組みとして、近代化論に対するマクロな視野からの歴史のもっとも重要な対案となった。イマニュエル・ウォーラーステインの、いまのところ四巻からなる著書の説明にならえば、この伝統につらなる歴史家たちは、国際的な国家システムと資本主義経済秩序の体系的性質に光を当てた。カール・ポランニーやフェルナン・ブローデルといった学者たちの仕事に依拠しつつ、ウォーラーステインのモデルは世界史分析の新しいパラダイムを示した。いくつかの面ではヨーロッパの拡大の遠心力的な論理に絡めとられながらも、体系的なプロセスを強調することによって、そこから逃れようともした。

世界システムという概念はしばしば誤解されている。第一に、ウォーラーステインは世界システムのふたつの形態、すなわち世界―経済と世界―帝国を峻別している。世界―帝国は拡大した領土の政治的統合を志向するが、他方世界―経済は市場の統合に基礎を置いている。しかし、世界―経済は必ずしも市場構造が地球全体へおよぶことを意味していない。むしろこの術語が描いているのは、多少なりとも自立した地域は、その物質的需要のほとんどを地域内で充足させることができるということである。世界―経済の特徴は、地理的にひろい地域内で、内部にある政治的境界を越えた労働の分業と財の集約的交換が行われることである。したがって、歴史的には複数の世界―経済がしばしば隣り合って存在した。たとえばブローデルはロシア(少なくともピョートル大帝以前の)、オスマン帝国、近代以前の南アジア、中国の事例で、別々の複数の世界―経済を論じている。[14]

このパラダイムでは、ヨーロッパに中心をおく交易システムは長い間、他の多くのシステムのひとつにすぎなかった。ヨーロッパの世界—経済が獲得した他より大きな重要性は、今日のグローバル化した経済を生んだ環境によって説明される。ヨーロッパ世界システムは一六世紀に生まれ、その後他の諸地域を組み込みながら、中核、周辺、半周辺という相互に依存した連鎖へと再構成していった。拡大成長しながら、ヨーロッパ世界システムの中心も移動した。スペインからポルトガルとオランダを経てフランスへ、そして一九世紀以降はイングランド、さらにアメリカ合衆国へと移る。他の諸地域——まずは東ヨーロッパとラテンアメリカ、それからアフリカとアジア諸地域がつづいた——は、次第にヨーロッパ世界システムに加えられていった[15]。資本主義世界システムの起源をどこまで遡れるかという問いは、一六世紀あるいは一三世紀から、紀元前三〇〇〇年前までたどれるという示唆まで、このアプローチの支持者たちのあいだでおおいに議論されている[16]。

現在のグローバル・ヒストリーの視点から見ると、世界システム論には多くの欠点がある。ここでは三つの批判を指摘しておくことが有効だろう。まずなによりも、この方法にのっとった研究は、しばしば、一元的な印象を与える経済還元主義の様相を呈する。まさに経済の領域において、このパラダイムは、商人資本から産業資本への移行といった資本主義の動態と可変性を無視する傾向がある。世界システム論が依拠している資本主義の概念(「不断の資本蓄積」と定義される[17])はあまりにも蓋然的で、歴史的詳細はしばしば途中で放り出されてしまう。しかしより深刻な欠陥は、超地域的な、グローバルな統合の他の要素——政治的支配、社会的動態、文化の解釈と世界観——を、それよりも意味が小さく、究極的には二次的なものと見なしてしまうことだ。その結果、市場の統合それ自体がどの程度まで権力の非対称的なバランスの産物であるのかという問題には、ほとんど注意が払われない。

第二に、ウォーラーステインやその学派の他の歴史家たちは、本質的には諸システムを環境として想定しているのであって、現実世界の例に基づいて発展させているわけでも、その存在を証明しているわけでもないという印象を与えかねない。そのため、グローバルな環境に埋め込まれたローカルな発展は、いくぶん機械的、あるいはドグマティックにさえ見える。[18] そして第三に、世界システムアプローチは、ヨーロッパ中心主義の要素を捨て去ることができていない。これはある意味で逆説的だ。なんといっても、世界システム論がカール・マルクスとフリードリヒ・エンゲルスの『共産党宣言』の精神において、まさに避けようとしたのがそれ——ヨーロッパの台頭を内在的に、内側から説明しないこと——だったのだから。しかし、体系的アプローチがこの陥穽(かんせい)を逃れようとしたとしても、結末は結局、ヨーロッパ世界システムへの、世界の成功的統合なのであった。ときにウォーラーステインは、二〇世紀におけるヨーロッパ(とアメリカ合衆国)の経済支配を一六世紀にまで遡らせて投影しているような印象さえ受ける。[19]

したがって、このアプローチには、とりわけ、どちらかといえばドグマティックで、経験的な具体化ではないという限界があるが、その一方で、世界システム論から生まれた重要な諸観念は今日まで大きな影響をおよぼしつづけている。第一に、政治的統一体を分析の境界としてアプリオリに受け入れるのではなく、絡み合いと相互接続の実際の範囲をたどり、そこから研究を始めようとしたことである。従来の歴史学の方法論的ナショナリズムからの転換はまた、国民国家や社会といった統一体はたんに与件としては考えられないことを意味する。それらの発生それ自体が、グローバルなプロセスと、世界経済の動態の産物として理解される。

第二に、ヨーロッパによって支配された文脈への漸進的な「編入」という概念は近代世界の動態を理解するうえで有用であることは明らかである。たしかに、術語体系は堅苦しく、特定の歴史的状況の複雑さにはしっくりこないように見えるし、「編入」という語はヨーロッパ中心主義的なバイアスを示しているかもしれない。しかし、グローバルな発展の主要な問題のひとつ――政治的征服のみによっては定義されないヘゲモニー構造の誕生――を探究するために、ウォーラーステインの仕事は重要な諸観念を提供している。第三に、世界システム論は、マクロレベルでの構造化された変化という概念の重要性を強調している。すべての歴史家が、労働の分業に基づいて差異化された個別の要素が相互の関係性において統一された全体として見なされるような、システム論の言葉遣いを採用したいとは思わないだろう。しかし術語体系がなんであれ、構造化された諸形態の相互依存――経済的に、しかしまた政治的、文化的に――という観念なくしては、過去数世紀にわたって世界を形づくってきた、相互に関連し、かつ同時に差異化された変化の論理を理解するのは難しい。このようなアプローチは、循環や「フロー」といったもっともらしい話を掘り崩し、議論を物質的条件へと引き戻すことを約束する。くわえて、厳密に精査することなく、社会の発展はそれ自体の自律的な内的力学をもっていると結論づけることから守ってくれる。

したがって、過去のグローバルな次元を探究する多くの歴史家たちにとって、このアプローチが重要な参照点でありつづけることは驚くべきことではない[20]。たとえば奴隷制の歴史のようないくつかの分野では、世界システムという考え方の衝撃はとくに大きかった。より新しい研究は、ウォーラーステインのやや硬直的な市場概念とは異なって、社会的・文化的動態を考慮し、なにより、社会的変化をもたらすものとして、ローカルな場所やサバルタン的な行為主体性（エージェンシー）を強調している。最近の、さまざまな世界システム論的な視点（「統合的理論」という観念は次第に疑問視されてきている）は、マクロとローカルをより革新的なやり方で接続させる、もっと巧みで複雑な説明にいたるようになっている[21]。

世界システム論アプローチを超えて、よりひろい意味でのマルクス主義的枠組みは、今日のグローバル・ヒストリーにおいて多くの解釈の欠くべからざる道具でありつづけている。それらの解釈は、社会的衝突の研究は個々の社会の内部の作用のみにこだわるではなく、より大きな力の配置と、それが変化を生み出し、エネルギーを供給するやり方も考慮に入れる必要があるという確信を、世界システム論と共有している。このアプローチをとる歴史家たちは、上部構造と下部構造、目的論的な発展段階論といった機械的モデルを久しく放棄し、社会的な対立や文化的傾向を構築し、またそれによって構成される、固有の歴史的編成として資本主義を理解することを目指している。マルクス主義理論の衝撃は、狭義の経済史の境界をはるかに超え、文化的な変化についてのより洗練された議論にとっても不可欠のものとなった[22]。

## ポストコロニアル・スタディーズ

世界システム論の視点が一般的にはマクロレベルと経済統合のプロセスに重点を置いているのに対して、ポストコロニアル・スタディーズは一九八〇年代以来、文化的境界を超えた相互作用の錯綜を理解することに、多大な貢献を果たしてきた。このアプローチは、現代世界は、ヨーロッパによる両アメリカの征服の結果として、地域によっては一六世紀にまで遡ることのできる植民地主義秩序を基礎としているという前提から出発している。世界を植民地主義に基づいてフォーマット化するということは、支配形態と経済的搾取に影響を与えるのみならず、知のカテゴリー、過去という概念、未来のビジョンにも反映される。エドワード・サイードの、とても強い影響力をおよぼした一九七八年の著作『オリエンタリズム』を契機として、ポストコロニアルの研究者たちはとりわけ、植民地主義のプロジェクトを歴史的に支えてきた認識の秩序と知の体制に関心をはらってきた。[23]

ポストコロニアル・スタディーズは近代化理論の欠点の多くに対し、重要で生産的な答えを出した。初期の仕事の多くはサバルタン・スタディーズグループに刺激されて南アジアに焦点を向けていたが、パラダイムとしてはすぐに、ラテンアメリカやアフリカといった他の場所にも適用されるようになった。グローバル・ヒストリーの歴史家たちも、その知見から恩恵を受けるだろう。たしかに、ポストコロニアルの研究者たちは全世界の歴史についてのどのような大きなナラティブも提示してこなかった。反対に、多くの著者たちは、あまりに包括的な一般化や、近代西洋で頂点に達するマスター・ナラティブを注意深く避けている。ポストコロニアルの研究者たちはしばしば「グローバル」というレトリックに対して慎重な態度をとる。それは支配のための帝国主義的言説と彼らには読めるからである。この見方においては、「グローバル」と呼ばれるものは、本質的には植民地主義の産物であり、ローカルな生活世界への帝国主義の闖入(ちんにゅう)である。

にもかかわらず、近代化パラダイムに対するポストコロニアル批評は、グローバルな過去についての私たちの理解にとって、実り多い観念を豊富に提供してきた。とりわけ三つの面は考慮に値するだろう。第一に、ポストコロニアルのアプローチは、文化の境界を超える交換の動態に関して、洗練された知見をもたらす。個々の行為主体の複雑さ、ローカル固有の領有の仕方、戦略的な変更やハイブリッド化のメカニズムの強調は、移転がしばしばたんなる普及と適応という意味で理解されるような世界史というマクロ―歴史モデルに対する、重要な矯正効果として機能する。こうした分析がもつ決定的に重要な要素は、私たちが歴史的変化を説明するために使用するカテゴリーの多くが、植民地との出会いそれ自体の応答としてつくりだされたという認識である。たとえば、ポストコロニアルの歴史家たちは、カーストや宗教(たとえばイスラーム教対ヒンドゥー教のような)、人種などのカテゴリーを通じての差異の構築もまた、大部分植民地主義という文脈における介入と交渉の産物であることを示してきた(24)。

第二に、ポストコロニアルのアプローチは、近代世界の絡み合いを彼らのトランスナショナルな歴史叙述の出発点としてとりあげる。彼らは国民や文明を自然に存在する歴史的実体とは扱わず、「インド」や「ヨーロッパ」といった実体が、グローバルな循環の環境において構築される、そのされ方に関心を向ける。結果として、近代世界の関係的な構築が強調されることになる。こうした視点は、欧米は世界の他の部分とは切り離されて独自に発展し、したがって純粋にその内部において理解されうるというヨーロッパ中心主義的な世界史叙述と対峙する。ポストコロニアルのアプローチは、それとは対照的に、ヨーロッパ史を内的に説明する視野狭窄(しやきょうさく)を克服しようとする。

第三に、これらのことから、グローバルな統合のプロセスは(植民地主義的に)不均衡な力の構造のなかに位置づける必要があるという理解にいたる。権力の問題への感受性は、近代化論と、そこから派生した世界史の諸変形に対するもっとも重要な批判を形成している。近代世界がますます相互に接続を強めていく状況は、それが起こった植民地主義の諸条件から切り離すことができない。これを強調するところは、経済史の多くの仕事で起こりがちな、グローバル化は「自然の成り行きである」という軽率な仮定とは対照的である。グローバル化を自然なものと見なす研究において私たちはしばしば、市場の収斂(しゅうれん)や商品価格の調整、労働力市場の超域的統合の、匿名的なプロセスに出くわす。そこではこれらのプロセスは、ただアダム・スミスの「見えざる手」によってのみ決定された、歴史的法則の結果のように見える。しかし現実には、市場の統合は帝国主義のはっきりと目にみえる鉄拳と切り離すことはできなかったし、強制的な契約労働、原料の採取、市場の力ずくの「開放」(ラテンアメリカや東アジアのように)、そしてオスマン帝国や清朝中国に課されたような帝国主義的財政統制に依拠していた。多くの説明において自己生成しているように見える「グローバル化」は、実際には植民地主義によって構造化されていた。

ポストコロニアル・スタディーズは世界システム論とともに、グローバル・ヒストリーの歴史家が頼ることのできるもっとも生産的なパラダイムのひとつでありつづけている。同時に、グローバルなアプローチは、ポストコロニアル・スタディーズそれ自体がおかれた難局に対する応答としてもまた理解されなければならない。一九九〇年代以来、ポストコロニアル・スタディーズは幾つかの点で攻撃にさらされてきた。うちふたつの次元がとくに重要であり、グローバルな分析へのアプローチの有用性と深く関わっている。

第一の批判は、文化の概念に関わる。ポストコロニアル・スタディーズは人文学における文化論的転回のただなかに生まれたため、その仕事の多くは言説と表象の問題に焦点を当てている。あるきっぱりとした宣言によれば、植民地主義とは「なによりも意識の問題であって、究極的にはひとの心のなかでそれは打ち破られなければならない」[25]。このことによって、ポストコロニアルの研究者たちは、政治的・経済的構造を犠牲にして、不釣り合いなほどに文化的説明に特権を与えたと非難されてきた。ポストコロニアルのアプローチが、「われわれの」文化というほとんど土着主義的な観念の使用によって示される潜在的ナショナリズムを免れなかったという問題はこれと関わっている。西洋的近代の批評はしばしば、オルタナティブな経験と先住民的世界観の回復の試みと手を携えている。ポストコロニアルの歴史家たちの大半は近代に集中しているが、彼らの分析はときに、前近代、植民地化以前の過去の理想化されたイメージに導かれていた。こうなると、西洋本質主義を批判しつつ、彼ら自身の文化本質主義に陥ってしまうことを、必ずしもうまく避けられなかった[26]。

第二にポストコロニアルのパラダイムはきわめて蓋然的なものにとどまっているので、植民地主義の概念としてつねに役立つというわけではない。世界は一四九二年以来植民地主義の線引きに沿って秩序化されているという仮定は、初期近代の資源採掘型の帝国から、今日見られる非公式の帝国形成のような複雑な構造にいたる、植民地支配のさまざまな形態のあいだにある根本的な差異を過小評価するきらいがある。植民地主義について一般化された概念を適用すると、異なるさまざまな形態の支配や社会的差異、文化的動態の空間的・時間的な固有性を平準化してしまう恐れがあるのである。くわえて、近代植民地主義を強調することよって、ヨーロッパやアメリカ合衆国によって植民地化されなかった地域の歴史を説明するに際してこのアプローチがもっている効果が限定されてしまった。そして結局のところ、説明の基本的な枠組みとして植民者(コロナイザー)/被植民者(コロナイズド)の区分を特権化することで二項対立的な論理が強いられ、それによってこのアプローチがもたらすあらゆる知見が究極的には限定的なものにとどめられてしまう。グローバル化してゆく世界の複雑さを十分に摑みきれなくなってしまうのである。

## 複数の近代

一九九〇年代の政治理論の際立った特徴のひとつは、文明概念のほとんどありえないような再帰であった。文明という語りは一九世紀および二〇世紀初頭には突出していたが、ヘンリー・バックル〔イギリスの歴史家(一八二一～六二年)。主著『文明の歴史』〕、フランソワ・ギゾー〔フランスの政治家、歴史家(一七八七〜一八七四年)。主著『ヨーロッパ文明史』)、ニコライ・ダニレフスキー(ロシアの思想家、社会学者(一八二二〜八五年)。歴史文化類型論を唱え、西洋文明を批判した)、あるいはもっと新しくはシュペングラーやトインビーといったひとびとの時代以来、このジャンルはすっかり消滅したように見えた。したがって文明という観念が最近あらためて流通するようになったことは、まったく驚くべきことだ。冷戦の双極的イデオロギーが没落したのち、多くの場所で、文明は、それを通して地球規模の急速な変化を考え、グローバル化する世界のさまざまな衝突を説明できるような、自然的単位として現れた。「文明」という術語はヨーロッパの外、たとえばイスラーム世界や東アジアでとりわけ人気があった。それは一方の個々人の生とローカルな文脈と、他方のグローバルなレベルでの匿名のプロセスを媒介する。そのような魅力にくわえ、この概念はそれぞれの文明に内在する政治的・文化的力学により大きな重要性を付与することで、歴史記述のヨーロッパ中心主義性から離れることを容易にする働きをもっている[27]。

この文明言説の、もっとも大きな学術的衝撃をもったバージョンは、「複数の近代」という便利な標語で知られる概念に基づいている。そのなかで理論的により洗練された説は、イスラエルの社会学者、シュムエル・N・アイゼンシュタットによって定式化された。アイゼンシュタットは、古典的な近代化論に——その目的論的な構造の克服を目指しつつ——拠って立っている。この目的のために彼は、歴史的発展の複数性、未来のビジョンの多様性、異なる文化的・社会的軌跡の規範的平等性を認める必要を主張する。アメリカの社会学者タルコット・パーソンズの構造機能主義に依拠しつつ、アイゼンシュタットは社会的秩序と統合のパターンに関する地域横断的な分析を発展させたが、そこにおいて、近代のプロセスを西洋化と同等視することはない。伝統的な近代化論のヨーロッパ中心主義を克服する試みのため、近代にいたる道筋を複数化することを目指しているのである。

複数の近代という概念はまた、近代社会理論の第二の柱である、世俗化の原理にも挑戦している。脱宗教化は標準的な近代化論では自明視されてきたが、近代化への複数の道という説明はしばしば、社会変容は実際には自動的に宗教との関係を廃止する方向に向かうわけではないという見方に立っている。このように認識したことで、複数の近代論は宗教の役割と宗教的伝統の長期にわたる影響の再評価へといたった。シュペングラーやトインビーだけでなく、より最近の説明でも、研究者たちは文明の概念を宗教の社会学に根をもつものと見ている。

「複数の近代」という標語は、近代化してゆくすべての社会は、ヨーロッパで発展したように近代化の文化的プログラムをたどるという観念に対する明確な批判を含んでいる。そのかわりに、文化の形状と心性は、近代を生み出す社会変容のプロセスに影響をおよぼしつづけることが強調される。伝統的権威の失墜と慣習的価値体系の「脱魔術化」すら、文化的パラダイムの可変性にとどめを刺すことはなかったと、多くの研究者が主張する。「「複数の近代」という術語のもっとも重要な含意のひとつは、近代と西洋化は同じものではないということだ。近代の西洋的なパターンは、他の社会にとって基本的な参照点でありつづけているとはいえ、唯一の「真正な」近代というわけではない[28]」。

覇権的な西洋近代モデルからの——つまりは文化とは次第に均質化してゆくものだという一九世紀以来社会理論のほとんどのモデルが共有してきた仮定からの——批判的転回は、多くの研究者たちによって、さまざまな分野で行われてきた。その傑出した例としては、どちらもハーヴァード大学の、仏教の専門家であるスタンレー・タンビアと、儒学の専門家杜維明(とぃめい)があげられる。杜は、（儒教的）中国近代という観念を発展させた。古典的な近代化論が前提とする自己充足した個人という概念を否定し、かわりに社会的接続、凝集、集団に焦点を当てたのである。しかし中国における今日までの社会変化における儒教の影響をどの程度まで杜の分析的視点でたどれるのか、それがどの程度まで、儒教的ヒューマニズムの刷新を呼びかけ、アジアや世界における中国の将来的な指導的役割を主張する規範的・政治的立場なのかは、必ずしもはっきりとはしない[29]。

グローバル・ヒストリーの視点にとって、複数の近代がもつ反ヨーロッパ中心主義をめぐる課題——研究者のなかには「オルタナティブな近代」と呼ぶ者もいる——は重要な参照点である[30]。社会的・文化的変容を単に西洋化のプロセスと理解するのではなく、移転と普及の複雑な関係と、内在的な伝統の役割の双方に焦点を当てるという考え方はとくに有用だ。構造的な差異化のプロセスは、どこでも同じ結果を生みはしなかった。このアプローチの基礎にあるのは、非西洋社会の分析を、模倣やオリジナルとそのコピーといった概念から解放し、近代化の直接的経験の担い手そのものを原則的に対等に扱うという規範的な試みである。

したがって、複数の近代という概念は、問題発見的な意味では有用でありうる。とはいえ、理論的なレベルでは、全部が全部説得的というわけではなく、重要な限界が残っている。三つの欠点は指摘するに値するだろう。第一に、複数の近代というプログラムは、いまだ相対的には曖昧（あいまい）で、その議論は文化の分野にのみ集中している。このため、これらの複数の近代が、統合的な構造との実質的な関わりはなにもない、事実上無数でありうる社会モデルを指しているのかどうかは、必ずしも明確ではない。もしそうだとすれば、問題は、なにがそれらすべての社会モデルを近代たらしめているのか、ということになる。もっとよくあるのは、複数の近代に向かうプログラムが、結局のところ、国家官僚制と資本主義的市場メカニズムに組み込まれた機能分化、合理化、「脱魔術化」といったよくある社会学的パラメーターによって測られる、「単一」の近代という観念に由来しているように見えるということである。しかしもしそうだとすれば、それは近代の多様なバリエーション、つまりは多様な文化的現れをもつひとつの近代、という話になる。

第二に、この概念の支持者の多くはそれぞれの文明に固有の近代化の動態を証明しているが、それらを主として自己充足的な単位として扱っている。これは領土の確定された(ナショナルな)社会が、それぞれの際立った文化的特徴に依存し、内因的に発展したものと観念されるような、いずれにしても密閉された文明のイメージにおきかえられる。それらの文明の均質性はほとんど疑問に付されることはない。さらに、それらの文化的実質(とその制度的力学)は、しばしば主に宗教を通じて説明されるが、これは現代にまでいたる社会の連続性を説明するために用いるにはとくに問題の多い仮定である。こうなると、文化的差異に焦点を当てることは、本質化の危険を秘めた一種の文化主義――諸社会は時代を超越した、他とは比較不可能な不変の文化的本質を有するという仮定と、融合しうる。

第三に、世界のさまざまな場所の文化的自律性をはっきりと認識し、近代を西洋の観念と制度の広がりと同一視しないのは、このモデルの功績である。しかしながら、文明を文化の自律的発展のプロセスによって定義される個別の分析単位と前提することによって、それらの相互作用の長い歴史は無視されてしまう。この方法では、近代という時代の歴史は、相似的な、自己生産的な諸文明からなるものとして読まれ、それによって、長い絡み合いの歴史と、世界の構造的統合はほとんど考慮されなくなってしまう。文化変容の複雑で、地域によって異なるさまざまな歴史を、単一の土着の近代前史へと還元してしまうことで、現代世界を生み出したより大きな構造と権力の非対称性を曇らせてしまいがちになるのである[31]。

# 第4章　アプローチとしてのグローバル・ヒストリー

グローバルな視点に向かう近年のトレンドは、広範におよんでいる。前章で見たとおり、さまざまなアプローチがそれぞれの仕方で、国民国家という枠組みの外側から過去を見、理解することに貢献している。しかし多様なアプローチにくわえて、そして世界と関わるためのこれらの方法をふまえて、グローバル・ヒストリーというさらに異なるアプローチが生まれつつある。本章では、近年のこの分野に関わる多くの仕事に共通するいくつかの特徴を紹介しよう。それらが合わさって、グローバル・ヒストリーというアプローチの方法論的な核を形成している。そこではとりわけ、グローバルな統合、ないしはグローバルなレベルでの構造的変容という観念が強調されるだろう。

グローバル・ヒストリーの特色は、それらを世界史の古い伝統の理念型――許されるかぎり単純化した像――と競わせるとき、もっともよく理解することができる。とはいえ、このような世界史とグローバル・ヒストリーの並列は、問題発見のために行うということを肝に銘じなければならない。多くの歴史家たちはこのふたつの用語をたがいに交換可能なものとして使っているものの、こうすることで古いアプローチと洗練された現代的アプローチのあいだに明確な線引きができると考えられる。

世界史という概念は、数世紀も遡ることのできる長い歴史をもち、今日も多くの国々で、学校の科目名として残っている。一般的には、世界全体、あるいは比較的大規模な地理的領域に目を配っているナラティブをそう呼んでいる。したがって、世界史は通常、マクロな課題、典型的には地球の全体像を描こうとするか、あるいは、多くの非西洋諸国の特徴でもあるが、「世界の他の部分」、つまり自分自身の国の外で起こったすべてを扱う。特定のテーマの世界史もある。帝国の世界史、国家形成の世界史、異なる文化に属する宮廷間の出会いの世界史、砂糖の、茶の、綿の世界史。ほとんどの場合、それらは制度や商品を地球全体にわたって追いかけているだけでなく、古代から現在まで、通時的に扱っていることもある。(1)

この種のマクロ視点は、出発点としていくつかの社会、より典型的にはいくつかの文明の間の大規模な比較を行っている。古い時代の世界史では、こうした大きなブロック間の相互作用や交換は無視されないものの、主たる焦点はそれらの文明の異なった軌跡に当てられ、その力学はおもに内側から生まれるものとされていた。並行して発展した諸文明の歴史はその後、中心から周辺への力の拡散によって次第に結びつけられた。近代においては、力の拡散は典型的には西洋から「その他」への移転という形態をとった。ヨーロッパ中心主義的なバイアスは長い間さまざまな世界史に共通する特徴であった。ウィリアム・マクニールの有名な著書のタイトル、『西洋の台頭』はそれを隠そうともしていない。(2)

## グローバル・ヒストリーの諸特徴

つまり、かつての世界史は、異なる文明の比較と、拡散のプロセスに焦点を当て、それらのあいだのつながりを検討するという方法の混合に依拠していた。理論的・イデオロギー的な分断を超えて――近代化論からマルクス主義的世界史、文明ナラティブにいたるまで――この混合は際立って一貫している。対照的に、「グローバル」という用語がもたらす期待から即座に連想されたのは、「接続」であった。境界を越えて相互作用が起こるその流動的で偶発的なあり方を伝えるために、交換と交流、連結と絡み合い、ネットワークとフローといった関連する一連の用語が招喚された。やや頑固なマクロ比較にかわって、グローバル・ヒストリーは移動を玉座に押し上げた。

このため、グローバル・ヒストリーはみずからのもっとも簡単な定義を、伝統的な世界史が提供してきたはずの最良の部分を汲み上げ、それを歴史的変化のより弾力的で流動的な次元への感性と結びつけること、すなわち接続と比較の幸福な結婚であるとしてきた。「グローバルな接続と比較」とは、C・A・ベイリのあの『近代世界の誕生』の表紙に私たちが最初に目にすることばである。「グローバル・ヒストリーの商売道具」としての、「接続と比較」という決まり文句は、このアプローチの特徴を定義するための実質上すべての試みにおいて繰り返されている[3]。

そして実際に、移転と相互作用の焦点化は、グローバルな過去を理解しようとする近年の試みのすべてに含まれている決定的な要素である。商品やものの移動、移民や旅行、観念や制度の移転。これらすべてのプロセスが、私たちが生きるグローバル化された世界を生み出すにいたった材料であり、多くのグローバル史家の特権的な研究対象である。しかし、以下で見るように、接続単体ではこのアプローチの独創性を理解するための十分な基準ではない。接続はグローバルな規模での構造的変容のプロセスに埋め込まれなければならない。その前に、現在のグローバル・ヒストリーの潮流においてしばしば見られる、接続の強調以外の特色である方法論的な選択について素描しておきたい。ここでは簡単に触れるのみで、いくつかはあとの章で再度とりあげ、紙幅をとって説明したいと思う。

第一に、グローバル・ヒストリーの歴史家はマクロな視野にのみ関心があるわけではない。むしろその多くは、具体的な歴史的問題や現象を、よりひろい、可能ならばグローバルな文脈に、位置づけようとする。それにしたがうなら、たとえば一八八〇年代のベンガルにおける「文化」という概念の誕生は、一九世紀の地球の全歴史と同様に、グローバル・ヒストリーの探究すべき正当な主題である。[4]
第二に、グローバル・ヒストリーは空間についてのオルタナティブな観念をめぐる実験である。グローバル・ヒストリーの歴史家たちは概して、政治的・文化的単位——国民国家、帝国、文明——を出発点としない。そのかわり彼らは分析的な問いを立て、問いが導くところへ向かう——ベンガル湾を越え、ネットワークの結節点へ、宗教的・民族的ディアスポラへ、さらにその先へと。

第三に、これら二点が示すことは、グローバル・ヒストリーとは本質的に関係的なものであるということだ。つまり、いかなる歴史的単位——文明、ネイション、家族——も、孤立して発展するのではなく、他の単位との相互作用を通してしか理解しえない。実際のところ、多くの集団は交換や循環への対応として表面上固定化された単位へと凝集しているにすぎない。過去の関係性に注意を向けることによって、長いあいだ受容されてきた「西洋の台頭」「ヨーロッパの奇跡」としての世界史という解釈もまた、問い直される。従来の世界史のテクストの多くは、世界史の動態をヨーロッパにおいてのみとらえ、ヨーロッパにおける達成が世界の他の地域へと拡大したと見なす、一方通行の世界史だった。これと対照的に、近年の研究はヨーロッパの諸地域・諸国間だけでなく、ヨーロッパと非ヨーロッパ世界のあいだの相互作用が近代社会の形成に果たした決定的な役割を強調する。ヨーロッパと西洋における発展は、自律的に、内側から説明することはできず、少なくとも部分的にはさまざまな交換のプロセスの産物であると見なければならない。[5]

第四に、より一般的には、グローバル・ヒストリーは人文学における「空間的転回」の一部をなしている。そのひとつの帰結は、空間の配置——他の場所との関係——が、より重要になるということである。グローバル・ヒストリーの歴史家たちは、内因的な変化よりも、個人や社会が他の個人や社会と相互作用する仕方にとりわけ注意をはらう。その結果、空間的メタファー——領域性、地政学、循環、ネットワークといった——が、発展、ずれ、後進性といった時間の語彙にとってかわる傾向がある。このことは必然的に、目的論的近代化論の否定をともなう。すなわち、諸社会は言ってみれば内側から変容するという観念や、社会的変化の方向は——たとえば伝統から近代へというように——あらかじめ決まっているという観念に対する批判をもたらすのである。

この直接的な結果は、歴史的なできごとの同時性の強調である。これが第五点目だ。もちろん、グローバル・ヒストリーの歴史家たちも、連続性や経路依存性を無視したりはしない。C・A・ベイリや他の研究者たちが論じたように、近代におけるグローバル化は、それ以前の絡み合いのパターンに影響された軌道に依拠している[6]。しかしながら、文明史に典型的な長期的視野や、連続性という問題に伝統的に与えられてきた特権から解放され、多くのグローバル史家たちは同時性のほうが重要ではないかと考えている。アラブの春の反乱を例とすればたちどころに明らかになるように、社会変化の力学にとって、同時的配置と外的諸力はしばしば、長期にわたるできごとの前史や伝統と同様に重要な意味をもっている[7]。

第六に、これはきわめて重要な点であるが、多くのグローバル・ヒストリーはヨーロッパ中心主義の問題について自己批判的である。これはグローバル・ヒストリーというアプローチを従来のさまざまな種類の世界史のほとんどから区別する決定的な特徴のひとつである。あとでこの問題についてはもういちど詳しくとりあげよう(第８章)。実際的な点では、このことは概ね、多くの歴史学部で従来以上に地域研究の専門的知見に、より大きな重要性が置かれるようになったことを意味する。それは第七に、グローバルな過去について考えるポジショナリティがはっきりと認識されるようになったということだ。歴史家たちは地球全体について書くかもしれないが、それを特定の場所から書くし、その語りは部分的には、その位置の力学によって彩られることだろう。ふりかえってみれば、一六世紀後半にメキシコシティとイスタンブールで書かれた世界史は明らかに、互いに激しく異なっていた[8]。しかし今日でも、「世界」はガーナのアクラから見るときと、エクアドルのキトから、あるいはハーヴァード・ヤードから見るときとでは異なって見えるに違いない。

## 統合と構造化された変容

さて、最後の点は、統合という観念に関わる。これはきわめて重要な側面であり、じっくりと検討することになる。グローバルな統合に焦点を当てることは、ひとつのアプローチとしてのグローバル・ヒストリーを、大規模な対象を扱う他のアプローチと分ける、方法論的選択である。この選択にはふたつの重要な側面がある。グローバル・ヒストリーの視点は、広範な規模における構造化された変容を検証することによってたんなる接続の研究を超えてゆく。アプローチとしてのグローバル・ヒストリーは、原因と結果という問題をグローバルなレベルまで追究するのである。

第一の点から始めよう。多くの世界史／グローバル・ヒストリーの歴史家たちは、相互作用と接続を研究することで満足している。「接続は、少なくともたどれるかぎり人間の行為を遡って見るかぎり、人間の条件の一部である」とジョン・ダーウィンが最近私たちに思い出させたが、その結論は次のようなものにとどまった。「グローバル・ヒストリーの歴史家はとりわけ「接続」、とくにその海域的および超／間大陸的な形態に、注意を払う、あるいは払うべきである」[9]。こういってそれを支持する者もいる。「世界がつながっていないばらばらの共同体であったことなどない。異文化間の相互作用と交換は、地球という惑星に人間が存在した最初期から起こっていた」[10]。

しかし接続に焦点を当てるだけでは、よいグローバル・ヒストリーを生み出すには十分ではない。結局のところ、商品、ひと、観念の交換は、人間の過去を通じて生じてきた。諸集団や諸社会間の、ときには長距離を移動する相互作用は、地球上に人類が誕生して以来の特徴でありつづけている。どのみち世界はつねにグローバルに接続され、なんらかの「人類の結びつき」[11]を形成してきたのである。しかしながらこれらの接続のもつ重要性は、劇的に異なっている。ある場合にはそれらがある社会の構成を決定的に左右するものであった一方、偶発的で瞬間的であったものもある。その衝撃は、どの程度世界が物質的・文化的・政治的に統合されているかになかんずく拠っているのである。

これは何を意味するのか？　日本への、西洋時計の導入を例にとってみよう。当時高度な技術であったヨーロッパの時計は一七世紀徳川時代の日本に初めてもちこまれたが、基本的にはエキゾチックなガジェットと考えられた。時計の輸入は、時間をめぐる社会体制になんらの影響もおよぼさなかった。ヨーロッパの時計職人たちは彼らの時計が均等に、太陽の巡りと無関係に時を刻めることを誇っていたが、日本では日の長さによって時間の長さが決まり、したがって年間を通して時間の長さがかわる伝統的な時間の秩序に合わせせられるように改造された。機械時計は一日に二度調節され、季節のめぐりから独立して動かないように、調整するつまみがとりつけられた。つまり一七世紀には、この技術移転は本質的に装飾品にとどまったのである。

東アジアが西洋の政治的・経済的軌道に編入された一八五〇年以降、事情は劇的に変化する。いまや西洋の時間性は、明治日本に「新時代」を導入するためのあらゆる改革、あらゆる試みの中心的な要素と見なされるようになった。電車などの新しい技術、新しい工場やそこで実施される生産管理の新しく奇抜な方法、学校や軍隊といった新しい社会組織の諸形態のすべてが、新しい時間の体制を要求した。西洋式の携帯時計や時計塔は、近代の象徴となった。時間厳守や進歩の観念は西洋の時間を日々の実践へと翻訳した。一八七三年にはグレゴリオ暦の導入にともなって伝統的な時間の数え方が廃止され、日本がグローバルな同時性に参入する準備は整った。これらふたつの移転プロセスを比較するならば、その差異は移転そのものよりも、ふたつの過程が埋め込まれたより大きな地政学的条件にある。オランダ人によって展開され、日本人によって注意深く管理された一七世紀のまばらな貿易契約は、英国の覇権の下にある帝国主義的な世界秩序に置き換えられた。こうして文脈が変化すると、文化の輸入はもはやローカルな世界観に組み入れられることはなく、日常的実践を根本から変化させる力をもった[12]。

接続それ自体は、たんなる出発点にすぎない。それらの相互作用はまったく異なるものになりうるし、その環境全体によって、同じ時計も非常に異なったレベルの重要性をもつことになる。グローバル・ヒストリーの歴史家は、次のことを覚えておかなければならない。すなわち、グローバルな接続には先立つ諸条件があり、接続そのものを理解したいと思う前に、まずはそれらの条件を徹底的に理解することが肝要である。いいかえれば交換とは、まずもってその交換を可能にした構造的変容があったことを証明する、表面的な現象にすぎないかもしれない。有効なグローバル・ヒストリーとは、過去がおかれていた体系的次元と、社会的変化の構造化された性格に、つねに自覚的であらねばならない。

あまりに抽象的に聞こえるかもしれないので、もうひとつ例をあげよう。ヴェトナム、日本、中国の批判的知識人たちがマルクスを読みはじめたとき、これは論理的には、文化を超えた思想の循環の証拠と見なされた。伝統的な歴史はこれを踏まえて、翻訳のプロセス、思想の需要を海図に記し、アジアにおける改革思想のなかにマルクスのテクストの与えた衝撃を探し求めてきた。これらは問題の重要な側面ではあるが、より重要な因果関係は別のところにある。実際のところこの接続の形態はそれ自体が、ヴェトナムでマルクスを読むことが政治的意味を帯びるようになる条件を創り出した、社会的変化の結果であった。要するに、マルクスの影響を、彼の議論の力にのみ求めることはできないということである。野心に満ちた若い知識人たちは彼らの生きた時代の力と関心によって形成され、彼らがマルクスのテクストを翻訳し、引用し、ハイジャックしたそのやり方は、これらの条件によって構築されたのである。したがって、マルクスを読むという接続は、第一義的には、それに先立つ社会的、政治的、文化的変容のもたらした効果だったのだ(それらの変容の起源ではなく)。

この例がそもそも含んでいた解釈の誤りは、権力の影響を考慮に入れるのに失敗した、ということであった(それだけではないが)。ヒエラルキーと搾取の問題が見過ごされてしまうならば、接続への関心はグローバルな過去の輪郭を曖昧にし、そのよりよい理解を実のところさまたげてしまうかもしれない。権力構造に気づき損ねることと引き換えに、交換と相互作用に関わるすべての人に行為主体性が付与され、移動を言祝(ことほ)ぐあまり、移動を管理する構造を無視する危険がもたらされる。越境的な動きは諸社会間の差異を架橋することができるが、衝突を激化させることもある。グランド・ツアーに行くヨーロッパの貴族も、アフリカ西岸と西インド諸島のあいだの中間航路を連れてゆかれるアフリカ人奴隷も、みな政治的・文化的境界を越えたが、その双方を「接続」の下に包摂するのはきわめてイデオロギー的な操作であると認識するのにさしたる想像力は要しない。現実の市場の権力を握っているひとびとは、たいていみずからは動かないまま、貧しい身を寄せ合う民を大西洋や太平洋を越えて船で輸送することから利益を得つづけたのだ。

このことは私たちに、第二の側面に注意を向ける意義を教えてくれる。過去の接続についての他の多くの視点と異なり、グローバル・ヒストリーのアプローチはグローバルなレベルに至る因果関係の問題を提起する。従来の多くの世界史のテクストでは、連関と相互作用の分析的地位はあまり明示的ではなかった。トランスナショナル・ヒストリーのいくつかの研究でも、それらは結局のところ核心となる議論の外部、つまりは飾りにとどまっている。しかしながら、世界が次第に統合されてゆくにつれ、社会の変化はもはやなんらかの相互依存や構造化された差異という観念なしには理解することができなくなった。「ブリテンとインドは一九世紀には大きく異なった歴史をもつことになった」と、デイヴィッド・ウォッシュブルックは言いながら、以下のように私たちに想起させる。「しかしそれは、彼らの関係の緊密さの結果であって、相互の――社会的・文化的な――遠さのせいではなかった。彼らは一枚のコインの両面のようであったが、その顔はたがいにとても違っていた」[13]。グローバル・ヒストリーが境界横断的な出会いの幸福な物語の、普遍的で心地よい陳列所以上のものであることを望むなら、構造化されたグローバルな変容と、社会変化に対するその衝撃という問題に体系的に取り組む必要がある。

ここで「グローバル」という語を使用することが、必然的に地球規模に達することを含意すると誤解されないようにしなければならない。研究中の問題にとって、大規模なプロセスと構造が正確にはどこまでひろがるかは、個別に決定されなければならない。既存の研究のほとんどで、歴史家たちは彼らの探究を早々にあらかじめ固定された容器と地理的な制約に限定してきた。それと同様に、極端に逆方向へ向かい、過去のどの瞬間にもグローバル性を前もって想定するのはばかげているだろう。「グローバル」という概念が示唆するのは、従来の容器や空間的単位を超えて因果関係の問いと連関を追究することに開かれた態度である。その意味するところは、「ただ、慣れ親しんだ地理的境界を越えて実験することに対する方法論的関心[14]」である。

「比較(コンパリゾン)と接続(コネクション)」がグローバル・ヒストリーの紋切り型の言い換えだとすれば、私たちはここに、三つめのCをつけくわえなければならない。グローバルな規模で追究される「因果関係(コーザリティ)」である。構造化された変容と統合の大規模な諸形態に焦点を当てるという決意は、グローバル・ヒストリーを比較やトランスナショナル・ヒストリーといった他のアプローチとは異なる位置に置く選択である。グローバルな統合の強調は、ほぼ間違いなく、たくさんの疑問を生むだろう。この選択は、統合される以前の、近代以前の時代についてグローバル・ヒストリーを書くことを不可能にするのではないか？　証明可能なグローバルな因果関係を求めることによって、扱うことのできる主題の幅を狭めてしまうのではないか？　グローバル・ヒストリーの歴史家は、明示的にグローバルなレベルを研究しなければならないのだろうか？　これらの問いは、あとの章でとりあげることにしたい。

## 接続を超えて——競合するナラティブ

非‐内在主義的でないアプローチや、グローバルな統合の分析的役割の重要性をよりよく理解するためには、歴史家が地球規模の変容を理解し解釈してきた、三つの影響力のある方法を、グローバル・ヒストリーアプローチとかんたんに比較してみるとよいかもしれない。いくぶん図式的ではあるが、それらを、西洋例外主義、文化帝国主義、独立起源パラダイムと名づけることができるだろう。これら三つのナラティブを素描し、グローバル・ヒストリーのアプローチと比較したそれらの限界を指摘しよう。

第一のメタナラティブは、近代化の一般的プロセスを、ヨーロッパで生まれ、それから徐々に地球上にひろがっていったと仮定する、いまなお多くの教科書や概説書に確固として根づいているナラティブである。近代化についてのこのような観念には以下のような慣れ親しんだ特徴がある。経済、政治、社会的なもの、文化といった社会的活動圏の機能的分化。これらの圏域の漸進的合理化による、資本主義的で工業化された経済、国民国家、実力主義の官僚制の誕生。世襲制から階級社会、近代的個人への移行。伝統的・宗教的世界観の、マックス・ヴェーバーいうところの「世界の脱魔術化」を通じての克服。

これらは原理としては普遍的発展と考えられたが、実際においては、まずヨーロッパで生まれ、それから他の世界へ伝えられたと見なされた。このような伝播主義的解釈——ウィリアム・マクニールの『西洋の台頭』が典型である——は、従来の多くの世界史の核によこたわっている。とくに近代化論に導かれている場合がそうだが、多くのマルクス主義的変種においても見られる。デイヴィッド・ランデスはこのナラティブを要約して、「この千年間、ヨーロッパ(西洋)は発展と近代化の主要な発現地であった」と述べた[15]。このような勝利の公式はだいぶ一般的ではなくなり、多くの説明は、初期の臆面もないヨーロッパ中心主義を、プロセスにおける交渉と適応の多様な形態の認識にとりかえている。しかし核心においては、このナラティブの仮定はいまもその場所を占めている。ヨーロッパ／西洋は、革新の起源と見なされ、世界の歴史は本質的には伝播の歴史として理解されている[16]。

かつては支配的であったこの見方に対して、西洋的近代の普及を根源的に批判する読みに基づく第二の解釈が生まれた。この見方は、ポストコロニアルやサバルタン、そしていくつかのマルクス主義的視点と結びついている。そこでは、近代は本質的にヨーロッパのものであり、また普遍的理性の歩みと同等視されている。が、近代の普及は――伝播主義的アプローチはどちらの解釈にも共有されている――解放ではなく剝奪のプロセスと見なされる。

ここにはふたつの異なる、しかし関連する議論が含まれている。ひとつは、西洋の拡大主義の欲望の根源には、啓蒙の普遍主義があるという仮説である。標準的な普遍性というものがあるという仮定から、そうした標準を、家父長制的な文明化の使命の保護の下、ときには力によって介入し実行するという決意のあいだには、ほんの小さな一歩の違いしかない、という批判である。ふたつめの議論はそれと関連している。西洋的近代の普及は異なる世界観を根絶する可能性をもつ、文化帝国主義の一形態だと理解される。批判的な研究者たちは一九世紀における啓蒙主義のひろがりを、きわめて非対称的な力関係によって可能になり、促進された、強制的でしばしば残忍でもあった普及と解釈した[17]。

これまで議論されたどちらのアプローチ――解放的近代化と文化帝国主義――も、本質的には伝播主義的であり、当たり前のようにヨーロッパを近代の起源と見なしている。そのうえ、他の地域では実質的な文化的・社会的発展がなかった、ということをその議論の前提にしている。しかし近年、ヨーロッパは近代の起源であり、唯一の創始者であるという主張には異論が出ている。歴史家たちはヨーロッパの「文明の行進」と並行あるいは類似の現象を探し始めている。ヨーロッパにおける発展に依拠したのではなく、同様の結果へと導いた、合理化の土着のプロセスの探究を開始したのである。これが、ここで素描される第三のパラダイムである。これは近代の起源をめぐるより大きな学術的な議論の一部をなしている。この探究は近代化の伝播という観念に挑戦し、西洋との出会い以前に多くの社会にひろがっていた社会的力学の存在を見出したいという欲求から生まれた。その狙いは、伝統社会と「歴史なきひとびと」に関する古い観念を、複数の近代という幅のある理解へと置きかえることであった。しかし結局のところ、このアプローチは同じ目的因（テロス）——近代的、資本主義的社会——を仮定してしまう。それが西洋との接触の影響による変容によってではなく、その社会に固有の文化的資源に基づいて達成されたとしても、個々の社会の内部で、しかし地球上のあらゆる場所で実現された、普遍的な脱魔術化、という目的論になっているのだ。

三つのアプローチは、その国民的・文明的枠組みによって、方法論的バイアスにおいて収斂している。多くの差異にもかかわらず、これらのアプローチはすべて、グローバルな現象として理解しなければならないものを説明しようとして、内発論的な論理に依拠してしまっている。グローバル・ヒストリーの挑戦を真剣に受けとめようとするならば、これら三つのアプローチを超えて、諸社会を形づくり、グローバルに再配置した統合のプロセスと接続性に焦点を当てる必要がある。インド史家のサンジェイ・スブラマニヤムは、近代とは「歴史的に、グローバルで絡み合った現象であって、どこかから別の場所へひろがるウイルスではない。〔近代とは〕それまではそれぞれ孤立していた社会を接続させるにいたった一連の歴史的プロセスのなかに位置づけられ、私たちは広範におよんださまざまな現象のなかに、その根を求めなければならない」と論じた[18]。そのような観点からは、いわゆる起源探し——ヨーロッパであれほかのところであれ——は、近代世界を生み出したグローバルな諸条件や相互作用にフォーカスするよりも、ためにならない。グローバルな統合と、システムのように機能する相互依存という観念が決定的に重要であるのはこのためだ。統合された世界のなかにあるどこかひとつの場所の変化は、システムを通じてさざなみを起こし、他の場所にも影響を与えるのである。

上述の四つのアプローチ——世界史、ポストコロニアリズム、複数の近代、グローバル・ヒストリー——は、いつもきれいに分離することはできず、多くの点で重なり合っているのは明らかである。言い換えればこれらは理念型なのだ。しかし、問題発見的な目的のために、これら四つを別のものとして分類しておくことは有用だろう。手短にいくつかの問題をとりあげ、これら四つの異なるパラダイムが非常に異なった結果(というか異なった問い)を導く様子を見ておこう——そのあとで、ナショナリズムを事例に、グローバル・ヒストリーアプローチが他の三つのパラダイムよりも多くの分析の成果を生み出すことを詳しく示そう。

最初のサンプルは、人権である。人権についての実質的な歴史研究は最近始まったばかりだ。標準的な世界史の視点では、人間の権利は人文主義にまで遡ることのできるヨーロッパ的な系譜をもち、フランス革命の時期にグローバルにひろがるプログラムと一体化したということになっている。これらの権利とその普遍的主張は、その後、その誕生の地を超える旅をし、次第に世界中で受け入れられるにいたった。[19] これに対しポストコロニアルな読みは、人権が偏狭で、文化的に特殊な観念であること、その見境のない適用が、国民やその枠内での個人といった概念に依拠しないような市民としての資格や平等に関するオルタナティブな概念を周縁化し、実際のところ消去してしまったことを強調する。第三の、複数の近代アプローチは、多くの異なった場所で、その大部分は互いに独立して、人権に関する複数の観念を生み出しうる土着の文化的・政治的資源が存在したことを主張する。これら三つのアプローチに基づきつつ、人権のグローバル・ヒストリーへの最近の挑戦はむしろ、真にグローバルな言説としての人権の誕生に焦点を当てている。歴史家たちはフランス革命よりも、数年後ハイチにおいて権利の言説がとりあげられ、普遍化されたことに強調点をおくことで、人権言説のグローバルなひろがりを徹底的に踏査した[20]。そして二〇世紀、一九七〇年代に、決定的な瞬間が訪れる。政治的イデオロギーとしての社会主義とナショナリズムの没落が、人権の要求を「最後のユートピア」の地位へと押し上げる道を敷いたのである。この解釈においては、人権の思想的起源はそれらが全世界で受容され、さまざまな場所で現地の系譜と融合するグローバルな同時的条件よりも重要な問題とは見なされない[21]。

同様の事態は国際法の分野でも見られる。歴史家たちは長らく、フーゴー・グロティウスを祖として生まれ、その後国際法として発展していった「諸国民の法」を、国際関係の合理化と見なしてきた。この、ヨーロッパによる成就の慈悲深い普及という信念に批判的な研究者たちは、「諸国民の法」とヨーロッパ帝国主義の密接な関連を指摘し、一見普遍的な主張は、植民地主義の野心を覆い隠すための薄いベールにすぎないと考えている[22]。第三の研究者たちは、今日のグローバル秩序のさまざまな起源の探究の一部として、今日常識とされているものが西洋を超えたいくつものオルタナティブな伝統に負っていることを示すために、さまざまな社会の文化と法の歴史を探っている。グローバルな視点は、より明確に、国際法がなぜその時期に生まれ、なぜ世界の異なったアクターによってとりいれられたのか、グローバルな変化への応答として、それがどのように理解されうるのか、という問題を問おうとする。言い換えれば、国際法の発明者や知的特許権保持者たちに対する関心が薄れ、国際法の実践が、舞台の中心に躍り出たというわけである[23]。

問題発見的に差異化したこれら四つのアプローチは、実質的にはあらゆる分野に拡張させることが可能である。人種概念は、ヨーロッパの発明か、帝国の道具か、異なるさまざまな土地に起源があるのか——あるいはグローバルな変化への応答だったのだろうか？　啓蒙はヨーロッパのサロン文化の成果なのか、西洋の押しつけなのか、さまざまな文化における合理化の産物なのか——それとも世界中の社会的エリートが新たなグローバルな現実と折り合いをつけるひとつの方法だったのか？[24]　あるいは、ファシズムのグローバル・ヒストリーを歴史化する試みについて考えてみよう。世界史の歴史家たちはファシズムという語を定義しようと努力しつづけ、カリスマ的リーダー、大衆動員、超国家主義イデオロギーといった必然的特徴の長々としたリストをつくりあげている。しかしこれらの特徴はヨーロッパの経験に由来しているために、日本やアルゼンチンなど他の事例を、欠陥として以外に見ることを困難にしている。実際には、ドイツ国家社会主義(ナチズム)でさえ、イタリア・ファシズムによって据えられたモデルにしたがって生きたわけではないし、その逆でもない。このいささか近視眼的な分析のための矯正レンズとしてグローバル・ヒストリーを用いることによって、歴史家は移転や直接的接触により関心を払うようになった。そしてそれによって、イタリアとドイツが世界中の他の多くの場所で、どの程度モデルや着想の源泉となったかを明らかにすることが可能になった。比較と移転の歴史を超えて、ついに、戦間期に多くの社会が共有した状況や、それらが古典的自由主義と共産主義の間の「第三の道」を求め、各国政府を社会の組織化と動員の新しい形態の実験へといたらしめたグローバルな統合へのより体系的な焦点化が始まった。こうした視野からは、あの長大なリストにある個々の特徴を備えていないこと(エスタブリッシュメントに挑戦する大衆政党があったか、あるいは「上から」の動員に過ぎなかったか、といった)はあまり重要視されなくなり、さまざまな事例を、構造化された統合と変化しつつある国際秩序に対処する、関連した、しかし異なるさまざまな方法として理解することがより重視されるようになった。[25]

## 事例研究――グローバル・ヒストリーにおけるネイションとナショナリズム

この最終節ではナショナリズムの歴史叙述について深く掘り進んでみよう。新しいグローバルな視点が、国民（ネイション）を世界史のなかに位置づけるかつてのやり方を補足し修正するものとなってきたことが、そこにもっとも明瞭に観察されるからである。いくつかの意味で、ネイションはそうした試みのための思いがけない候補者である。それほど遠くない昔、一九九〇年代に「グローバリゼーション」が流行りことばになったとき、専門家たちはすぐさま、国民国家（ネイションステイト）の終わりを予言した。そして学問の世界でも、国民国家の将来の見通しは、同じく寒々しいものだった――トランスナショナル・ヒストリーやグローバル・ヒストリーは明らかに、国民国家を超える目的をもって書かれた。しかしこの危機の瞬間――あるいはある種の多幸感？――はたちまち弱まり、異なった道具立てにおいてなお、国民国家という制度が力と妥当性をもちつづけるという認識に道を譲った。また、グローバル・ヒストリーは国民／国民国家を歴史のゴミ箱に放り込むのではなく、その妥当性を再評価し、国民／国民国家の出現と意義をよりよく説明することと関わることが明らかになった。

これら最近のアプローチは、ネイションを世界に位置づける従前の試みとどのように比較されるだろうか？　ある意味で、ナショナリズムの理論はその最初期から、グローバルなレベルで作動していた、といっても過言ではない。だから、初期の近代化理論――アーネスト・ゲルナーの影響を強く受けて形成された――に刺激された解釈のアプローチは、視点においては普遍的であったのだ。これらのアプローチは、ネイションの形成を伝統的社会から近代社会への進行中の移行の効果と仮定した。ナショナリズムの活動家たちが概して当該ネイションの特殊で際立った性質を強調するのに対して、ゲルナーは普遍的な発展の法則を仮定し、あらゆる特異性の主張をしりぞけた。工業生産は労働の流動性と継続的成長を保証するために、農村社会のヒエラルキーを破壊した。ナショナリストたちは自己の正統性を示そうと歴史の共有や共通の言語や文化的パターンを強調するが、ゲルナーにとっては、ナショナリズムとは「それ以前にあった地域の諸団体の複雑な構造にとってかわった、匿名の、非人格的社会の確立〔中略〕である。実際に起こったのはそういうことだ[26]」。

こうした解釈は、遠く離れた場所同士を比較するためには便利な基盤となった。この見方によれば、すべてのナショナリズムは、その表層の多様性にもかかわらず、本質的には同一である。ナショナリズムとは社会・経済的近代化の一効果であり、もっぱら内在的に説明されうる。これとは対照的に、近年のアプローチは接続と移転に関心を集中させてきた。その結論は、一九世紀におけるナショナリズムの世界的流行は内的要因にのみ帰することはできず、伝播の結果としても理解されるべき、というものであった。ベネディクト・アンダーソンは主としてナショナリズムに対する構築主義的アプローチの擁護者として注目されているが、彼のもっとも重要な方法論的貢献は、ネイションを基本単位の模倣として描いたことである。つまり、ネイションの形態は、それが創造された時点以降は、原理的には移転可能なものであった、と彼は考えた。この形態は、はじめ南北アメリカのクレオール社会で、その後一九世紀半ばにヨーロッパで発展した。ナショナリズムの概念とモデルはそこで生まれ、続いてグローバルに利用可能な一種のツールキットになった。それ以降、新たに生まれたすべてのナショナリズムは、このパラダイムの影響を受けて形成された[27]。

近代論に影響を受けた以前のモデルに対して、アンダーソンのアプローチは前に進む重要な一歩を刻んだ。ナショナリズムのグローバルなひろがりはもはや、社会発展の法則の、時計仕掛けの結果と同種のなにかとは見なしえなくなったからである。しかしネイションという形式がひろがる実際のメカニズムについては、あまり説明されないままだった。アンダーソンはナショナリズムがヨーロッパで発展することになった複雑な諸条件に関心をもっていたが、その他の世界に関しては、ナショナリズムの利用と修正に焦点を当てた。本質的には、確立されたモデルの移転可能性を所与のものとしていたのである。[28] しかし、他の地域へと旅していったネイションという形式の起源やその形式の性質にのみ関心を限定し、その移転が受け手にとって魅力的なものになる可能性の条件について探究しないならば、どうやって移転のダイナミズムを理解することができるだろうか?

アンダーソンのアプローチは、植民地化された世界においてナショナリズムの運動を発展させた具体的な帝国主義的条件をより重視していたポストコロニアルの歴史家たちから批判を受けた。インドの政治学者パルタ・チャタジーはきわめてしばしば引用されるその著書『ナショナリズムの思想と植民地世界』のなかで、植民地世界のナショナリズムは不可避的に、ヨーロッパに由来する現象、「派生的言説」でありつづける以外にないと論じた。たしかにナショナリストの運動は外国による支配に向けられたが、存在論的レベルにおいては——チャタジーは主張する——それらは支配者のパラメーター、すなわち帝国的言説に、依拠しつづけたのである。[29]

しかし同書はこれにくわえてもうひとつの論点を含んでいる。反植民地主義ナショナリズムは、実質的に、西洋への対抗によって養われているとチャタジーは言うのである。それはしばしば、西洋の物質主義に対するネイションの精神性の際立った強調という形態をとる。そして実際、精神的東洋対物質的西洋という二項対立は、一九世紀後半のアジアにおいて政治的言説の標準的な成分であった。チャタジーは『ネイションとその破片』においてこの議論をさらに推し進め、最初の著書をある程度見直した。ここではチャタジーは、ナショナリズムを物質的、外的領域と、内的、精神的領域とに分けた。彼は「真の、本質的な領野」である精神的レベルに、政治的主権を獲得するはるか以前から主権的なものであったネイションを見る。内的領野は、ネイションの真の文化が表現される場として現れる。いいかえれば、形式的なレベルでは「国民形態（ネイション・フォーム）」（エティエンヌ・バリバール）は移転可能であり、ネイションの言説も派生的なものにとどまるとしても、ナショナリズムの実質は地理的・文化的に固有のものであり、ヨーロッパの帝国主義モデルには由来しえない[30]。

では、ナショナリズムの内容の特殊性それ自体はどの程度まで、グローバルな布置関係の産物なのかと問うことになるだろう。なぜならチャタジーのアプローチは一定程度まで、内発モデルに負っているからである。彼は帝国の権力という文脈でのひとつの形態としてはネイションの移転を認めているものの、植民地ナショナリズムの実質である固有の性質は、ローカルの文化的資源や、とりわけより古い、前植民地期の伝統を参照して説明される。チャタジーはこのような前植民地期の文化的資源を理想化し、具象化していると批判された[31]。しかしグローバル・ヒストリーという視点からは、もう二つの批判のほうが、より重要である。第一に、チャタジーの分析は全体として、なお植民地化されたネイションと植民者たちのあいだの二分法的な関係に焦点を当てている。このことは、彼の説明がポストコロニアル・パラダイムの一般的な趣旨を共有していることによる限界である。だがインドや中国、タイのナショナリズムの力学は、グローバルな布置関係の一部であった。ヨーロッパやアメリカ合衆国からの刺激に対する地域の「反応」というパラダイムは、重要ではあるけれども、自生的な文化的伝統に立ち返ることに特権を与えるという意味で、限定的でもある。チャタジーはポストコロニアルのナラティブに執着することによって、より大きなグローバルな文脈を軽視し、多くの地域の歴史的アクターたちが一九世紀後半以降、しだいにグローバルな全体性を参照するようになったことを蔑ろにするという危険を冒す。ナショナリズムとナショナルなカテゴリーにおいて思考することは、このグローバルな統合という文脈のなかで発達したのである。

第二に、ナショナリズムの実質もまた、内在的伝統にのみ遡るものではなく、グローバルな布置関係の産物でもある。歴史研究の目的は、(普遍的、移転可能な)「国民形態」とその内実の文化的に固有な現れとのあいだに分析的な区別を打ち立てることよりも、それらが置かれたグローバルな文脈において両方のレベルを再構築することであるべきだ。要するに、大きな地政学的現実はしばしば、無数のローカルな伝統のなかでどれがネイションのプロジェクトのために動員されるかを決定する、重要なファクターだったのである。[32]

したがって必要なことは、比較研究、伝播の歴史、ポストコロニアルのアプローチから得られた知見を踏まえ、それを超えて、ネイションがグローバルな文脈で定義され、理解され、実践される、そのやり方を、より深いところで理解することである。近年、ナショナリズムのグローバル・ヒストリーに多くの研究が挑戦していることは、このようなアプローチがいかに実り多いものであるかを示している。結論では、この潮流の事例となるふたつの研究を見てみよう。

最初の例はアンドリュー・サルトーリの『グローバルな概念史におけるベンガル』である。サルトーリは一八八〇年代以降のベンガルの知識人たちの、文化という観念との格闘を観察する。そこにはヘルダーの「文化(クルトゥーア)」概念や、ロシアや日本からの同種の主張ともよく似たものが多数あった。総体としての問題は、部分と全体の関係をどう説明するか、あるいは別の言い方をすれば、文化言説のこれらの異なったバージョンにある類似性を、ベンガルにおける議論の特殊性の認識を失うことなくどのように説明するかである。先に概観した理念型を思い起こしてみよう。ベンガル文化主義は、西洋からの諸観念の移転の結果であり、それらのローカルな領有なのか？　権力の不均衡な関係の産物であり、したがって精神の植民地化の一形態なのか？　あるいはベンガル固有の文化理解の、土着の文化的資源と伝統的系譜を強調するべきなのか？

サルトーリはそのグローバル・ヒストリー分析において、これらの解釈を超えてゆく。彼の仕事は明らかにポストコロニアルの学識に影響を受けてはいるが、彼はポストコロニアルの解説が、文化の通約不可能性という仮定と、西洋に由来する「文化」という概念それ自体を文化帝国主義の一形態として放棄しようとする意思において、究極的には泥沼にはまりこむことに気づく。彼にとって、類似性は伝播と力の差の単純な結果ではない。そうではなく、彼はベンガルを、「文化」という観念がグローバルな挑戦に対する応答として提起された、多くの場所のひとつだと考える。「ベンガルにおける文化概念の歴史は、本質的に西洋的な知的形式からの地域的逸脱としても、遅れた反復としても扱うことはできない。むしろ、文化の概念のグローバル・ヒストリーの、空間的・時間的に特異な瞬間として、検討されるだろう[33]」。

文化に目を向けることとは、合理的個人主義と経済的自己利益によって特徴づけられる自由主義という古いバージョンから離れることであるともいえる。このような自由主義の福音に対して、文化の観念は、英国の支配と経済的覇権に対するナショナリスト的批判を組織的に展開した社会集団によって受け入れられた。サルトーリによれば、これらの優れた知識人たちが応答したグローバルな構造は、主要には経済的なものであった。一八四〇年代に金融危機が生じたとき、貿易と産業はイギリス商人たちに次第に独占され、他方現地の資本は資産と不動産にのみ投資されたので、ベンガル社会は通商の力学から切断されてしまった。こうした状況において、「文化」の観念は、ヒンドゥー・エリートたちのあいだでなかばロマン主義的な言説の一部になった。彼らは土地と農業労働人口との有機的な関係を主張しようとしていたからである。

サルトーリはより一般的に、また相当抽象的に、自由主義対文化の論争を、資本主義の拡大と結びつけている。文化主義は、資本主義の下の労使関係と生産様式が生み出す、疎外と主観性の特有の形態に対する反応として、世界中で生まれたと彼は主張する。こうした固有文化の観念はむろん地域的特殊性に満たされていたが、言うところの伝統は資本主義によって徹底的に押しつぶされただけでなく、資本主義体制における社会的実践に役立つものへと押し込められていった。つまり、文化主義はそれが知の移転の効果とのみ見積もられるなら、十分に説明されたことにはならない。むしろ、同じグローバルな問題に対する一連の独特な応答として理解されなければならないのである。

第二の例は、後期清朝のナショナリズムを研究したレベッカ・カールの『世界を上演する』である。カールにとっても、ネイションとしての中国という観念は、歴史上の固有の時点、中国が自身に対して新しい「世界」を発見した瞬間に、確立されたものである。これはたんに、中華圏、つまり中国の影響圏の外にある諸地域の認識を意味するのではなく、ますます主権(国民)国家と、従属的植民地諸国家から成るものへと構造化されてゆく全体としての世界に気づく、ということだ。帝国主義や資本主義といった地球規模にひろがる力を通して結びつけられた諸単位の総合としての「世界」という、この新しい理解が、中国——中心の王国——と野蛮という千年の歴史をもつ心理的二分法に置きかわったのである。

具体的にはどういうことだろうか?　レベッカ・カールはとくに、中国の視点から見ればかつては周縁的であったできごと――アメリカ合衆国のハワイ併合、一八世紀のポーランド分割、アメリカのフィリピン侵略、イギリスのエジプト支配等々――が、一九〇〇年前後に中国で激しい論争の的になったことに関心をもつ。清朝宮廷の伝統的なコスモロジーにおいては、これらの場所はまったくの周辺であり、中華「文明」の端（でありときにはまったく文明外）であった。しかし世紀転換期になると、改革者たちは中国が直面している政治的・経済的脅威はこれらの小さな諸民族を苦しめたものとそれほど変わらないことに気づいた。文化的な意味では遠く離れているかもしれないが、近代地政学の論理は、ハワイのような場所と清朝とのあいだの類似性を強調した。植民地化のプロセスはもはや遠い異国のひとびとのことにのみ関わることではなく、グローバルに効果をおよぼす構造の結果として、いまや中国をも同じように脅かしていた。共通性はもはや文化的にではなく、地政学的に決定された――植民地化の脅威と、資本主義世界経済における周辺的地位によって。[34]

カールの本の中心的な命題は、中国を他のネイションのなかのひとつとして、そして「アジア」――ここでは、第一義的には覇権的な帝国主義秩序のなかで共有された周縁化という観点から理解されるのであって、文化的あるいは民族的共通性という観点は二義的である――の一部として認識することは、ただグローバルな統合という文脈においてのみ可能になったということだった。「中国は、中国がこの世のものになったと同時に、そしてそうなって初めて、固有のネイションとなり（そして帝国ではなくなり）、地域的にはアジアとなった」[35]。つまり、中国というネイションの成立は、時間を追った変化を描いたものであり、同時に、中国が世界へと包摂されてゆくことへの応答でもあった。本のタイトルが暗示するように、ナショナリズムの力学の出現に応じた段階的発展ではなく、同時的な「世界の上演」――グローバルな舞台でのパフォーマンスであったのだ。

サルトーリの著作もカールのそれも、著者たちは、近代インドと近代中国という自分たち自身の専門領域に注目することによってグローバル・ヒストリーに貢献している。他のグローバル・ヒストリーの歴史家たちがナショナリストたちのネットワークに焦点を当て、異なった場所のナショナリズムの運動を比較したり、それらを地球規模で総合してみたりしようとするのに対して、これらの研究は特定の地域に注目し、それをグローバルな絡み合いを通して分析している。

さらに重要なことは、どちらの本もグローバルな構造を、それぞれ固有の形態のナショナリズムが生まれる必須の文脈としてだけではなく、必須の前提条件として理解しようとする、歴史研究のよりひろい運動のよい例であることだ[36]。どちらの著者も主に政治学に焦点を当て、歴史を動かす力として資本主義という、ときに高度に抽象的な観念を措定する。グローバルな全体性を資本主義と同等視するのは、あまりにも頑(かたく)なに見えることもあるだろう。批判者たちは両著者を、資本主義の拡大という過度に抽象的な観念にドグマ的に依拠していると厳しく批判した。しかし、ふたつの著作の例に見出しうる欠点は、グローバルであることをいかに統合的に、かつニュアンスに富んだものとして理解しうるかを描き出すそれらの価値を減ずるものではない。先に見たように、私たちはグローバルな統合を多様なやり方で理解し、説明することができる。本章の文脈においては、サルトーリとカールは、グローバルであることを外在的で付帯的な文脈と見るのではなく、グローバルであることが、彼らが描き出そうとしている研究の諸対象を構成し、形づくるものであると考えている点において適切なのだ。

本章で素描された一連の方法論的指向と、統合という観念への力点はともに、外的な影響や要因を軽視あるいは完全に無視する説明の否定と対応している。従来の社会理論は、全般的に、内在論的パラダイムと呼びうるものの内部で機能している。近代化の大きな物語のなかで、歴史的現象は内因的に、内側から、そして典型的には、ある社会の境界のなかで分析されてきた。内的変化への注目は、実際、今日まですべての社会理論の特徴でありつづけてきた。マルクス主義に影響を受けようが、マックス・ヴェーバーやタルコット・パーソンズ、あるいはミシェル・フーコーの仕事に刺激されようが、私たちが知る社会理論はすべて、社会を自己発生的なものとして扱い、社会変化はつねにそれ自体が生み出してきたのだと仮定してきた。

それとは対照的に、グローバル・ヒストリーは、このような内在論的、あるいは系譜学的な枠組みを踏み越える。そこでは境界を横断する相互作用と絡み合いに、とりわけ注意が払われる。さらに、個々の社会を超えて届く構造の衝撃を認識する。このようにして、グローバル・ヒストリーの歴史家は、個々人、ネイション、文明の範囲の内側にはない要因の与える因果関係を認識する。要するに、グローバル・ヒストリーは、内側と外側の二分法をともに超えるという見込みをもっているのである。

# 第5章　グローバル・ヒストリーと統合の諸形態

前章では、グローバル・ヒストリーを研究対象としてではなく固有の視点として理解すると、ひとまず定義した。他とは異なるアプローチとしてのグローバル・ヒストリーは、オルタナティブな空間性を探究し、関係性を根本的に重視し、ヨーロッパ中心主義の問題について自省的である。私たちは、グローバルな規模で進行する統合と、それがさまざまな社会の変容に構造的な影響を与えたことをとくに重視してきた。個々の研究対象の置かれている体系的な文脈に焦点を当てることは、このアプローチを他と区別する問題発見的な選択である。つまりグローバル・ヒストリーは、構造化された統合を、それが主題でないときにもつねに背景として認識する。それはまた、グローバルな規模で因果関係の問題を追究するということでもある。

統合に焦点を当てるということは、接続性のみをグローバル・ヒストリーを導く原則とすることから離れることも含意する。この分野の学術研究において、私たちがしばしば遭遇するグローバル・ヒストリーのお手軽な定義の中心に接続性への注目があることを考えれば、これは重要な一歩である。もちろん接続は重要であるし、どのようなグローバルな分析においても顕著な特徴をなすだろう。移動と相互作用なくして、いかなるグローバル性もありえない。しかし接続の質と強度は変化する。あるものはうわべだけですぐに消えるか、あるいは地域的に限定的なものにとどまった——したがってそれが与える衝撃は限定されていた。サハラ砂漠を横断する交易や、唐代中国へのカワセミの羽根やサイの角の輸入を、性急に「グローバリゼーション」と同一視するのはあまり有益ではないのである。要するに、そうした接続の質と衝撃は、諸世界が多少なりとも体系的に統合されていたその度合いにかかっていた。紀元前一八五年にインドのマウリヤ朝の最後の王が暗殺され王国が崩壊したとき、それは南アジアの歴史においては決定的な転換点となり、ヘレニズム世界に重要な反響を呼び起こしもした――しかしそれが、二〇〇〇年以上後のオーストリアのフランツ・フェルディナント大公の暗殺ほどには、地球全体を混乱の渦に投げ込みはしなかったことは間違いない。つまり、連関と接続の妥当性――どこまで届いたか、実際にどれほど重要であったか――は、それが実際に達成されていた統合の程度と比較して計られなければならないだろう。ある地域での商業活動の停滞が、他の地域にはほとんどまったく影響を与えないこともあるだろう――一九二九年にはそれが世界規模の体系的危機の引き金となったのに対して。

言い換えれば、ひとつの視点としてのグローバル・ヒストリーを、グローバルな統合のプロセスの評価から切り離すことは難しい。結果として、統合が持続し、一定の密度を保っている時代に、このアプローチの潜在的な力はもっともよく生かされるだろう。反対に、接続がうわべだけで、統合がほとんど感知できない歴史上の諸時代においては、グローバル・ヒストリーのアプローチは生産的ではないし、比較史のような、正確にいえばグローバル・ヒストリーではない、他のアプローチよりも効果的ではないかもしれない。

統合と、構造化されたグローバルな変容に焦点を当てる固有のパラダイムとして、グローバル・ヒストリーは非常に独特なアプローチである。太陽の下でかつて起こったすべてのことを説明する包括的な方法ではない。本章では、このパラダイムの選択のもつ意味についてさらに議論することになるだろう。以下では、三つの主要な問題について、やや立ち入って議論したい。第一に、統合の強調は、グローバル・ヒストリーを実際にはグローバリゼーションの歴史へと変えてしまうだろうか？　第二に、私たちは「統合」の観念と、それを実現させる駆動力をどのように理解すればよいのだろうか？　そして最後に、グローバル・ヒストリーが統合を前提とするのだとすれば、私たちはグローバルな視点をどこまで遡ってのばすことができるのだろうか？

## グローバリゼーションの歴史

最初の問いから始めよう。統合に焦点を当てることで、グローバル・ヒストリーはグローバリゼーションの歴史になってしまうだろうか？　グローバリゼーションが、相互接続の進展するプロセスと理解されるならば、その研究はますます連結し複雑さが増してゆくこと、単一のシステムとしての世界が出現することに関するものになる。構造化された統合をなんらかのかたちで理解することがグローバル・ヒストリーのアプローチに必須の要素であるなら、グローバリゼーションの歴史はグローバル・ヒストリーの歴史家たちにとって一見して自然な主題に見えるだろう。

そして実際、グローバル・ヒストリーとグローバリゼーションの歴史はしばしば混同される。しかしこれはふたつの理由から不正確である。第一に、グローバル・ヒストリーは、ここでの理解においては、まずもってひとつのアプローチである。他方、グローバリゼーションの歴史は、歴史的プロセスをあらわす。そして第二に、グローバルなレベルでの統合は、グローバルな視点にとって、必要条件である。それは文脈ではあるが、かならずしも研究対象それ自体ではない。したがって、グローバル・ヒストリーの探究は、統合の起源や原因を説明する必要はないが、その衝撃と効果に焦点を当てることはできる。そうなると、グローバリゼーションの歴史はグローバル・ヒストリーの重要なサブジャンルではあるが、グローバル・ヒストリーが扱う範囲それ自体ではない[1]。

「グローバリゼーション」という術語は歴史家の語彙においては新参者だ。一九九〇年代前半以前には、一般的な言説にはほとんど現れなかった。しかしその後、この語はほとんど伝染病のように流行した[2]。当初、「グローバリゼーション」は主に経済史の研究者たちによって採用された。しかし二一世紀になろうとするころには、グローバリゼーションの歴史は歴史家たちにとって、世界経済の発展の問題を超えて、歴史学の正当な主題となった。以来おびただしい数の研究が、この語を使用し、グローバリゼーションのプロセスや他の歴史的主題の長い歴史を問うために生産的に応用されるようになった[3]。

では、術語が新しいとして、現象自体はどれほど新しいのだろうか? マニュエル・カステルによれば、現在、私たちは世界史の転換点を目撃しているのだという。「社会、空間、時間の物質的な基盤が変容し、流動する空間と時間なき時間のまわりに組織されつつある〔中略〕新しい存在の始まりであり、新しい時代、私たちの存在の物質的基盤に対する文化の自律性によってしるしづけられる、「情報の時代」の始まりである」。これが新しい現象であるというカステルの主張自体はまったく新しいものではない。すでに一九五七年に、近代化論者M・F・ミリカンとW・W・ロストウは彼らが「偉大な世界革命のただ中」にいると思った。「識字率、マス・コミュニケーション、旅行の急激な増加は、過去に社会をひとつにまとめていた伝統的な制度と文化のパターンを壊しつつある。要するに、世界共同体は歴史上かつてなかったほどに、相互依存的になり、また流動的になっているのである」。

早くも一九一七年に、アメリカの社会学者ロバート・パークは、世界は人類史の新しい時代へと敷居をまたぎつつある——その移行は一九世紀の技術に根ざしてはいるけれども——と確信していた。「鉄道、蒸気船、電信は、地球上のひとびとを急速に動員している。諸国民は孤立から脱し、異なる人種を分けていた距離は、コミュニケーションの拡大を前に急速に道を譲っている。〔中略〕巨大な宇宙的な力が、かつては世界の人種と民族を分けていた障壁を破壊し、新たな親密さ、新たな競争、対抗、衝突の諸形態へとそれらを押しやった」。もっと遡ることもできる。ある意味で、急激な社会変容、理解の困難な社会変化の報告は、フランス革命以来近代世界にはつきものであった。そして一九世紀半ばからは、この変化は境界横断的な相互作用と結びつけられてきた。すでに一八四八年に、カール・マルクスとフリードリヒ・エンゲルスは『共産党宣言』において、「昔の地方的、また国民的な自給自足や閉鎖性にかわって、諸国民相互の全面的な交易、その全面的な依存関係が現れてくる。〔中略〕国民的な一面性や偏狭さはますます不可能となる」と言明した。

絶えず新奇さの感覚にとらわれているような歴史的プロセスを、時代区分は言うまでもなく、分析することなどどうやって可能だろうか？　私たちは根源的な歴史的移行を経験している、原理的な転換点を目撃しているという、絶えず反復されるひろく行きわたった確信は、意味のある細分化を求めるいかなる声の価値をも引き下げるように見える。アダム・マケオンはこう尋ねている。「それ以前の状態から変化して到来する新しい時代の唯一の一貫した運命が、次なる新しい時代によって、停滞と孤立の時期と見なされることであるようなときに、いったいどうすれば、グローバリゼーションの主張をまじめに評価することができるだろう？[4]」。

歴史家のなかには、この問いをすっかり棚上げにすることをほのめかす者さえいる。彼らの見方によれば、私たちがグローバリゼーションを探しているにせよ、グローバルな統合を探しているにせよ、そのプロジェクトは初めから命運が尽きている。グローバリゼーションの概念は理論的に曖昧で、相対的に未定義であることがその理由(の一部)である。しかし彼らの懐疑は主に経験に由来している。グローバル化のプロセスが文字通りあらゆるところに至らなければ、それをグローバルと呼ぶのは不適切だと、批判者たちは信じている。一見グローバル化している現在でさえ、全員が他の全員とつながっているわけではない。世界の多くの場所では、自分の携帯電話をもっていないひとがいるし、オリンピックを見ないひとがいるし、インターネットに接続していないひとがいる。「世界というものはずっと、経済的・政治的関係がきわめて不公平な空間でありつづけている。世界はこぶだらけだ」とフレデリック・クーパーは書いている。「構造とネットワークは特定の場所に入り込む〔中略〕が、その影響は他の場所では次第に弱まる」[5]。地球上には、いわゆるグローバルなフローの利益から除外されたひとびとや、それがもたらす疎外感を感じずにいられる集団が存在しつづけている。この見方に立てば、大きな傾向に例外があるかぎり、純粋にグローバルな統合は一度も起こったことがないし、おそらく決して起こることもないだろう。

もちろんこれは、やや硬直した、どちらかといえば原理主義的な見立てである。一般化されたパターンに対してはつねに対抗的な事例を挙げることが可能であって、これでは究極的にはいかなる集団的、マクロ社会学的な術語もほとんど成立しなくなってしまう。しかしグローバル・ヒストリーにおける近年の多くの試みは、この叙述とは一致しない。それらは、「グローバル」であることを限界や境界のない状態と同一視しないし、歴史的プロセスがつねに地球全体にわたる全体性をもつと主張したりしない。むしろそれらの目的は、確立された単位や区分を超えてゆくこと、ものや観念、ひとびとの動きを、その軌跡が導くところならばどこまででも、境界を越えて追いかけることである。そしてこれらの動きもまた、自由にひろがったのではなく、典型的に構造化され、特有のパターンにしたがっていた。

対照的に、グローバルな統合の起源を歴史のなかに追いかける歴史家もいた。ときにそれは、実に遠くまで遡ることになった。アンドレ・グンダー・フランクのような世界システムの歴史家は、世界システムの歴史は五〇〇〇年前まで遡ることができると主張した。ウォーラーステインや他の対立する解釈と異なり、フランクは容赦ない資本蓄積を一五〇〇年代まで待たずとも、何世紀も前に見出すことができると考えている[6]。世界史パラダイムのパイオニアのひとりであるジェリー・H・ベントレーは、まったく異なる視点から、文化横断的な相互作用の歴史は紀元前四〇〇〇年紀まで遡り、現在まで続くと提示した。「遠く離れた時代から現在まで、交差する文化の相互作用は大きな政治的、社会的、経済的、文化的効果を、関わったすべてのひとびとに及ぼした」とジェリー・ベントレーは提唱した。そうした見方に立てば、移動や交易、帝国建設の多様な形態は、いくつもの時代を通じて、異なった形にせよグローバルな接続性を生み出したのである[7]。グローバルな相互接続の始まりをもっと以前まで、人類の言語の発展まで、遡らせるひとびとも現れた[8]。

このような過激な提案にはもちろん問題もある。文化横断的な連関や相互作用の道筋の長い歴史を探究することも、初期の文明の複雑さを認識することも重要である。とはいえ、それによって、観察された連関が諸大陸を横断し時代を超えて途絶えることなく続く物語へと足し算されると仮定するべきではない。ほとんどの歴史家たちは、より慎重に、「つねに」か「一度もない」か、白黒はっきりさせることを避けている[9]。これかあれかの二分法のかわりに、彼らはもっと具体的に問いはじめた。

世界はいつから、一種の凝集性と原理的な相互関係性を漸進的に獲得していったのだろうか？ いつから、ある場所でのできごとがすぐさま別の場所に重要な影響を与えるほどに、ひとびとが緊密に編み合わされるようになったのか？ 世界はいつ、単一のシステムに変じたのだろうか？

これらの問いに答えるために、グローバリゼーションの決定的な分水嶺の位置を見定め、その起源をつきとめることを目標とする研究の一大産業が登場した。[10] こうした研究は、グローバリゼーションを直近の数十年にのみ適用しようとするような、従来の社会科学的な理解の現在主義（プレゼンティズム）に対するひとつの反応である。一九七〇年代から次第に始まり、九〇年代に急激に加速したこの解釈は、インターネット・コミュニケーション、グローバルな商品生産、トランスナショナルな資本投下、そしてグローバルなガバナンス構造の誕生が世界を変化させ、それ以前の接続の形態とは根本的に異なる強度と新しい質をもった相互作用をもたらしたとした。[11]

歴史家の側からはすぐさま、この過去との根源的で画期的な切断という観念への反論がなされた。今日、グローバリゼーションはなんらかのかたちで現在を形づくり、インパクトを与えている、長い歴史をもつという見解では彼らはほぼ一致している。学術研究においては、グローバルな統合に向かう大きなうねりに関する議論は概ねふたつの歴史的瞬間に集中している。一九世紀後半と、一六世紀である。[12] 今では、一八八〇年代までに境界横断的な接触が急増し、統合されたグローバルな全体と呼んでさしつかえない地点へと融合していったということをほとんどの歴史家は当然のことと見なしている。日本や朝鮮が数世紀にわたって実行してきた政治的孤立は、いまや事実上不可能になった。労働市場と商品価格は政治的・地理的境界を超えて収斂した。[13] コミュニケーションのネットワークが全世界を覆い、同時性の感覚を可能にした。サンドフォード・フレミングは一八八四年に勝ち誇ってこう宣言している。「私たちが生きる条件は、もはやこれまでと同じではない。〔中略〕全世界が隣人同士の親密な関係へと引き込まれた」[14]。さまざまな要素がこうしたグローバルな同時性の世界へと統合される瞬間と程度には差があった。しかし第一次世界大戦の勃発するころにはすべての社会に到達し、まぎれもない世界の再編成をもたらした[15]。

一六世紀初頭を、統一されたシステムとしての世界の真の起源と見なす歴史家たちもいる。より大きなグローバルな凝集の前兆となったプロセスのいくつかは、実際一五五〇年代に始まっている。ヨーロッパによる両アメリカ大陸の「発見」、植民地主義の開始、ヨーロッパが支配する資本主義的交易関係である。両アメリカ大陸の侵略は、来る数世紀のうちに地球の相貌を変えることになるヨーロッパの拡大をしるしづけた。有名なスペインの貿易船、マニラ・ガレオンが媒介する太平洋を横断する交易のネットワークが、両アメリカ大陸とアジアをつなぎ、世界市場の発展を可能にした。「イベリア・グローバリゼーション」の時代に確立された構造の多く――グローバルな海路、世界経済、大規模国家の成長、技術の拡散、グローバルな全体性の認識の広がりなど――は、驚くべき耐久性をもっていた[16]。

## グローバリゼーションを超えて

グローバリゼーションの歴史は、グローバル・ヒストリーという歴史叙述のまさしくサブジャンルへと発展した。グローバルな全体性の転換点と起源の探究が、その特徴である。問題発見的な意味では、グローバリゼーションのナラティブは現在への系譜を理解し、グローバルな規模の変化を説明しようとするすべての試みに関わるものでありつづけるだろう。またそれらは最初の方向性を与え、できごととプロセスをより広い文脈に位置づける一助となる。とくに、グローバリゼーションの歴史は、グローバルな規模で、長い視野で問うことを可能にしてくれる。

しかし究極的には、過去をひとつのグローバリゼーションの歴史と見なすのは困難である。そのいくらかは、グローバリゼーションという用語の曖昧さによる。どこで〔諸地域をつないではいるけれども体系を構成してはいない単なる〕接続が終わり、〔地球全体を構造化するような〕グローバリゼーションが始まるのかは、つねに明瞭というわけではない。グローバリゼーションの歴史は、他に優ってひとつの説明の仕方が特権をもつという傾向にも苦しんでいる。多くの説明は政治史や、もっとも多いのは経済史に、せまく力点を置く――そのため、市場統合の物語だけが、グローバル・ヒストリーの代役を務めるようになる。

こうした実践的な問題にくわえ、グローバリゼーション視点はそれ自身のいくつかの根本的な問題を抱えている。第一に、この視点は接続性という単一の基準にしたがって歴史を一本の線のようにフォーマット化する。そうして過去のさまざまな発展の複数の軌跡や反響は軽んじられ、それらが「より少ない（レス）」と「より多い（モア）」の二つの語彙に翻訳されてしまう。そうするとある意味でグローバリゼーションの歴史叙述は、「伝統」が孤立に、「近代」が絡み合いに置き換えられた近代化理論の焼き直しのようにも見える。(17)

第二に、グローバリゼーションの歴史は、連続性の神話とともに作動する。そこではさまざまな長期的発展がチャート化されるが、それらの発展は近くで見ると決して直線的ではなく、むしろきわめて不規則である。実際には、相互接続と相互作用のピークの時期のあとには、相互の間隔が離れ、異なった道筋を進む時期がつづいた。したがって、非常に大きな時間的尺度で見ないかぎり、多くのグローバリゼーションの歴史に典型的な収斂の強調は大きな問題をはらんでいる。一般的に言えば、連続性という観念は、多くの場合回顧的なフィクションである。グローバリゼーションの歴史は、絡み合いの早い時期と遅い時期の形態のあいだに接続や経路依存性を見出し、そこから、あとのできごとは以前のできごとに自然につづいて起こったという結論を導き出すことがまれではない。しかしこれはミスリードといえる。コロンブスは彼の五〇〇年前にニューファンドランドに到達したアイスランド人レイフ・エリクソンについてなにも知らなかった。中国では、一五一七年にポルトガル人が広東(カントン)に到着したときには、マルコ・ポーロの訪問の記憶はほとんど忘れられていた。グローバリゼーションの連続性の観念は、過去の論理ではなく現在の欲望に、多くを負っている。

第三に、グローバリゼーションの起源の探究は、さまざまな接続性が、実際には存在しないある決定的な出発点をもっていることを前提としている。起源への執着はさらに、強迫的に過去をひとつの圧倒的で一見すると論理的な軌跡へと包摂しようとするが、それもまた、フィクションである。交易と市場の交換、移民のパターン、コミュニケーションの拡大、観念の広がり、社会的衝突の軌跡、帝国や宗教的共同体の野望――これらや他のさまざまなプロセスは、それら自身の時間と転換点に沿っており、それらが地図上にたがいにきれいに配置されることはほとんどないだろう。さらに、グローバリゼーションという術語は、接続とグローバルなプロセスは多岐にわたりまた重層的な質をもち、異なる、ときには両立不可能な論理に固着しているという現実を見えなくする。すべてをひとつの「グローバリゼーション」というラベルの下に包摂することは、プロセスを本質化し、過去の不均質さを覆い隠してしまう。[18]

グローバリゼーションという観念が歴史家にとって有用な分析概念として生き残るかどうかは、開かれた問いだ。歴史的な文脈により大きな注意を払った、もっと具体的な概念のほうがより実り豊かな成果を生むかもしれないという考え方を支持する声は大きい——たとえ過去を、その地域や地方だけでなくグローバルな規模で歴史的に区分するという要請を承認したとしても。ある意味では、グローバル・ヒストリーの視点によって、私たちはグローバリゼーションのレトリックに侵食されることにある程度まで免疫ができてしまったとさえ言えるかもしれない。グローバル・ヒストリーの視点は、同時性や、できごとをグローバルな空間に位置づけることを好むため、長期的持続という仮定に事実上挑戦するものとなる。多くの主題にとっては、グローバリゼーションのとどまることのない行進よりは、時間の輪切りのほうがより適切な時間的単位であるだろう。

## 統合とは？ 構造とは？

したがって、グローバル・ヒストリーのアプローチを単純にグローバリゼーションの歴史と同一視することはできない。しかし、前者は自己を定義するための特徴として、グローバルな統合という観念に依拠している。以下の二つの節では、この問題をさらに追究しよう。手始めに、このグローバルな統合という概念は、固有の目的論をもたないことを確認しておこう。たとえば、一三世紀におけるアジアとヨーロッパの緊密な接続は、モンゴルの没落とともに消え去った。グローバルな規模での統合、すなわち構造化された変容の研究は、より少ない統合からより多い統合へ、欠如から充満へ、という着実で連続的な動きを前提としない。

統合という観念は一見すると自明のようだが、近寄って見るとより複雑になる。基本的な前提は、いかなる社会もそれだけでは完全に理解することはできないということだ。社会的変化はどんな場所でもそこだけで起こるのではなく、諸集団間の交換に依存している。統合について語るとき、これらの接触が、飾りではなく、重要なやり方で社会に衝撃を与えたと私たちは仮定する。さらに、相互作用は一時的、偶発的なものではなく、くりかえされ、したがって持続的な、ときにはパターン化された方法で、軌跡を描くことも期待する。方法論的には、統合の概念は社会学における構造の観念と多くの特徴を共有している。複数の社会のあいだの関係に適用されるときには、別の術語が導入されてきた。もっとも目立つのは、システムの概念である。それほど厳密ではない術語、たとえば反復運動として理解される「循環」などにたよってきた歴史家もいる[19]。

この主題に関する諸研究は洗練されてきたかもしれないが、統合の概念は依然、多くの点で曖昧で、つかみどころのないままである。なにを「重要」、「持続的」、「パターン化」と考えるかということも、それぞれの事例において仔細な研究が必要であり、統合された全体の境界についても同様である。木々と森の違いに似て、接続された世界と統合された世界の相違は直観的にはもっともらしく見えるかもしれないが、解釈を要するのはたしかである。とはいえ、定義は困難であるとしても、どのようなグローバル・ヒストリー研究も大規模な統合の程度や範囲、そして質についてなんらかの背景知識に依拠している。そうした知識は、たとえば、さまざまな形態の移動と相互作用を区別する助けとなる。要するに、難破したロビンソン・クルーソーが孤島に打ち上げられて波に洗われているのか、グローバルな消費経済の一部として近代的な飛行機に乗った観光客が絶えずバリ島に押し寄せているのかには、違いがあるのだ。

なるほど、社会構造は自律的な実体ではない。安定もしていないし、所与のものでもない。実際、社会構造は個々の実践と、つまりは人間の活動を通じて、生産され、再生産される。構造を、私たちがただ向き合っている抽象的な実体として扱うべきではない。構造は、行為主体性の、日々の実践の、絶えざる変容と修正の、産物である。このことはまた、接続と構造のあいだに、もってうまれた対立などないことをも意味している。むしろ、構造はそれ自体相互作用と交換の産物なのだから、接続性に負っている。そうした問題を投げかけると、一連の質問がすぐさま現れる。歴史家たちは統合の問題をどのように扱ってきたのだろう? 凝集と、境界横断的な交換の可能性を説明するために、彼らはどのような力に焦点を合わせてきたのだろうか? 孤立した発展の可能性を終焉に導いたように見えるシステム的な相互接続の諸形態を、どのように説明することができるのだろうか? グローバルな構造を創造し、その論理を規定する力を、歴史家たちはどこに位置づけるのだろうか?

歴史家たちがしばしば、ひとつの駆動力を他のすべてに優るとして特権化するのが見られるのは印象的だ。もちろんときには議論が混乱し、異なるファクターが混じり合うこともある。しかしここでの議論の目的のためには、歴史叙述を支配する五つの変化の動力を区別することができる。技術、帝国、経済、文化、生物学である。最後に、統合には複数の原因と、複数の現れもしくは結果と、そしてある意味では複数の時間軸——そのうちのいくつかは他よりも長い——があることが、示唆されるだろう。しかしまずは歴史家たちが非常にしばしば依拠する、統合の五つの様態を簡潔に見ておこう。

グローバルに働く凝集力についてのもっとも強力なナラティヴのひとつは、境界横断的なコミュニケーションと相互作用を容易にした技術的変化とメディアの進化である。これは書くことの発明、印刷、長距離電送、インターネットの発明の物語だ。また車輪と造船術の物語でもあり、蒸気機関と空の旅の物語でもある。もちろん、軍事革命の物語でもある。剣と大砲、マシンガンと戦車、核兵器の物語である。古代帝国の拡大がスポーク車輪の戦車の発明に拠ったように、砲艦と電信のないイギリス帝国は考えられない。一九世紀に起こった世界の縮小は、蒸気船と鉄道がなければ可能ではなかっただろう。この点では、本質的には、グローバルな統合への移行はハードウェアにおける変化に帰することができる[20]。

第二のパラダイムは、政策決定と軍事的拡大を強調し、人類史におけるもっとも強力な統一体としての帝国に焦点を当てる。帝国のグローバル・ヒストリーは、多民族・拡張主義的国家の驚くべき持続力に私たちの注意をうながす[21]。時代を超えて、帝国は長大な距離を越える交換を組織し、ひとや思想の、元の共同体の外への移動を容易にする。ローマやマウリヤ朝、モンゴル、スペイン、イギリスなどが思いあたるだろう。近代にはさまざまな帝国の相互作用がひとつの帝国主義システムへと収斂し、現在のグローバリゼーションプロセスに流れ込んだ。範例として賞賛するにせよ懐疑的に見るにせよ、帝国の拡大は、地球上の遠く離れた場所を結び、大規模な統合をもたらす決定的な力となった[22]。

第三の、経済的相互作用は、おそらく他のどの候補よりもしばしば、グローバリゼーションの導き手として主要な役割を任じられてきた。ここにはふたつの補完的なナラティブがある。交易と、生産様式である。グローバルなアリーナというものがあるとすれば、何世紀ものあいだそれは「貿易が作り変えた世界[23]」であった。すでに古代には、生産の一部は遠く離れた市場のために行われていた。中国の陶磁器の破片が、アラビア半島や東アフリカで見つかっている。一三世紀ごろ以降には複数の交易圏がそれまで以上に密接に結ばれ、一九世紀以降には統合された世界市場が誕生したことに、ほとんどの歴史家が同意している。こうした市場統合は価格水準の収斂や、グローバル化された労働市場の誕生へといたった。一九世紀末にはイタリアの農村労働者はヨーロッパとラテンアメリカの季節差を利用して、冬になるとアルゼンチンにわたり、小麦畑で刈り取り作業を行う「ゴロンドリーナ」（渡り鳥)として過ごした。輸送コストの低下、商品流通網の広がり、労働力移動は、ある場所での変化がすぐさま他の場所での応答の引き金を引くような、一体化したシステムに向けて働いた。南北戦争の勃発とともに綿花生産が急落し、トーゴやエジプトの新しい綿花畑の創出をうながし、ヨーロッパとアジアにおける織物の値段は上がった[24]。

交易ナラティブがかなり直線的であり、ある程度までは数量化できるのに対して、生産様式と資本主義に焦点を当てる二番目のナラティブはもっと込み入っている。交易関係は実に多様な社会をそのネットワークに囲い込むことが可能であったが、一六世紀以来の経済の資本主義的変容は、生産様式と、より一般的には社会関係の変容とを必然的にともなったという議論がある。この解釈によれば、資本主義の条件の下での循環とそれ以前の循環とのあいだには質的な差がある。かつてないひろい地域を資本主義の下に包摂すること——概ね一九世紀中に達成された——は、たんに市場の拡大につながったのではなく、社会関係を根本から変容させた。使用価値から交換価値への転換は賃労働から家族内の関係にいたるまで、あらゆる種類の社会的相互作用を商品化することを可能にした。ここでの論点は、変化はシステム全体に影響をおよぼすものであったが、必ずしもどこでも同じような現象を生じさせたわけではないということだ。たとえば、ヨーロッパとアメリカ合衆国における自動車産業の繁栄は、契約のもとに賃金を支払われる労働者ではなく、奴隷や年季奉公の労働者の働くゴムプランテーションの成長を導いた[25]。この理解では、グローバルな統合は資本主義の導入の結果としてのみ可能であり、したがって、どちらかといえば最近の現象ということになる。だとすれば統合は、規模(地球全体)と量(交易の総量)ではなく、質の問題だ。ものと社会関係の商品化はシステムの一貫性をつくりだし、地理的、文化的、民族的境界を横断する互換性と交換可能性を創出する[26]。

多くの歴史家たちは、この議論を経済決定論と受けとめ、懐疑的に反応した。そのかわりに彼らは、グローバル化のプロセスの核心的な要素として文化を擁護した。そのなかには、ヤスパースの言う「枢軸時代」――中国、インド、中東、ギリシャでそれぞれ独自に主要な哲学や宗教が生まれた紀元前五〇〇年前後の時代――から現在まで、地球上の異なる諸地域は強力につながってきたのだとほのめかすひとびともいる。イデオロギーとコスモロジーに焦点を当てる歴史家もいる。たとえばサンジェイ・スブラマニヤムは、一五世紀から一七世紀を通じて政治的・宗教的分断を超えてイベリア半島からガンジス平野までを統合した「ユーラシア規模での千年におよぶ結びつき」を論じた[27]。

例は枚挙にいとまがない。それらの経験的な事例を超えて、文化を主たる要素とするという主張が基礎としている方法論的仮定とはなにか？　トーマス・クーンのパラダイム観念――「(前提とされうる)共通の所信」として理解される――はひとつの候補である。もうひとつはミシェル・フーコーの、「ある時点において(中略)あらゆる知の成立条件を規定する」エピステーメー概念である[28]。どちらも本質的には内在論的アプローチである――どちらもパラダイム・シフトやエピステーメーの断絶といった変化を、文化の領域で生じたものと見なす。システムにおいて文化的要素のもつインパクトを積極的に評価する議論は、世界政体論アプローチの社会学者たちによっても提起されている。これらの新制度論者たちは、一九世紀以降のグローバリゼーションの核心的プロセスは世界文化の誕生であると主張した。自由、権利、主権、進歩といった観念がグローバルに拡散し、世界中のさまざまな社会制度を形づくった。この見方によれば、グローバルに受け入れられた一連の規範は、市場における交換や政治的競争以上に徹底的に、地球全体の日常生活を変容させた。それらの効果は、公教育のような国家機関から個性といった個人的な感性まで、多岐にわたる。世界文化はこうして、伝統的な文化的差異を架橋し、次第に類似や「同形」で満ちてゆく世界をつくりだした[29]。

最後に、グローバルな変化のエネルギー源として、生物学的・環境的要素を提起する歴史家もいる。彼らは人類の過去に対する環境のインパクトに注目している。一四世紀半ばにアジア、ヨーロッパ、アフリカで猛威をふるい、世界の人口を四分の一まで減少させた「黒死病」。スペイン人によって大西洋を越えて運ばれ、両アメリカ大陸の先住民人口を激減させたさまざまな病気。アメリカ大陸に小麦と畜牛を、中国にジャガイモとトウモロコシをもたらした、コロンブスの「発見」に始まる生物学的な交換。蚊はヨーロッパの帝国の力をラテンアメリカとアフリカで弱めることに貢献した。一七世紀の小氷河期。リストはこの調子でつづく。最新の議論は、人類の足跡が地球に地質学的変化を与えだした産業革命以来の時代、人新世(アントロポセン)に関するものである。この視点をとる歴史家は、異なる諸集団のあいだの連関は、人間の、生理的なものも含む経験の連続性によって可能になったと考えている。つまり私たちが地球をひとつの統合された全体であると考える理由のひとつは、種の生物学的な一致であるというのだ[30]。

## 重なり合う構造による統合

ここまで問題発見的な目的のために、グローバルな統合を推進する諸力について別々に議論してきた。それらは「世界の軍事力の発展を形づくり、抑制するものから、日曜日の釣り仲間のグループのジョークを形づくり、抑制するものまで[31]」、ありうるさまざまな構造を代弁している。そのうちのいくつかがグローバルなひろがりを獲得した一方、他のものの範囲ははるかに限定されていた。構造的な統合は必ずしも地球規模ではなく、地域、あるいはローカルにとどまることさえありうる。多くのグローバル・ヒストリーの歴史家にとって、イギリス帝国によって整備されたインフラや、近世のインド洋における交易路は、グローバルな変化を説明する鍵となっている。

統合を、あたかも自然なプロセスと見なすことも避けるべきだ。統合は歴史的アクターたちによってなされた。さまざまな集団やアクターが、彼ら自身のグローバル化のプロジェクトを追求した――たがいに競合し、ときに矛盾するプロジェクト、密度と地理的範囲において異なったプロジェクトを。オランダ東インド会社のネットワーク、ナポレオンの帝国、アナーキストのトランスナショナルなネットワーク、サンドフォード・フレミングによる標準時の創出。私たちがグローバルな構造と認識しているものの多くは、そのようなプロジェクト、循環を生み出し管理しようと競合する戦略の、そして多様な世界制作のスキームの、結果なのである。

くわえて、構造化された統合は単一の原因、あるいは単一の原因の連なりに帰することはできない。視点としてのグローバル・ヒストリーのひとつの任務は、大規模に作用する異なるさまざまな因果関係の関係性を正確に理解することである。交易関係が決定的な役割を果たす時と場所もあれば、グローバルな一致が技術的変化によって加速化される瞬間もあった。全体として、グローバルな統合をたったひとつのファクターの働きとして見るより、重なり合う構造の結果として理解するほうが、有益である。経済的、政治的、文化的次元をきれいにときほぐすことは難しい。たとえば、複数の市場の収斂は独立したプロセスではなく、文化的選好に影響を受け、政治的介入――ポルトガルによるインド洋におけるグジャラート朝の船の強奪や、イギリスの砲艦、横浜と仁川(インチョン)、寧波(ニンボー)と厦門(アモイ)における港湾都市の強制的な開港――によって「促進」された。

つまりこれらのプロセスは独自に進んだのではなかった。同時に、それらは必ずしも同質のできごとではなかった。完全に同じ方向を向いていたわけでもなく、同じ時間軸にしたがっていたわけでもない。第一次世界大戦は経済障壁を立ち上がらせる引き金を引いた一方、その後の戦間期の文化交流と国際組織のブームを呼んだ。経済的統合の諸段階は、政治的分離と手を携えて進むこともありえた。文化的な開放の進行と政治的経済的交換の各段階はつねに同時に進行していたわけではない。つまり、私たちがふだん「グローバリゼーション」と呼んでいるものは、それぞれがそれ自身の動態にしたがっていた諸構造の相互連関と重なり合いの複雑な網の目の結果であった。チャールズ・ティリーはそれらを「相互依存するマスター・プロセス」と呼んだ[32]。これらのプロセスが交差する道は異なっていた——言ってみれば、構造の混じり具合はどこでも同じというわけではなかった。結果として、これらのより大きな力のインパクトの感じとられ方はきわめて不均衡だった[33]。

最後に、構造を強調することは、個々人と、より一般的には人間の行為主体性がもはや重要ではないということを含意しているわけではないことを想起しておく必要がある。これは重要な警告だ。構造という語彙は、グローバリゼーションというレトリックとまったく同じく、鉄の檻のような、個々の人間や構造を再形成するさまざまなできごと、偶然やセレンディピティにまったく余地を残さない圧倒的なマクロ発展の印象をつくりだすかもしれない。いくつかの概説的な仕事は、とくにそれらが数世紀かそれ以上のスパンを扱っているときには、歴史が匿名のマクロな力に動かされているようなイメージを伝える。人類のいない歴史、まるで人類の退避した巨大都市のような地球。しかしこれはミスリードである。構造化された変容のプロセスは、個人や集団、それらの日々の活動に、持続性においても安定性においても依存している。そして、たとえ構造が、その下でひとびとが行動し、絡み合いが生じる条件を定義するとしても、これらの活動のすべてを決定するわけではない。人間の活動の独自性と創造性はよりひろい文脈に位置づける必要があるが、といってこれらの文脈だけを研究することによって予測できるわけではない。

したがって、アプローチとしてのグローバル・ヒストリーを特徴づけるのは、機能主義的であることでも、視点においてマクロ社会学的でなければならないということでもない。因果関係はマクロプロセスのみには由来しえない。そのうえ、マクロレベルで有効な力が、必ずしも他のもっとローカルな性質をもつプロセスよりも大きなインパクトをもっているとはかぎらない。たとえば、一七世紀の小氷河期がグローバルな均衡に影響を与えた一方で、ほとんどのできごとは気候変動によらないほうがよりよく説明しうるだろう。なおも重要でありつづけることは、そのような問題系を探究することであり、因果関係の問いをグローバルなレベルにまで広げて追究する可能性が開かれていることである。

## いつ、グローバルであったのか？

構造化された変容の多層的性質に関するここまでの議論を背景として、私たちはより正確に最後の問いを立てることができる。グローバル・ヒストリーとはどの時期の歴史なのか？　あるいはより厳密には、グローバル・ヒストリーの視点を適用する意味があるのはどの時代なのか？　グローバル・ヒストリーの視点がとくに有用であり、よりよい結果を生む時代があるのだろうか――あるいはまったく意味をなさない瞬間があるのだろうか？　人類の過去に、いまだ立ち入ることのできない時代はあるのだろうか？　グローバル・ヒストリーの歴史家は、どこまで遠く遡ることができるのだろうか？

私はこう思う。人類の長い歴史について考えるとき、本書で描いたようなグローバル・ヒストリーのアプローチは、アプリオリに限定されるものではない。原則的には、過去のどの地域においても、どの時代にも応用可能である。いかなる歴史的な時期も、グローバルな視点を独占することはできない。このような主張は、本章でグローバルな統合を強調してきたあとには、直観と相容れないように見えるかもしれない。そして実際、グローバルなアプローチの妥当性と説得力は、接続が深まり、相互作用が密になった時代により強力になるだろう。一六世紀以降、そして統合のインパクトが世界中で多くの同時代人にますます切迫性をもって感じとられるようになった一九世紀以来、とくにこれがあてはまる。

しかし視点としてのグローバルなアプローチは、もっと過去にも拡張しうるし、そのことによってもたらされる利点も大きい。長期にわたる連関の多くの形態について、私たちははるか以前まで遡ることができるのだから。ひとの移動は間違いなくこの数世紀に限定されるものではなく、先史時代から人類の条件を特徴づけてきた。それに(もっとも遅く見積もっても)古代以来、生産はその地域の消費のみのためではなく、商業的交換を意図されてきた。ときにそれは非常に長い距離を超えるものであった。かなり早い時期から、それらの連関がもたらす利益についての認識も生まれていた。

接続や、意識の形態を発掘してゆく過程で、グローバル・ヒストリーの歴史家はグローバルな中世を高らかに宣言し、さらに大胆にも「古代のグローバリゼーション」と呼ばれるようなものを探究しはじめた。エドワード・ギボンは一八世紀に、イギリスの魚の需要が一三二八年に急減したのはモンゴル帝国の拡大のせいだと脚注のひとつに書いたとき、「実に奇妙なことに、中国との境界を統治したモンゴルのハンの秩序は、イギリスの市場でニシンの価格を押し下げた」と思った(34)。このような驚きと、これを奇妙だというレトリックはいまではもう姿を消した。近年歴史家たちは、従来の多くの研究——ひとつの文明あるいはひとつの社会にのみ閉じていた——には明瞭には姿を現していなかった、相互作用という魅惑的な装いを発掘しつづけている。アジア全域への仏教の広がり。マラッカから東アフリカにいたる、インド洋の交易関係。ユーラシア大陸の大部分を永続的に変容させたモンゴル帝国。ディアスポラ的な商人共同体や、たとえばサハラ砂漠を横断した、キャラバン交易路。あるいは、北アフリカ、スペインから遠く中国へいたったイブン・バットゥータ(一三〇四～七七年)の旅は、のちにジャワハルラル・ネルーをして彼を「歴史上の偉大な旅行者たち」のひとりと言わしめた[35]。これらの絡み合いのうちのいくつかは、あとまで続く痕跡を残し、関わった社会を顕著に変化させた。中世にも、古代にも、それ以前にも、グローバルな接続の重要なパターンは確立されていた。早い時代におけるグローバルな接続の追究は、わくわくするような新しい仕事をたくさん生み出した。それらの仕事は、グローバルな視点を人類の過去の深奥までのばすことが、可能であるだけでなくしばしば非常に生産的でもあることを示している。主題によっては——気候変動の長期的研究を見よ——、そうしないことは馬鹿げているだろう[36]。

もちろん、二〇世紀にくらべれば、連関と接続はずっと弱く、そのインパクトは控えめであった。地域間接続の多くは、のちにそれらがもつ強力な力はまだ備えていなかった。必ずしもお飾りではなかったが、多くの場合それらのインパクトはいまだ限定的であった。そうしたインパクトはしばしば、いくつかの港湾都市のエリートには影響を及ぼしたが、社会全体に対してはおよばなかった。グローバルな統合の程度は多くの場合いまだ相対的には弱く、いくつかの接続は短命であった。グローバルなアプローチは統合とグローバルな構造の問題に力点を置くため、こうした持続や強度の限界を考慮しなければならない。グローバルな関心をむやみに遠い過去へと投げかけることは有益ではない[37]。

したがって、すべての主題がグローバルな視点に等しくふさわしいわけではない。古代のふたりの偉大な歴史家、ヘロドトスと司馬遷についてのシェップ・ストゥールマンによる最近の研究を例にとってみよう。彼らはそれぞれ紀元前五世紀と紀元前一〇〇年ごろに、彼ら自身が属する文化圏の内側から過去を解釈したが、どちらも自分たちをとりまく諸社会に関心をもち、それらを理解し、そしてそれらの社会の異邦人が彼ら自身をどう見るかを想像する努力において、「人類学的転回」とも呼びうるものを獲得した。これは文化横断的な主題に関する、広範囲におよぶ刺激的な研究である。これによってかつての歴史学が言語、文化、世界観の違いしか見なかったところに、類似性を見出すことが可能になる。しかし厳密にいえば、これは本書で唱えているようなグローバル・ヒストリーではない。方法のレベルでは、これは伝統的な比較にとどまっている。それ自体はもちろん欠点ではない――古代ギリシャと中国漢王朝とのあいだに直接的な連関がほとんどなく、ふたりの歴史家が生きた時代には数世紀の差があるのだから、比較はとくに有効なツールになりうる。しかし主題が広範、あるいはグローバルである一方、アプローチはそうではない。どちらの事例も、本質的には彼ら自身の問題として、内発論的なやり方で、扱うことができる[38]。

ローマ帝国と漢代中国における国家形成の実践を比較したとすれば、話はずいぶん違って見えるだろう。古代世界の広大な地域を支配したふたつの帝国には、間違いなく直接的な接触はほとんどなかった。紀元九七年に〔後〕漢王朝が甘英をローマに使者として派遣したとき、使者団はテベレ川沿いの都市に達する前に、黒海で引き返した――直接の相互作用としてはこれがもっとも近接した瞬間であった。とはいえ、両国家に異なる、しかし関連する仕方でインパクトを与えた外的要素があった。シルクロードを通じての商業的交換が、ふたつの帝国を間接的につなげていたのである。そのリズムがふたつの帝国を、まったく同じではないが関連する課題へと向き合わせた——たとえばアジアの大草原地帯における戦争が中央アジア中で交易の流れを中断したときなどに。帝国の外縁で起こる遊牧民族との衝突も双方に影響を与えた。中国の西部での戦争はきまってローマの東部辺境での蜂起の引き金を引いたからである。

ふたつの場所での国家形成の技法の研究は、こうしたよりひろい文脈を考慮に入れなければならないだろう。それは比較としても構成しうるが、グローバル・ヒストリーとして追究することも明確に可能である。最初の事例と異なり、帝国の国家形成の事例はなんらかの形での構造化された統合を踏まえている。遊牧民族との戦争とシルクロードが研究の主要なテーマではなかったとしても、統合を背景として扱う必要がある。こうした背景が他のすべてより優先される必要はない。それは他の要素とくらべれば弱いかもしれない。しかし問題はそれではない。異なるさまざまな程度と形態の統合の相対的なインパクトを評価することは、グローバル・ヒストリーの歴史家の任務のひとつである。統合の範囲がどのようなものであれ、グローバル・ヒストリーのアプローチは、因果関係の問いをこのようなひろい、グローバルな規模へも向けることを私たちにうながすのである。

# 第6章　グローバル・ヒストリーにおける空間

グローバリゼーションの到来とともに、歴史家たちは歴史学における空間的なパラメーターを再考しはじめた。従来とは異なる地理を探る実験は、理論的カテゴリーとして空間を復権させようとするより一般的な「空間的転回」の、もっともわかりやすい現れである[1]。実践的なレベルでは、この再検討はしばしばグローバル・ヒストリーと結びつけられてきた。空間概念の更新と新たな空間的枠組みの探究は、この学問分野にとって重要な問いを開く。グローバル・ヒストリーは、人類の経験のすべてを包摂するのか？　グローバル・ヒストリーは必ず、全世界を覆う、地球的規模でなければならないのか？　グローバル・ヒストリーの歴史家にとって、適切な単位——できごとの起こった場所やその位置づけ——はなにか？

このような問いは、もちろん、まったく新しいものではない。歴史家たちは長いあいだ、クローズアップと巨視的視野など異なるさまざまな視点の、それぞれの利点について議論してきた。意見の相違はとくに、ミクロストーリア（マイクロヒストリー）が構造主義的アプローチに対して開始した挑戦において明瞭に現れた。今日の関心は、多くの点でかつての議論を受け継いでいる。同時に、グローバル・ヒストリーの分野では、空間の尺度はそれ自体が固有の切迫性をもった問いとなっている。第一に、グローバル・ヒストリーの歴史家は積年のヨーロッパ中心主義的な空間性を超えることを主張し、これをまさに、みずからの学術的課題の中心においている。第二に、どこに「グローバル」を位置づけるかは、まったく些細（ささい）なことではない。「グローバル」は、社会活動や分析の、他とは異なる固有の領域なのだろうか？　それは所与のものなのか、それとも社会的な活動や実践を通じて産出されるものなのか？

「ナショナルな枠組みでは測りきれない時代のための歴史」を書くことは、トランスナショナル・ヒストリー、世界史、グローバル・ヒストリーの歴史家たちからなる陣営全体の公言された目標である[2]。近代的な学問分野としての歴史学が自明としてきた国民国家という容器はもはや捨てなければならない。そのほかにも、帝国や宗教、文明なども含む既存の空間的単位を打ち破ることも課題である。ただ、ここでも、歴史家たちはまったく新しい車輪を発明する必要はない。たとえば帝国や交易、移民、宗教の歴史家たちは長い間、個々のナショナルなナラティブ以上に連関と接続に関心を払ってきた。実際に主題によっては本来的にトランスリージョナルなレンズを通してアプローチされてきたものもある。奴隷貿易の歴史がよい例だ。焦点の中心は間大西洋中間航路であったが、アフリカにおける徴発のパターンや、内陸アフリカの奴隷制の多様な形態、インド洋における奴隷市場も決定的な意味をもった。このテーマはヨーロッパ、アフリカ、両アメリカ大陸や、中東からの多数のアクターをも含む、よりひろい視野を開く可能性をもっていた。交易路とひとの移動の軌跡も、「黒い大西洋（ブラック・アトランティック）」を横断する元奴隷たちの頻繁な往来のような、新しいコミュニケーションの社会的空間を創出した。にもかかわらず、歴史家たちはしばしば基本的にはナショナルな視点を用い、奴隷制はそれぞれ、北アメリカの、キューバの、あるいはブラジルの歴史の一部として扱われたのだった。

見たところ本来的にグローバル性を備えているもうひとつの分野は、環境史である。環境汚染や気候変動は、ほぼ必ず、政治的・文化的境界を超える。けれども長年にわたって、この現象に固有なトランスナショナル性にもかかわらず、歴史家たちがそれを、環境運動や法的規制といったナショナルな語りに閉じ込めることを妨げはしなかった――利用可能なデータがナショナルなレベルで蓄積されていたからである。しかし原則的には、土壌浸食、地震、津波、細菌や病原菌、病気や伝染病の拡散その他は、明らかに、研究目的にしたがって対象となる空間を設定する視点をもつことが必要なのであって、既存の空間に閉じ込められるべきではない(3)。

ナショナルな語りから逃れることは、すぐさまグローバルへの跳躍を必然とするのだろうか？　多くのひとびとが、新しいアプローチに結びつけたものはいずれにせよこのことだった。そして実際、過去二〇年には、世界大に広がったカンバスに主題を描き出した出版物が怒濤のように現れた。冷戦の、砂糖と綿の、国家形成の、一九世紀の、人道の……グローバル・ヒストリー。手当たり次第の歴史、あらゆるものの、惑星的全体性の歴史である。いくつかは、それらが扱う主題のパラメーターを実質的かつ成功裏に移行させる堂々たる仕事であり、グローバル・ヒストリーの重要なサブフィールドを形成している。しかしそれらは大衆的な関心を呼んでいる一方、学術的アプローチとしては必ずしもグローバル・ヒストリーの典型ではない。これらの総合的な著作と異なり、ほとんどの研究プロジェクトや革新的な研究は、世界大の規模を選択するのではなく、むしろ研究対象を従来とは異なる歴史的空間に位置づけようとしてきた。

新しい空間性を検討し、ナショナルを超えるがグローバルには達しない新しい地理を探究する試みはたくさんあった。それが革新的と見なされるかどうかは、当然分野と時代によって異なるだろう――たとえばヨーロッパ全域にひろがる視点は、中世史家にとっては近代史よりも困難が少ないだろう。以下では、グローバルな空間を再考する四つの戦略についていくらか詳細に議論しよう。広域的なトランスナショナルな地域、「追跡」のパラダイム、ネットワークの思考、「グローバル」のミクロストーリアの四つである。最後に本章では、従来と異なる空間的単位の探究と同様に重要な真の挑戦が、既存の領土的実体に固執するのではなく、異なった分析の尺度を分節化し、その間を必要に応じて移動することにあるということを論じるだろう。

## トランスナショナルな空間——大洋

国民国家という容器を超える、もっとも人気のある戦略のひとつは、ローカルな条件とグローバルな配置を媒介する、ネイションを超えた、より大きな空間を対象にするということであった。この文脈において、長期間にわたって異なる政治体制の間で、ときに長大な距離を超えて行われた交換の場となった相互作用の空間——たとえば大洋——が前景化されてきた。これらの空間は、相互作用やコミュニケーションがどのように新しい安定した形態をつくりだしたかを私たちに見せてくれる。

このような視点は新しいものではない。「イスラーム文化圏(イスラミケイト)ユーラシア」、中国が支配する「中華圏」、もっとも有名なところでは地中海世界などと名づけられた広域が、多く歴史家によって描かれてきた。フェルナン・ブローデルの古典的著作以来、他の海洋——大西洋やインド洋など——も広範な歴史叙述を生み出している。これらの地域に着目した諸著作の主要な焦点は近世という、主としてナショナルな境界線に沿って枠づけられてはいなかった過去に置かれた。ここでは国民国家を超越することは学術的な課題とはならなかった。しかしそうであっても、広域や大洋の研究は、慣習的な地理や地域研究への挑戦となった。人類の歴史の大部分において、大海はほとんどの場合孤立した水域としては機能せず、政治的・文化的境界を超えた接触と相互接続を可能としたからである。[4]

近年のグローバル・ヒストリーの歴史家たちは、これらの定評あるアプローチをたよりにした。とくに大西洋は、トランスナショナル・ヒストリーとグローバル・ヒストリーのまぎれもない繁殖地となった。[5]これら近年の仕事は枠組みをより洗練させ、初期の諸研究の限界を克服するためにいくつかの修正をくわえた。第一に、このようなマクロ地域や、とくに海事史の凝集は、近世に限定されているようにはもう見えない。新たな研究は、主として経済と文化の分野においてナショナルなプロセスとグローバルなプロセスを媒介するトランスナショナルな地域として、海洋が近代にいたるまで十分に重要な空間でありつづけたことを明らかにした。海洋史における時代の拡大は、一九世紀以降のナショナルな枠組みの優位性についての論争を促進した。[6]

第二に、「広域で考える」初期の形態(中世ヨーロッパ史のような)は、しばしばヨーロッパ中心主義的なバイアスをもっていた。近年の仕事はそうした伝統的な物語をいくつかのやり方で複雑化した。たとえば研究者たちはブラック・アトランティックや、レッド・アトランティック(大西洋におけるネイティブ・アメリカンの活動の歴史)に焦点を置いて大西洋史の尊ぶべき伝統を補完することを通じて、欧米の内発的発展という仮定に挑戦した。[7]ヨーロッパが世界の他の地域と、たとえばシルクロードを介して接続することによって形成された様相を検討する研究者もいた。[8]これらの仕事は、ヨーロッパ史は自己生成的なものとして理解することはできず、多くの絡み合いによってそれ自体影響をおよぼされてきたものであったことを示す。[9]

ヨーロッパ中心主義的なマスター・ナラティブを掘り崩すもう一つのテクニックは、ヨーロッパが長い間副次的な役割しか果たしてこなかった地域に関する新しい研究から発展した。目立った研究対象のひとつは、ときに「グローバリゼーションのゆりかご」とも称されるインド洋の歴史である。インド洋はヨーロッパが存在を示すはるか以前から、アフリカ、アラブ世界、インド亜大陸、南東アジア、中国にまでいたる諸地域のあいだの何世紀にもおよぶ文化的・経済的関係を可能にした[10]。黒海、南シナ海、太平洋、ベンガル湾などもその他の事例として挙げられるだろう[11]。近年学術的な関心を大いに集めている海洋空間は、日本海と東シナ海をつなぐ関係のネットワークを基礎とする、東アジアの海洋世界である。この研究の大部分はアジア諸語で出版されており、第一には東アジア史への貢献が特筆されるが、グローバル・ヒストリーにも重要な刺激を与えている。たとえば、近年の諸研究は、この地域の環境が西洋列強が東アジアへと勢力を拡大することを可能にした諸条件をつくりだしたことを明らかにしている。東アジアは単にヨーロッパの交易世界に「編入された」のではない。西洋が支配する世界経済への接続は、朝貢体制を通じて相互に連関し、銀経済を通じて他の循環へと接続し、両アメリカ大陸にまでいたった、活発に構築された東アジア秩序を背景として理解されねばならないのである[12]。

## オルタナティブな空間性の探究

アプローチとしてのグローバル・ヒストリーは広域や海洋の歴史を超えて、空間を秩序立てるより実験的な方法にはずみをつけた。いくつかの分野——商品や国際組織、国際保健(グローバル・ヘルス)、国際労働(グローバル・レイバー)といった——で、歴史家たちは、彼らの研究のための空間的枠組みを切り開く、新しい戦略に乗り出した。この方向でもっとも革新的な試みは、既存の領土性を前提とするのではなく、問うことから出発し、その問いが導くところならばどんな場所でもひとびと、観念、プロセスを追跡してゆく。こうして、歴史家たちはあらかじめ区切られた領土性を超越し、できごとの起こった場所をネイションから、別の、超国家的なレベルへとつなげることができたし、相互に重なり合う空間を探究することができた[13]。

こうした新たな介入は、人類学など隣接する分野での議論から刺激を受けていた。ジョージ・マーカスは大きな影響を与えた文章のなかで、「追跡」を、グローバル時代にエスノグラフィを実践する方法論的スローガンへと変えた。ひとを追跡する、ものを追跡する、紛争を追跡する……などである[14]。歴史家たちはこの提案を受けとめ、ひとつの固定した領土的参照点をもたず、対象となっている問題の動態にしたがって地域を横断してゆく研究に乗り出した。最近の事例のひとつは、グレゴリー・クシュマンのグアノのグローバル・ヒストリーである。これは鳥の糞についての本だ。もっとおごそかに、正確に言えば、高濃度の窒素を含み、工業化時代に農業生産を顕著に増加させる肥料としてきわめて大きな需要のあった商品の研究である。一八〇〇年代初期にアレクサンダー・フォン・フンボルトによって「発見」されたグアノは、世紀半ばにはその輸出から得られる収入がペルーの歳入の六〇パーセント以上を占めるにいたっていた。ペルー沖の島々で収穫されるところから始まるグアノの物語を、クシュマンは鳥の排泄物が導くにまかせ、どこまでも拡張してゆく。特定の空間に焦点を当てるかわりに、グアノ貿易、それに関わったひとびと、そして一連の観念を、南アメリカ大陸の海岸線に沿って、太平洋の島嶼（とうしょ）世界、そしてイギリスと合衆国の農業の中心地まで追いかける[15]。

ときに対象は、もっと目に見えづらいものにもなる。アメリカの歴史学者エンセン・ホーはその刺激的な研究において、一六世紀以来、南イエメンに生まれ、インド洋をわたり、南東アジアへ向かった預言者ムハンマドの子孫たちのディアスポラの歴史を書いた。さまざまな行き先で、いわゆる「サイイド」たちは現地の諸社会（それらの社会自体、ポルトガル、オランダ、イギリスなどの帝国からの衝撃を受けていたが)に溶け込みつつ、同時にコスモポリタン・エリートとして目立った存在であった。彼らが他と区別しうる共同体を形成せず、さまざまな国家、国民、民族また言語集団に属していたことは注目すべきである。彼らのつながりは、彼らの社会的地位を保証する系譜をめぐってひとびとが共有していた観念を通じて、まずは想像されたものであった。エンセン・ホーが描き出し、再構築したものは、事実上、「不在の社会」であった。それは虚像ではあるが現実の重要な結果をもたらした世界である。なぜならサイイドの地位こそが、彼らが旅し、定住することを可能にしたからであった[16]。

別の分野では、トランスローカルな移動が、構造的・制度的制約のなかにより確固として位置づけられる。たとえば国際労働史では、さまざまな形態の労働者たち——奴隷、年季奉公の労働者、季節労働者、「外国人労働者(ゲスト・ワーカー)」を含む——の移動が、市場や帝国のインフラと結びつけられて地図上に描き出される[17]。商品の歴史は、特定の品目——もっとも有名なのは砂糖(シドニー・ミンツによる古典的研究における)だが、綿、大豆、陶磁器、ガラスも——を、長距離にわたって追跡する。これらは異なる地域にある生産地と消費地を結ぶ相互関連性の研究であり、これらの商品が、個々の家庭はもちろんのこと、より大きな集団や社会編成にどのようなインパクトを与えたかを示す[18]。商品連鎖の歴史の研究者は、より明示的に、市場の切迫した事情と歴史的アクターのイニシアティブの重なり合いや、制度的条件が労働者と商品の軌跡をいかに規定するかを強調する。このアプローチは経済史のサブフィールドとして生まれたが、労働者と企業家、銀行家と貿易業者、売り手と消費者の、動機や世界観を問う空間を切り開いているため、潜在的には文化史の視点にも開かれている。商品連鎖の再構築は、労働力と商品の地域を超えた流れをきわめて具体的に明らかにし、特定の位置関係に焦点を当てることを通じて、グローバルな交換を可能にし、同時に限定する構造を目に見える形で浮かび上がらせる[19]。

これらの事例が示すように、グローバル・ヒストリーのアプローチは歴史家たちをオルタナティブな枠組みの探究と、過去の相互接続性を考慮した空間的カテゴリーでの実験へ向かわせた。最良の場合、それらの研究は、ローカルなレベル、たとえば生産者と消費者に注意しつつ、規則正しい広域的な越境プロセスをとらえることができている。国際労働史や商品連鎖の歴史のような分野も、評論家たちがいうところの領土化——帝国と国民国家による空間の規制——と、そのような安定した秩序の解体として漠然と理解されている脱領土化のプロセスとのあいだに、固有の対照性などないことを示している。二〇〇〇年代初頭にもてはやされた、グローバリゼーションが国境を消滅させ、フローと接続からなる流動的な世界にいたるという観念は幻想だったことが証明された。近年の研究が示すように、領土性を規定するさまざまな体制——国民と国家の、住民とインフラの、領土とグローバル秩序の変わりゆく関係性を議論するほうが、よほど有用である。これらの体制は、いくつかの結びつきがほどけ、他方で他の構造や、埋め込みの諸形態が前面に浮かび上がった結果である。脱領土化の諸要素はつねに、再領土化の過程と手をたずさえて進行した[20]。

## ネットワーク

境界によって区切られた空間という方法論的な虚偽から抜け出す方法として期待された、とくに人気のあるアプローチは、「ネットワーク」という概念の使用であった。一九九〇年代以来、社会科学におけるグローバリゼーション研究のほとんどあらゆる場所に現れるバズワードとなったこの術語は、歴史学の分野でもひろく採用されるようになった。人気の大部分は、現在進行しているグローバリゼーションのプロセスが、ネットワークに似た輪郭をもつ権力と空間の根本的な再配置によって特徴づけられているというひろく受け入れられた印象による。この見方によれば、領土――途切れなく続く地理的領域と観念される――の管理に熱心であった国民国家の時代は、商品、情報、ひとが、ネットワークの内部の点あるいは結節点の間をますます移転するようになってゆく相互接続の時代に移行した。「決定的なのは、これらの移転が起こるさまざまな位置は、国とは一致していないということである」と、このアプローチのパイオニアのひとりである社会学者のマニュエル・カステルは書いている。「それらはネットワークとフローのなかで、情報経済の技術的インフラを利用しながら組織されている(21)」。

カステルはネットワーク社会を二〇世紀後期の産物と見ている。彼の見方では、コンピューターを基礎とする情報技術と、とくにインターネットの発達が、その後コミュニティ形成の古い形態にとってかわることになった、コミュニケーションと相互作用の様式を維持し、永続させる助けとなった。この新しい時代の発端は、究極的には技術によって決定されたとカステルは見なしている。「この新しい経済は、二〇世紀の最後の四半世紀に生まれた。情報技術革命がその創造に不可欠の物質的基盤を提供したからである」。もちろん社会関係とネットワークはずっと存在していたのだが、複雑さを持続可能な方法で、狭い境界を超えて組織することが可能になったのは、まさにいまだとカステルは信じている(22)。

カステルほど社会秩序の根源的に新しい形態としてのネットワーク社会について無条件に熱狂的ではない者にとっても、ネットワーク概念はグローバル・ヒストリー的な研究に重要な参照点を提供していることは間違いない。たとえば世界を相互に接続させるインフラストラクチャーの歴史的なルーツをたどった歴史家たちは、早い時代にも技術革新が社会を深層から変化させたことを指摘している。

メディア革命——古代シュメールやメソアメリカでの書記術の発明、あるいは朝鮮・中国における、そしてグーテンベルクによる移動可能な印刷術の導入など——は、コミュニケーションの範囲を拡大した。一九世紀における電線敷設と電信システムの普及——「ヴィクトリア時代のインターネット」——はどちらも、カステルが観察した変化といくつかの点では同様の、コミュニケーション革命に寄与した[23]。

ネットワークという概念は、インフラストラクチャーと技術の発展とはほとんど関わりない、別の問題でも有用である。結局のところ、何世紀にもわたって世界の接続性を形づくっていたのはネットワークであった。モンゴルのハン国のような広域の帝国でさえ、支配者と州知事、家臣たちの、ひとひととの絆に基づいていた。また交易所のネットワークを考えてみるとよい——たとえばポルトガル領インドは、経済力によってのみ成り立っていたため、アジアにおいては諸港湾都市を結ぶ脆弱なシステム以上のものではなく、周囲の環境からは孤立しつねに危険に晒されていた。実際私たちは、境界を横断する相互作用の歴史の大部分を、ネットワーク構造として想像しなければならない。このことは、何世紀にもわたって供給者と売り手の良好な関係が肝要だった、商品の流通についてもいえる。また、しばしば連鎖移民の形態をとったひとの移動についてもそうである。銀行家を信用貸しすることのできる債務者に接触させることになった国境を超えた資本投資でも同じことだ。

したがってネットワーク観念が歴史家たちのあいだで人気を博したことにはなんの不思議もない。アラビア半島南端のハドラマウト商人のネットワークであろうと、イエズス会の宣教師の、スーフィーの聖人たちの、あるいは反植民地主義の活動家のネットワークであろうと、過去に存在した相互作用を形成したひとの網の目を追究するとき、歴史家たちはこの流行語をすばやく適用した[24]。グローバリゼーションの仲介者たち――通訳者と翻訳者、旅行者と専門家、仲買人と仲立人――に関する膨大な研究の魅力の一部は、世界を「ネットワーク化された」ものとして、そしてグローバルな力を全的で錬金術的なものとしてではなく分散した不連続のものとして描き出すやり方に負っている。ネットワークのアナロジーは、現実のひとびとをグローバルなプロセスと関連づけ、より大きな構造に対して個々の行為主体の地位を回復させる役割を果たしてもいる[25]。

多くの歴史家たちがネットワーク観念は有用であると直観的に気づいているが、その理論的な地位はずっと不確かである。通常、実際になにがネットワークを構成し、なにがそれをいくつかの接触のゆるやかなつながりと区別しているのかについての体系的な考察はほとんどなされない。相互作用の網の目がネットワークとしての質を備えるためには、どの程度密である必要があるのか？　相互作用の頻度と持続とはなにか？　ネットワークの維持と永続化を可能にする媒介はなにか？　ネットワーク概念の分析的価値も、しばしば不確定で曖昧なままである。

グローバルなネットワークについての諸研究は問題発見的な意味では生産的ではあるが、接続や絡み合いを強調することについての、十分に顧みられることのない欠点のいくつかを共有している。それらの諸研究は、ネットワークがより広範な権力構造の一部でもあるという事実に、かならずしも十分な注意を払うわけではない。帝国の中心から遠く離れた辺境の前哨地は、なおその権威を、たんなるネットワークの効果としては十分に特徴づけることのできない文脈から引き出している。軍事力、市場に誘引された依存、あるいはヘゲモニーを正当化し、支える言説構造における力の差異である。ひるがえってネットワークは、その一部を構成していない者の上にも直接的なインパクトを与える。排除と周縁化はネットワークの効果の影響を受けないことを決して意味しない。私たちは、ネットワークが真空で機能しているという印象が生まれないよう、それが構造的な不平等に埋め込まれているということを覚えておかなければならない。

ネットワークの内部の働きについても、同じことが言える。ネットワークは、ネットワークの〈外〉にいる者に対置された、〈内〉にいる者によって構成されているように見えるかもしれない。ネットワークにおけるメンバーシップは、ひとびとに資源と権力へのアクセスを与え、ひとびとがネットワークから排除されるとき周縁化が運命づけられると想定されている。この主張には、たしかに一片の真実が含まれている。しかしネットワークの内部においてもヒエラルキーは鍵となる役割を果たすことを、心に留めておかねばならない。カステルの描き出した、ヒエラルキーの時代からネットワークの時代へ、という大規模な移行は、歴史的変化の適切な描き方ではない[26]。

したがって重要なのは、ネットワークやフローの議論が、自生的なプロセスであるかのような印象を創りださないことである——ちょうど、接続性や、より一般的にはグローバリゼーションを、行為主体性を欠いたものと見ることが有益でないように。ネットワークとは、要するに、創られたものだ。そのなかには、国家制度——ネットワーク研究においてはめったに考慮されない統一体だが——に駆動されて創造されたものもある。多くの場合、ネットワークはそれを動かすひとびとによって創りだされ、維持される。ネットワーク理論のもうひとりの立役者、ブリュノ・ラトゥールはこれを明確に認識している。彼が唱えるように、歴史家は「アクター自身に従う」べきなのだ[27]。ネットワークに動物や物体など人間以外のものも含めるという論争的な提案でもっともよく知られているように、ラトゥールはネットワークを、簡単には安定性が想定できない接続を絶えず再生産する、ボトムアップで動作するものと考えている。私たちは経験的には小規模な相互作用の形態しか見ることができず、だからこそ大きな構造ではなくそれらの小規模な相互作用の動態に焦点を当てるべきだと彼は主張する。たとえば、社会は「場所でも物でも領域やそういったもの」でもなく、「新たな連関に向かう一時的な動き」としてあとづけられるべきである。[28]

ラトゥールのことばは、近づいて見ることの大切さ、抽象的で追跡不可能な因果関係を拙速に想定する危険を思い出させてくれる。彼は次のように仮定する。「場と場が結びつくならば、それはさらに多くの記述を通してなされるべきであって、社会、資本主義、帝国、規範、個人主義、界といった全環境型の乗り物にいきなりタダ乗りすることでなされるべきではない」[29]。もっと扱いやすい規模で、具体的なつながりと相互作用に注意を向けようという彼の提案は、近年の科学のグローバル・ヒストリーにとくに大きな影響を与えた。とりわけ、彼が「不変の可動物」と呼ぶもの、つまり測定と表現の標準化された形式——通信機器や図表、グラフ、テクストを含む——にフォーカスするという示唆は、問題発見的には実に有益であった。それによってネットワークがどのように確立され、空間と時間を超えてつながったかを分析することができたのである。たしかに、ラトゥールはグローバルな関係を書こうとする歴史家にとって最良の導き手ではないかもしれない。しかしこれは彼のアプローチが、ミクロな研究に近いせいではないだろう。次節で示されるように、ローカルからグローバルへ、異なるさまざまな尺度を探究しつつ、ミクロにせまることは完全に可能だからである。[30] しかし構造の概念に対するラトゥールの強い反発は、グローバル・ヒストリーが究極的には拠って立つ統合という観念と、彼のアプローチとの和解を困難にするだろう。

## グローバルなもののミクロストーリア

ほとんどのひとびとが直観的に、グローバル・ヒストリーをマクロな視点、可能なかぎりもっとも大きな尺度での変化の、地球規模の大きさの語りと結びつけている。「大分岐」に関する議論や経済的グローバリゼーションに関する諸研究はしばしば、グローバル・ヒストリーと同義と理解されている。実際、一般の大規模な読者を念頭において書かれた多くの作品は、全世界を描こうとする。しかしグローバル・ヒストリーとマクロ・ヒストリーを同一視すると誤解を招く。ひとつの具体的な主題をその空間的・社会的固有性において、そして同時にグローバルな文脈に位置づけて分析する研究の方が、グローバル・ヒストリーとの共通点ははるかに多く、また多くの場合価値も大きい。もっとも魅力的な疑問はしばしば、グローバルなプロセスと、そのローカルな現れの交差するところに浮かび上がるものだ。

グローバルなものとローカルなものは、したがって、必然的に対立するわけではない。ドナルド・R・ライトは、『世界とアフリカのある小さな場所』で、現在のガンビアにある小さなニウミ地方が一五世紀以降世界経済に統合されていく様子をあとづける。大きく包括的なプロセスが、数世紀かけて当地の共同体に影響を与えた。イスラームの普及、サハラ砂漠を横断する奴隷交易、ポルトガル人の到来、一八三〇年代に始まるヨーロッパのピーナッツ需要、イギリス人による植民地化、冷戦期の独立。同時にライトは、ローカルな反応や自己領有の諸形態、ニウミ住民が彼ら自身の力で世界史のアクターとなった行為主体性のための空間を追跡する。同書はどの章でも、個々のアフリカ人たちと、これらの大きな変化に対する彼らの応答、彼らがいかにグローバルなレベルの変化に対処し、うまく扱い、彼ら自身のやり方で影響を与えたかに焦点を当てている。[31]

ライトが理論的には世界システム論に影響を受けつつ、大きな構造について理解すると同時に個々人の行為主体性の問題に挑戦している一方、他の歴史家たちは個人へのアプローチをより真剣に追究した。彼らは、境界を横断する旅がグローバルに及んだひとりひとりの歴史的アクターをミクロレベルで追いかけた。あるときにはこれらの人生の物語は、見慣れた風景のなかで従来の方法論に基づいて語られる。別の場合には、より明示的に、歴史を「下から」読む戦略と結びつけられる。後者の戦略の一例は、レオ・アフリカヌス(一四八六頃〜一五五四年)についてのナタリー・ゼーモン・デーヴィスの研究である。そこで彼女は、「ふたつの視点をもち、ふたつの文化的世界を維持し、ときにふたつの聴衆を想像し、ヨーロッパの要素を織り込みつつ、アラブとイスラームのレパートリーからとりだした技術を彼なりのやり方で用いた男」の肖像画を描く[32]。レオ・アフリカヌスは、イスラーム教下のグラナダ(現スペイン)でアル=ハサン・イブン・ムハンマド・イブン・アフマド・アル=ワッザンとして生まれ、モロッコのフェズで育ち、サハラ砂漠を横断してカイロとイスタンブールへ旅した。その後海賊に囚われ、教皇レオ一〇世への贈り物にされた。彼は一五二〇年にローマで洗礼を受け、多くの学者たちや教皇本人の腹心の友にまでのぼりつめた。ローマでのレオ・アフリカヌスは、故郷でその社会的地位が彼に与えたであろう以上の注目を受け、彼の文化的境界を横断した移動から生じた機会を利用することのできる、幸運な位置にあった。彼は例外的な事例であり、同じような機会に恵まれた海賊船の虜囚はほとんどいなかっただろう。

ミクロストーリアの先駆者のひとりであるデーヴィスは、移行期を典型的に示す存在としてこの物語の登場人物を描写する。この時代、ムスリムとキリスト教徒の世界は互いに接近し、宗教的、民族的、文化的、国民的アイデンティティのあいだの、その後さらに強まることになる緊張がすでにきわめて顕著であったが、一定の相互理解に達する可能性は存在していた。デーヴィスのテクストはある程度まで、文化を超えた対話への願望に満たされている。この点においては、典型的な時代の産物である――彼女は二一世紀初頭に膾炙(かいしゃ)した「文明の衝突」の兆しと宗教対立の回帰に対する反応としてこれを書いた。そして実際、境界横断とグローバリゼーションの個人的経験をロマン化するグローバルな伝記の多く――すべてではないにせよ――には、共通する傾向がある(33)。これはしばしば、世界を登場人物たちの目を通して見、歴史的アクターたち自身が自覚的でないかぎりは大きな構造を軽んじてしまう視点の生み出したものだ。

しかしその最良のケースにおいては、個人や小さな集団に焦点を当てることで、グローバルな変化のプロセスや、そのなかで個々の行為主体性のための空間がどのように組み立てられたか、魅惑的な知見がもたらされる。なかんずく、ミクロな視点は過去の異質さ、歴史的アクターの不屈さをあらわにすることができる。「ローカルな歴史は私たちに、ローカルな特異性がグローバルなナラティブの均質性に挑戦するやり方と、増大しつづける接続性へといたる道からローカルな実践が逸脱する地点とを指し示す。ローカルなものの場所は、近世世界を形づくった接続によって／にもかかわらず繁栄したローカルな多様性を思い出させてくれる(34)」。

ショウ・コニシの研究はよい例だ。コニシは、ロシアの初期アナーキズム運動のメンバー、レフ・メーチニコフの、一八六八年、明治維新まもない日本への旅をたどった。当時ヨーロッパでひろがっていた見方と異なり、メーチニコフは日本を後進的な、植民地化の潜在的対象とは見なかった。反対に、彼は日本にある革命的潜勢力、非ヨーロッパ中心主義的な、非‐社会ダーウィニズム的な、「下からの」アナーキズムの可能性を確信していた。彼は日本の田舎に見出した相互扶助活動に熱狂し、それはのちに、クロポトキンのような他のアナーキストによってとりあげられた――二〇世紀初頭に野心的な日本のアナーキストたちが、同じ情熱をもって、彼らのロシア人メンターからその理論を借用したとき、彼らは徳川時代に自らの社会で生み出された伝統と対決していたのだった[35]。

総体として、グローバル・ヒストリーの課題と具体的・個人的事例への関心は決してたがいにたがいを排するものではない。「グローカリゼーション」というキャッチフレーズが示唆するように、グローバルなプロセスはローカルな配置のなかで経験され、構成されている。したがって、マクロな視点に焦点を絞るだけでは不十分である――同じく、特殊性と偶発性の術語だけでも不十分である。グローバルな構造や制度、観念が、ローカルな表現や制度的環境の枠組みの内部でどのように「翻訳」され、領有され、修正されるか――およびこれらの環境がグローバルな接続の結果としてどのように再形成されるか――をよりよく理解することは、グローバル・ヒストリーの歴史家にとってもっとも本質的でもっとも実り多い務めのひとつである。

## グローバル・ヒストリーの構成単位

大洋、ネットワーク、ローカル――あるいは地球全体？　グローバル・ヒストリーにもっとも適切な、問いの構成単位はなんだろうか？　このような定式化は、誤った問い方だ。グローバルなアプローチに他より決定的に適した単位などというものはない。結局、研究される対象は問いによって変化するだろう。ある問題――たとえば「印刷機の導入はコルカタの後背地農村にどのような影響を与えたか？」――はクローズアップを要請するだろうし、農業への移行が人口増加にもたらした影響というような問いには、マクロな視点を通じてよりよく答えられるだろう。問いによってはある特定の個人の動機を理解する必要があり、一方、大きな集合的なレベルでしか答えることのできない問いもあるだろう。

どんな構成単位も、本来的に優越することはない。あるものは一般化を容易にし、あるものは具体的に見ることを可能にする。これはまた、私たちの選択——なにを含め、なにを外すか——は、選ばれた単位によるということも意味する。アダム・マキオンははっきりこう述べている。「ボリビアの鉱山都市ポトシ史の歴史家が説得的なナラティブを書くために、町にあるすべての鉱山、すべての教会、すべての個人を知る必要がないように、ボリビア史の歴史家はボリビアのあらゆる町の歴史を知る必要はなく、世界史の歴史家はすべての国民、帝国、交易、交易のディアスポラを知る必要はない。同様に、合衆国の工業化について、シカゴにも、ジョージアにも、ホピ・インディアン居留地にも等しく応用できる一般化を期待する者もいない」。いかなる単位も、唯一にして真の探究の単位ということはない。そのうえ、異なる単位は、異なるプロセスへと私たちの注意を向かわせる。言いかえれば、異なる単位は、同じ対象を見るための異なる窓であるだけでなく、他の窓からは見えなかったプロセスを見せてくれる。「大きな物語は詳細を誤らせるという一般的な批判は的外れだ——それらはより大きなプロセスや潮流を見ることを目的としているのだから[36]」。

異なる単位が補足しあうものであるなら、そこから三つのさらなる結論が導かれる。第一に、次第に統合される世界においてグローバルな視点はいかなる単位も便利な基礎的要素として当然視することはできない。グローバルな視点はまずもって、一貫性を生み出し、固有の場所や地域を存在せしめるプロセスに注意深くあることが求められる。ひるがえって私たちは、どのような領土的統一体も構築された性質をもっていることについて注意深くなくてはならないだろう。それはまた、これらの空間をつくった力は、その単位それ自体のなかではその全体像を見ることができないということも含意している。領土的単位の慣例的な概念化は——地方であれ、国民であれ、ローカルなものでさえ——自己充足と自給自足のイメージに基づいている。しかしそのような空間的統一体の歴史的誕生は、自律性という虚構とは異なる。問題となっている空間に対する外からの力が、内的要素と同じく、それらの空間の形成に一役買っていたのである。空間的単位の形成と安定は、グローバルな規模でも領域性の変容の一部として読まれなければならない[37]。

第二に、ローカル—ナショナル—リージョナル—グローバルという一連の関係において、ナショナルは単にいくつかのレベルのうちのひとつにすぎない。あらかじめ目的をもって、ネックレスにずらりとならんだ真珠の一粒一粒のようなナショナルなナラティブの並列を超えようとするグローバル・ヒストリーの歴史家にとって、国民国家は忌み嫌われた亡霊であるかもしれない。しかしこのことは、国民（ネイション）や国民国家（ネイションステイト）がいまや時代遅れであるということではない。一九世紀以来、国民国家を基盤とした単一のグローバルな政治システムが生まれた。国民国家は多くの社会を形づくり、多くの点においてそれらの社会の制度的現実——政治秩序、福祉国家、知のシステム、その他多くのもの——は、いまなおナショナルに決定されている。主題によっては、無理にトランスナショナルな枠組みに入れれば歪（ゆが）められるものもあるかもしれない。したがって、多くの問いにとって、ナショナルはひとつの重要な分析のレベルでありつづけるだろう。

第三に、方法論的ナショナリズムに対する恐れが必ずしもネイションというものを完全に捨て去ることにはならないのだとすれば、方法論的グローバリズムという、それと対になったカテゴリーの誘惑にも負けるべきではない。ある主題、ある問いには、グローバルは適切な分析レベルであるが、別の主題や問いにとっては、妥当ではないかもしれない。イタリアの港湾都市ジェノヴァは何世紀にもわたってトランスナショナルな回路に深く組み込まれていたが、今日ではそこから数時間しか離れていないスイスの山中の村々は、そうではなかった。すべての場所が同じように絡み合っているわけではなく、あらゆる事例においてローカルな力学に対して世界大のプロセスを特権化させることは誤りだろう。言いかえれば、私たちは、グローバルな構造を優先的な原因と見なすべきではない[38]。

## 移動する尺度

しかしながら、オルタナティブな構成単位や場所の枠組みを探すことは、せいぜいグローバルな過去を空間的に分節化することの問題の位相を変えるだけで、それを解決するわけではない。多くの場合、歴史家はめずらしい地理的カテゴリーを選択するものの、最後には、これらの新しい空間を所与のもののように扱うことになる傾向がある。大洋の歴史をとりあげてみよう。海上の出会いに焦点を絞ることは、従来の、ナショナルな空間についての大地に縛られた観念に対して重要な挑戦をつきつけた。このような移行を求める批判的な衝動が慣例的な単位を掘り崩すものであることには議論の余地がないが、その一方で、大洋はすぐさま、共通性と凝集性を保証する新しい特権的な実体となった。問題発見的な空間として機能するかわりに、大洋はそれ自体が固定的な領土的実体へと硬化してしまった。歴史家たちは単に、ひとつの空間――ネイション――を、別のものと取り替えただけだった。こうして、この分野の多くの仕事はなお、新しいアプローチが解体しようとした「容器」の思考に縛られつづけている。それらは、問いに応じて適切な空間的統一体を探究するのではなく、すでに固定化されたそれを前提としている。研究プロジェクトの地理学――その空間的構成単位――は、出発点ではなく、パズルの一部と考えられなくてはならない。これはグローバル・ヒストリーの実践が直面する根本的な挑戦であるが、たいていの場合、「歴史の空間の根源的再考を通じての過去の再空間化ではなく、既存の空間を、それらを超越することを目指していると思われる視点から、単に再編成しているにすぎない」[39]。

ここでなされるべき決定的な区別は、構成単位と尺度のあいだにある。私たちは特定の場所――たとえばポトシ――を研究することはできるし、この分析単位をさまざまな尺度――ナショナル、リージョナル、トランスパシフィック、グローバル――に関連づけることもできる。これらのすべてのレベルで、主題の異なった次元が見えてくるだろう。私たちはポトシにとどまって、エスニシティや階級の差異、ジェンダー関係、ローカルな文化表現を問うことができる。しかしまた同時に、その小さな場所だけを見ながら、グローバルなレベルを参照し、大きな問いを立てることもできるのである。これは同時に異なるすべてのレベルを研究する必要があるという意味ではない。ちょうど科学者が、森や木、一本の木の細胞を、それらが他のどれよりも原則的に優れていることをあえて主張したりはせずに研究するように、歴史家は特定の尺度を、問いにしたがって特権的に選択するだろう。尺度の問題はグローバル・ヒストリーの独占的な領分などではないが、このアプローチの資産のひとつではある。グローバル・ヒストリーのアプローチはきわめてはっきりと、一方で連動する尺度の、他方で適切な空間的視野の問題を提起し、歴史家たちに彼らの選択について思慮深くあることを求めるからである[40]。

問われている尺度はあらかじめ与えられてはいないことを認識することは、重要である。それらは社会的活動と日常の実践を通じて構成されるものだ。たとえば「ローカル」は、国民形成やグローバリゼーションのプロセスへの応答として、自己同一化と分析のカテゴリーとして生まれた。「しばしばローカルと呼ばれるものは、本質的にはグローバルのうちに包摂されている」と社会学者のローランド・ロバートソンは書いている。[41]「グローバル」もまた、アプリオリな編成と想定されるべきではない。むしろそれは、社会的アクターのさまざまな活動を通じて構成され、生成される。

過去についての異なるさまざまな次元が可視化されるのは、現実についての異なる測り方のあいだの相互作用——ジャック・ルヴェルが「尺度の戯れ」と呼んだもの——を通じてである。歴史は多層的プロセスとして理解されなければならない。そこでは異なる諸層がある程度まではそれぞれの論理にしたがっているのであって、ひとつの滑らかで一貫した全体へと単純に合成されたり、足し算されたりはしない。あるレベルで達した結論は、次の結論へと単純には移転されえない。しかしそれらの効果は、他のレベルでも感知しうるインパクトを与える。歴史的プロセスにおいては、異なる問いの尺度はたがいがたがいを構成する関係にある。巨大なマクロ・プロセスが個人のレベルにまで社会にインパクトを与える一方、地べたでの変化もより大きな構造に影響を与えるかもしれない。[42]

あまりに抽象的に見えるかもしれないが、過去と、人間の活動のさまざまなレベルの重なりや絡み合いをこうして測ることは、グローバル・ヒストリーの歴史家にとってはとりわけ魅力的である。この節を、アンドリュー・ジマーマンの『アフリカのアラバマ』を例にとりあげて締めくくるとしよう。個人の生の叙述から始まる同書は、最終的にはさまざまなできごとのより大きな配置を見せてくれる。

ジマーマンの物語は、一九〇〇年一一月のある雨の日に始まる。その日、アラバマ州のタスキギー教員養成・工業学校〔一八八一年創設の黒人のための教員養成機関。現タスキギー大学〕の四人の卒業生がニューヨークで、ハンブルク経由でドイツのトーゴ植民地に向かう「グラフ・ヴァルダーゼー」号に乗船した。彼らはドイツ植民地経済委員会に、「ニグロに合理的で科学的な方法で綿を植え、収穫する方法を教える」というあからさまな使命のために雇われていた[43]。トーゴは一八八四年以来ドイツの植民地であり、初期の民間資本主導の開発と搾取の段階のあと、世紀転換期ごろ、改革派の植民地官僚が、植民地を近代化し、それを利益を生む事業に転換することを目的としたより体系的で持続的な介入を目論むようになった。この新しい、科学的方針をとるにあたり、現地住民が中心的な役割を果たす必要があることを彼らは認識していた。ゆえに、学校教育、保健衛生の整備、時と場所を問わずに「働くことができるニグロの教育」が、改革者たちの中心的関心のひとつであった。

タスキギー大学卒業生へのドイツの関心は、アメリカ南部における人種間の関係が、ドイツのアフリカ植民地にモデルを提供するだろうという確信に根づいていた。ドイツの官僚と社会科学者たちはとりわけ、アフリカ系アメリカ人学生に人種の自然的ヒエラルキーという観念を教えたタスキギー学校長ブッカー・T・ワシントンに惹かれていた。ワシントンは、まずもって――奴隷制廃止後――キリスト教徒としての生活をおくるアフリカ系アメリカ人に、肉体労働や小規模農業を「教育」する必要があると考えていた。そうすればいずれ、アフリカ系アメリカ人たちが完全な市民の地位を手に入れられるかもしれないというわけである。社会的・人種的関係についての彼の保守的な見方は帝国主義者の支配と隔離についての理解と呼応していた。したがってタスキギーの卒業生は、植民地における政治的・人種的秩序を脅かさない近代化プロジェクトのための、理想的なファシリテーターであるように見えた。そもそもワシントンは帝国主義を支持していた。彼はアフリカを後進的と見なし、文明化の使命の必要を当然のことと考えていた――そしてドイツ人はとくにその務めに適していると確信していた――からである。しかし結局、トーゴのプロジェクト――ヨーロッパ市場のために綿を栽培する生徒の訓練学校――は政治的・経済的に失敗に終わった。

この実験は、異なるさまざまな社会経験のレベルで分析することができる。ミクロなレベルでは、アラバマにおけるタスキギー学校の隠れた作用と、植民地トーゴの社会構造の双方が、プロジェクトの運命を理解するためには決定的に重要である。たとえば、エウェ——トーゴ南部の支配的な民族集団——の社会関係についての綿密な分析がなければ、輸入された耕作法と現地のそれとの衝突や、従来主要に農業に従事していたトーゴ女性の特殊な役割、徴募、訓練、労働条件、社会的介入に対する住民の激しい抵抗の原因を理解することはできないだろう。

このエピソードはローカルを超えて、この物語へインパクトを与えた他の尺度へも光を投げかける。そのひとつが、ドイツ帝国である。生綿の供給はドイツの植民地政策の主要な目的であった——一九〇〇年前後、ドイツの綿産業は世界第三位の規模であった。より大きなレベルは、帝国間の空間である。これを編成する西洋の植民地主義が、文明化の使命と「改善」と発展のレトリックに象徴される植民地への介入についての覇権的言説と総体的な理論的根拠を提供した。第三に、トーゴの実験は、「ブラック・アトランティック」と呼ばれる、アフリカ系アメリカ人の大西洋を横断する移動によって築かれた関係と、アフリカ人によるアフリカの統一を目指すパン・アフリカニズムの議論のただなかに置かれた。第四のレベルでは、トーゴは、アメリカ南部の社会秩序が農業における、民族を分離して労働力とする関係——植民地においてのみならず、中期的には東プロイセンのポーランド語地域においても——を構築するモデルを提供してくれるというドイツの社会科学者たちの期待に結びつけられた。このレベルでは、トーゴは、後背地における農業を（ほぼ）植民地的な条件の下で搾取するシステムに編入されていた。そしてもちろん言うまでもなく、決定的に重要な分析の尺度は、市場と世界経済の統合に接続されたグローバルなレベルである。このレベルでは、トーゴのプロジェクトは、奴隷貿易の終焉後の原材料生産のグローバルな再編の効果として、また奴隷労働によるプランテーションを名目上は自由な――しかし実際にはしばしば自由ではない――労働に置き換えようとする進行中のくわだての一部として、理解される。

この事例の大部分は、さまざまな種類の力の重なり合いと、異なる尺度の相互作用によってつき動かされていたことは明らかである。そうした相互作用を通じて、グローバル・ヒストリーの歴史家はさまざまなレベルの社会的実践を扱い、全世界を分析単位としなくてもグローバルな相互作用を検討することができる。言い換えれば、グローバルはナショナル／ローカルな事例の外部にある別個の領域なのではない。それは、私たちが個人の生や小空間を見ているときでさえ参照されうるひとつの尺度なのだ。

# 第7章　グローバル・ヒストリーにおける時間

グローバル・ヒストリーは、表面的には時間にまつわる話をしない。グローバル・ヒストリーとまずもって結びつけられるのは、空間を語ることばである。グローバル・ヒストリーの歴史家のよく使う語彙――マッピング、循環、フロー、ネットワーク、脱領土化――は、ほとんどすべて、歴史における空間の役割に関する新しい理解に関連している。このようなグローバル・ヒストリーの魅力の裏面にあるのは、時間という、長いあいだ歴史の語りの特徴であったものへのヘゲモニーに向けられた挑戦である。たとえば、近代化論のあらゆる変奏は本質的に、それらの中心的なカテゴリーとして時間をもっていた。ひとと社会と文明を、大きな時間のマトリクスに位置づけるためには、時間に関する用語――革命と進歩、先進国と後進国、停滞とキャッチアップ、「長期的持続」、非同時的なものの同時性――が武器として使われた。実際歴史は、主として時間測定法であった。アプローチとしてのグローバル・ヒストリーはこのパラダイムに根本的な批判を向ける。時間のメタファーの特権化と、系譜学と(内的)発展としての歴史という確立された見方に挑戦するのである。

しかしこのことは、時間の問題が完全に第一線から外され、もはや概念的な重要性をもたないということではない。グローバル・ヒストリーにおいて空間が優先されることの副次的な効果として、歴史的説明における時間の再検討も導かれた。とくにふたつの命題はここで議論するに値するだろう。

それらは時間の尺度の両極に位置し、時間の、可能なかぎり長い幅と短い幅にそれぞれ焦点を当てる。スペクトルの一方の端では、歴史家たちは全人類史(とそれ以上)をひとつの一貫した枠組みで扱おうとしており、もう一方の端には、発展的時間という観念に挑戦する比喩として、共時性の観念が出現した。

時間の尺度の大きなパノラマのなかでのふたつの両極の議論が究極的に示しているように、異なる時間の枠組みは、固有の問題に応じたもので、それぞれそれらが生み出す答えを形づくる。あらゆる研究が、問うべき問題を提示するためにもっとも適したそれぞれの尺度を重視するだろう。しかしこの章では、異なる時間の尺度を同時に考慮することから多くの事例研究が利益を得るであろうことを論じ、またそれらがもたらす分析的な利点を考えたい。

## 大きく深い歴史

グローバル・ヒストリーの歴史家たちは地球を横断するだけでなく、研究の時間的枠組みも拡大するようになった。「顕微鏡より望遠鏡」が彼らの好むレンズである。[1] 多くの研究がとてつもない時間の幅を軽々とカバーし、著者たちは一千年やそれ以上を一飛びに旅することになんの疑念も抱いていないようだ。もちろん、時間の枠組みを大きくとることは、演繹的推論の作業には必要な手法である。しかしグローバルに向かう欲望は、すべてのものごとを、すべての場所で、つねにカバーするという特有の野望を解き放ってしまったようだ。徹底的に長期的な視野を宣伝している歴史家たちは、巨大な時間の枠組みだけが人類の過去について真実を明らかにできると主張している。

「ディープ・ヒストリー」と「ビッグ・ヒストリー」が、このゲームの名だ。このゲームの推進者たちは、それらを、通常グローバル・ヒストリーが関連づけられているヨーロッパ中心主義への挑戦と同じものだと称している。ダニエル・ロード・スメイルとアンドリュー・シュライオックの述べるところでは、「私たちは、空間を媒介としてヨーロッパ中心主義への挑戦という課題を追究したポストコロニアルの理論家たちに追随しているといえる。彼らは時間を媒介としたことはほとんどなかったけれども」。つまり、「ヨーロッパの一地方化」がなされたあと、次なる呼びかけは近代の一地方化である。もっとも遠く離れた過去まで時間の枠組みを伸長し、歴史的時間を、近代の目的論から解放するのだ[2]。

スメイルの「ディープ・ヒストリー」の概念は、人類の全過去を研究し、歴史家と考古学者、生物学者のあいだの概念的な隔たりを克服することを提案する。スメイルが鋭く主張したように、歴史とは、記述の発明を根本的な画期としてその効力を発している。しかし、「ディープ・ヒストリー」が扱おうとする人類の深遠な過去と、従来の歴史学が対象としてきたような記録術を備えた社会とを差異化する説得的な理由はなにもない[3]。「ビッグ・ヒストリー」の分野は、オーストラリアの歴史家デイヴィッド・クリスチャンと、オランダの生化学者であり社会史家のフレッド・スピアーによって知られるようになったが、さらに時間を遡り、人類誕生以前、地球上の生物誕生以前から始まる。ビッグ・バンと太陽系の形成を出発点とするビッグ・ヒストリーにおいては、従来の世界史はマイクロヒストリーのレベルになり、人類史全体は数ページにおさまってしまう。ディープ・ヒストリーもビッグ・ヒストリーも、数千年におよぶ狩猟採集社会に多大な関心を払い、それこそが人類を形づくり、家族や宗教、さまざまな執着について理解するために決定的な役割を果たしているとほのめかしている[4]。

これらのアプローチは、そのほかの方法では歴史家が達することのできない新しい視点をもたらすと約束している。ある主題がクローズアップを要求するように、別の主題は拡張された時間枠のなかでしか取り組みえない。近年成長しつつあるこの分野でもっとも人気のあるジャレド・ダイアモンドの『銃・病原菌・鉄』は、良い一例だ。同書が追究している問題のひとつは、ヨーロッパによるアメリカ大陸侵略が成功した原因の探究である。なぜ、インカ人がヨーロッパに、ではなく、スペイン人がアメリカ大陸に上陸することになったのか？　一五三二年に、スペインの一六八人の小さな侵略者集団がどのようにして八万人のインカ軍に公然と反抗し、アメリカ大陸最強の国家を倒したのか？それは優れた武器、剣と銃のおかげだったのか？　スペインの男たちの勇気がより大きかったのか、カトリック信仰のせいか？　スペインの独創性か、あるいは他の文化的ファクターによるのか？　歴史家たちが通常扱っているようなことがほんとうに理由だったのだろうか？　ダイアモンドはそうは考えない。彼にとって、決定的な差異は地質学的なものであった。アメリカ大陸の南北の地軸は、利用可能な動植物――定住化社会の必須条件――が大陸内の複数の気候帯を縦断して伝播する速さを遅らせた。東西の軸をもつユーラシア大陸ではこのプロセスはもっと短く、ユーラシアの諸社会をずっと早く、より複雑に成長させた。また家畜の伝播の副作用として、住民はさまざまな死にいたる病に慣れていた。ヨーロッパ人がアメリカにやってきたとき、彼らはアメリカ大陸の先住民がまったく抵抗力をもたない病原菌をいっしょに連れてきた。アメリカ大陸の住人の約九五パーセントがこの新しい病気の犠牲になった。別の言い方をすれば、地質学的条件が異なっていたことによって、ユーラシアの中核地域の社会は、大洋をわたり、病気に耐え、両アメリカ大陸の先住民以外にも他の諸集団を従属させるのに適した発展をすることができたのである。ダイアモンドの解釈では、「カハマルカの惨劇」——一五三二年一一月、ペルー高原におけるピサロとアタワルパの最初の出会い——の運命は、それが起こるはるか以前に定まっていた[5]。

この例が示しているように、長期的な視点は伝統的な歴史的時間枠においては容易に見失われてしまう、重要な次元を見せてくれる。したがって、深く大きな歴史の学徒たちは、宇宙的視点をあまりもたない歴史家によっては生み出しえない知見をもたらしてくれるかもしれない。このため、この新しいアプローチは一部から熱狂的に賞賛されている。デイヴィッド・クリスチャンの著作を読んだウィリアム・マクニールは、「これは偉大な達成だ」と興奮して言った。「一七世紀にアイザック・ニュートンが慣性の法則のもとに天体と地球を統一したことに等しい」と[6]。もっとわかりやすいところでは、クリスチャンはビル・ゲイツと彼の財団から支援を受け、ビッグ・ヒストリーを学校教育に導入する、「ビッグ・ヒストリー・プロジェクト」を共同で開始した。

しかしながら、たいていの歴史家は大きく深くという呼び声を積極的に受けとめてはいない。このジャンルのふたつの前提が、通常の歴史的アプローチとは方法論的には相容れないからである。第一に、歴史における究極の要因と始原の駆動力の探究は、多くのビッグ・ヒストリーの歴史家たちを過去について決定論的な見方を発展させる方向にいざなった。ある意味では、これは適用された時間枠の直接の必然的結論である。デイヴィッド・クリスチャンは「人類の歴史には、行為遂行性や偶発性といった慣れ親しんだお題目では適切に扱えない側面がある」と力強く主張する[7]。多くのビッグ・ヒストリーにおいて、地理と環境の力は絶対的であり、人間の介入などほとんど無力である。

この第一の無謀さ、すなわち決定論的な誤信は、第二の問題と緊密に結びついている。それは自然科学と人文学をひとつの包括的なパラダイムへと融合させようとする試みのもつ危険である。一方の法則定立的な科学とその一般法則の探求、他方の歴史学のような記述的科学とのあいだの議論には、長い歴史がある。ディープ・ヒストリーやビッグ・ヒストリーの支持者たちはきわめて意識的に、この差異に架橋しようとしている――ただし、過去を自然科学の一分野に変えてしまうようなやり方で。ジャレド・ダイアモンドが公然と認めているように、「主題は歴史学であるが、アプローチ的には科学的手法」というわけだ[8]。イアン・モリスにとって、「歴史は、物理学の部分集合である化学の部分集合である生物学の部分集合である」[9]。この融合の効果は、自然科学を特徴づける普遍的な法則の探求に、歴史を従属させることだ[10]。このように法則性へと傾きがちなビッグ・ヒストリーにおいて、その歴史家たちが未来に関する推論を立てたがるのはふしぎなことではない。イアン・モリスは確信的に、「二一〇三年は、西洋の時代が終わると予測される一番遅い時点」と宣言する[11]。グローバル・ヒストリーにたずさわる多くの歴史家が、長いあいだ歴史的説明に染みついてきた目的論に挑戦するべく出発したのに対して、ビッグ・ヒストリーは歴史的プロセスにおける進歩や方向性という観念を再び主張するほうへ向かっている。

## 時間と「時層」

最終的には、歴史学におけるビッグ・ヒストリーとその他の歴史家たちのあいだの差異は尺度の問題に要約される。空間と同様、時間の適切な枠組みも、扱う問題と問いの狙いによる。ひるがえって、いかなるできごとやプロセスについても、私たちの理解は分析の時間的秩序によって変化するだろう。原則としては、どのような事件も複数の異なる時間枠において解釈されうる。歴史家たちがさまざまな重なり合い方をする多層的な時間の領域について認識するようになってもう長い。有名なところではフェルナン・ブローデルが歴史的時間の複数性を強調した。彼自身はとくに「長期的持続」という通常より長い時間枠と、そうしなければ見ることのできないきわめてゆっくりとした時間のリズムに関心をもっていた。最近ではラインハルト・コゼレックが、積み重なって相互作用する時間の層を表す「時層」という、地質学の比喩を導入した。時層は、異なるさまざまなレベルの時間の足場、加速度の異なる連続性や持続、それらの層に固有の変化のテンポによって特徴づけられる時間の間隔に注意を向けるよう私たちをうながす。言うまでもなく、これらの異なる時間性はそれぞれに異なる空間的枠組みを要請する。時間の尺度と空間の尺度はつねに密接に連関している[12]。

こうした図式には、瞬間や単独のできごとから、ビッグ・ヒストリーのきわめて長い時間まで、さまざまな時間枠の余地がある。これらの尺度は、アプローチやそこから得られる所見が異なったり相容れなくさえあったりしても、共存し、補完しあっている。それらの妥当性もまた、相当変化するだろう。ごく短い時間——一瞬、一日——はほとんどの課題に見合った時間枠ではないだろう。きわめて長い時間もまた同様である。多くの主題にとって——ここには、記述の発明といった遠い過去のできごとも含まれる——、地球の誕生や原人の発展とその地球上への拡散などは、実際にはあまり意味がない[13]。歴史家が取り組もうとする論点の大半は、ビッグ・ヒストリー（数百万年を振り返る）やディープ・ヒストリー（四万年）を通しては提起できない。人新世（アントロポセン）（過去二〇〇年）に始まる見方でさえ、多くの問題の所在を意味のあるかたちでカバーするには大きすぎるだろう。とはいえ、最近数十年と比較すれば、大きな尺度の重要性は増し、いくらかは「長期的持続」が復活するのを目撃することにはなりそうだ。ミクロストーリアと文化史が歴史学のさまざまな分野を数十年にわたって支配してきたが、近年、グローバル・ヒストリーの提起した課題とデジタル化された人文学（デジタル・ヒューマニティーズ）によって歴史学が利用できるようになったビッグ・データのおかげで、時間枠はふたたび伸長している[14]。

どのような主題であれ、異なる時層の導入は、異なる視点をもたらすだろう。どの尺度で、何を説明したいかによって、これらの層は重なり合うこともある。二一世紀初頭における中国の超経済大国化を例にとろう。一九九七年の鄧小平の死後の二〇年だけを見れば、並はずれた経済成長率よりも、資本主義的変化を管理する共産党の能力に驚くだろう。もし時間枠を一九七八年、鄧小平による改革開放路線の開始まで遡らせるならば、続く国富の増大はまぎれもない謎となる。毛沢東以降の中国は、世界の最貧国の一角であり、地球上でもっとも権威主義的な政府のひとつに率いられていた。この時間枠で見れば、企業家のエネルギーが解き放たれることなどおおよそありえない環境だっただろう。歴史家による説明の焦点は、必然的に寡頭政治による決断におかれることになろう。

レンズを過去一〇〇〇年といった大きな時間の幅に調整すると、さらに異なった絵が見えてくる。長期にわたり、とくに一八世紀には、中国の富裕な地域は、世界中で経済的にもっとも生産的な居住地域の中心に属していた。このような点から見れば、中国の現在の成長は新しい始まりというよりは、回帰であるようにも見える。力ある地位という、中国の「通常」への構造的に決定された帰還である。しかし過去一五〇年という中期的な時間枠に注意を払わなければ、画龍点睛を欠く。一八六〇年代以降、帝国主義の浸透による圧力のもと、清朝政府は民間企業の国家管理に基づく経済的近代化戦略を実験した。この、埋め込まれた資本主義の形態は、今日の中国における経路依存性の重要な一要素を示している。そして最終的には一九三〇年代――脆弱な国家制度の時代における、なんの拘束も受けない中国資本主義の黄金期――に民間資本の誕生が見られた[15]。それらはその後、香港や海外在住中国人のもとで生きのび、中国経済に影響を与えつづけている。

中国の現在の台頭は、これらのファクターのどれかひとつだけを根拠とするものではなかった。はるか以前から決定されていたのではなかったが、一連の歴史的環境によって条件づけられていた。どの時間枠も、他のなかでは見えなかった新たな説明の次元をつけくわえる。空間とともに、過去を測ること、あるいは「尺度の戯れ」は、異なる時間性を調停するために最適な、方法論的な道具である。

グローバルな次元は、これらの時間枠のどれにも本質的に接続されているということはない。数世紀あるいはそれ以上にわたるマクロな説明から短期的、決定的瞬間の分析まで、グローバルな視点はどのレベルとも調和しうる。一般的にグローバル・ヒストリーは、何千年にもおよぶ地球の過去とは言わないまでも、ある世紀全体を描くような、長期的研究に結びつけられることがもっとも多い。しかし方法論的にもっと挑戦的で、したがって注意を向けるに値するのは、もっと短い持続の時間枠をともなうアプローチである。そうした研究は、特定の瞬間や短期的なできごと、そしてまさに状況の共時性に焦点を当てる。

## 共時性

地理的には遠く離れた地域で同時代に起こったできごとの共時性への関心は、グローバルなアプローチのトレードマークになった。歴史家たちは境界を超えたできごとやその同時的影響、より一般的には、歴史的アクターたちを突き動かし、また制限する、共時的条件に、注意を払う。こうした注目は、歴史学という学問の従来の関心、すなわち、ものごとの長期的連続性や最初期の起源の探究、伝統の力の残存や過去の「残滓(ざんし)」、経路依存的発展に関する仮定などとは、おどろくほど対照的である。

系譜学的モデルから同時発生的モデルへの転換はなにを意味するのだろうか？　一例として、一九九〇年以降の東アジアにおける第二次世界大戦の記憶をめぐる議論の爆発とでもいうべき現象を見てみよう。この時期の東アジア全体で──各国内でもまた国際的にも──戦争の記憶は記憶の戦争となった。日本のある歴史教科書の出版が日本社会での白熱した議論を生み、ソウルや北京の路上での暴力的な衝突の引き金を引いた。この激しく相争う記憶の爆発は、たいてい、「抑圧されたものの回帰」、何十年にも及ぶ抑圧と忘却ののちの、記憶の活動の自然的といってもよい高まり、あるいは現在に取り憑いたトラウマ的過去の回帰と評される。言い換えれば、系譜学的モデルは過去と現在の関係性、五〇年前に起こったことへの遅れた応答に、強調の力点を置く。

しかし、日本、中国、韓国の記憶の戦争は、現代の、共時的な変容の効果と理解するほうが、ずっと生産的である。別言すれば、一九九〇年代に起こったことへの応答であって、一九三七年、あるいは一九四五年の、遠い効果ではない。このような読みは、記憶ブームを冷戦の終焉と、それに付随する東アジアにおける政治的・経済的変容に位置づける。主として東西の二分法によってフォーマット化されていた冷戦体制の終焉は、政治集団や市民社会のイニシアティブ、そして企業活動の関心を東アジアへと向けることをうながした。こうして東アジアがひとつの地域として形成されてゆくと、記憶の領野には重要な反響がもたらされた。公共の議論におけるパラメーターを転換させたのである。韓国や中国の犠牲者の声は日本で耳を傾けられるようになり、新しい言説的・政治的連携が国境を超えて生まれた。政治的には、過去の解釈がとくに好まれるアリーナとなり、そこでアジアの交流や協力の可能性が交渉された。したがって、この現象は戦争記憶の回帰ではなく、グローバルな地政学的変容と新しい経済交流の構造によって条件づけられた、新しいアジアの公共圏の到来であったのだ[16]。

共時的ファクターと空間における関係性に関心を向けるからといって、歴史の通時的次元を無視することが許されるわけではない。一方で共時的構造の衝撃と、他方で連続性と、どのように交渉するかという問題は、いまもグローバル・ヒストリーの探究にとって決定的に重要な関心事でありつづけている。クリストファー・ヒルはある重要な研究のなかで、国民史の叙述と、その連続性の主張が確立されたまさにその瞬間をとりあげて、この議論をさらに推し進めている。著書『国民史と諸国民の世界』は表向き、一九世紀末のフランス、日本、アメリカ合衆国における国民史というジャンルの誕生の比較分析である。しかしそれは、時代を超越した実体として存在しているようにみえる別個の国や社会を並列させるような、従来の意味での比較ではない。実際のところヒルが挑戦しようとしているのは、厳密にいえば、歴史の独立かつ自明の器としての国民国家というイデオロギーである。これら三つすべての国々で、一八七〇年代はじめ、国際法学者や国家官僚たちが彼らの国民の歴史を再考しはじめた。そして三カ国すべてにおいて、これは大きな社会変動と危機の瞬間ののちに起きた。日本における明治維新、アメリカ合衆国における南北戦争、フランスにおける第二帝政の崩壊とパリ・コミューンである。日本、アメリカ合衆国、フランスは世界ではまったく異なる位置を占め、したがってそれぞれの国民の過去の解釈は、いかなる意味でも同じではなかった。しかしそれらは一九世紀末の全体的潮流をわかちあっていた。国家間関係の発展、国際貿易と資本蓄積の成長、コミュニケーション革命を。ヒルが論ずるように、ひとつのジャンルとしての国民史、ひとつの形式としての国民国家が人をひきつけたのは、まさしくこのようなグローバルな構造のなかでのことである。このような立場において、ヒルの分析は、伝播や帝国主義的抑圧の歴史を強調したり、あるいは国民のルーツをまずもって土着の、共同体と一致する形で存在する伝統に見出そうとしたりする、他の説明とは明らかに異なった道をゆく。

ヒル自身はその研究において、決して通時的次元を忘れているわけではない。三つの国々において、国民に関するそれぞれ非常に独特な観念の形成をうながした政治的・社会的変化を、ヒルは数え上げている。同時性だけに焦点を絞ることは誤解を生むだろう。しかし連続性だけでも――これこそほとんどの歴史家が賭け金をおいてきたところなのだが――同じく問題だ。ヒルにとって国民の通時的変化という虚構は、実際に動いているメカニズムをイデオロギー的に翻訳したものであった。そうではなく、近代国家の「国民史的空間」は諸国民によって構成される近代世界システムの発展の内部で構築されたのであり、国民史の前史は、ただあとから、系譜学的に登場するしかないとヒルは論じる。ヒルはこれを、「意識と価値を創造した共時的条件が、国民の誕生の通時的ナラティヴへと翻訳された。この翻訳の結果、世界市場と国民国家を単位とする国際システムのなかの一項として国民国家を構成した構造的条件が、国民的に境界づけられた歴史的プロセスの結果のように見えるのである[17]」と表現した。

できごとの共時的配置への視野狭窄的な関心にかられて、多くの歴史家たちが、非常に限定された「瞬間」と時間の断片に注目するようになった。このアプローチによく見られるのは、ある特定の年の研究である――一六八八年の、一八〇〇年の、一九七九年のグローバル・ヒストリーといったように、そこではあらゆる種類のできごとが、大きな議論に位置づけられることも因果関係を考えられることもなく隣り合わせに並置される。このアプローチを実践しているある歴史家はこう述べる。「世界を粗描しようとする歴史家は、なんらかのスタイルや問いに閉じこもることなく、勘にしたがい、ひとつのことが次のことへと導くにまかせる。〔中略〕彼はシステムを避けようとし、人の生きる条件の、境界で区切られることのない多様性、輝き、奇妙さを反映しようとする[18]」。

伝統的ではないやり方を好むひとたちや、分析的傾向をより強くもつ歴史家にとっては、「グローバルな瞬間」という観念はより魅力的に映った。歴史上の目立ったできごと――二〇〇一年九月一一日、一九八九年の激変や一九六八年の抗議運動、一九二九年のウォール街大暴落、一九〇五年のロシアに対する日本の勝利、あるいは一八八三年のインドネシア・クラカタウ火山の噴火(歴史家が史上初のグローバルなメディア・イベントと呼んだ)――が、グローバルな瞬間として理解された。それらのできごとは、きわめて異なった、ときには矛盾するような仕方で受けとめられたが、にもかかわらず参照点としてグローバルに理解され、利用されたのであった。

この分野の象徴的かつ多くの議論を呼んだ研究、エレズ・マネラの『ウィルソニアン・モーメント』が、このようなアプローチ、またより一般的には共時性への注目がどのような利点をもち、またどのような代価を必要とする可能性があるか、より鮮明に理解する助けになるかもしれない。マネラの説明は、一九一九年春から始まる。このとき異なるさまざまな場所で、帝国秩序に対する民族主義者たちの蜂起がほぼ同時に、しかし見たところ互いにまったく無関係に勃発した。三月一日、朝鮮は一九一〇年来そこを支配していた日本の植民地権力に対する最大の反乱を経験した。エジプトではやはり三月に、あらゆる階層に属するひとびとが路上にあふれ、イギリスの支配に対して抵抗のデモを行った。これに続いて起こった激しい衝突は「一九一九年革命」として知られるようになった。インドでは民族主義運動の抗議が次第に増加し、イギリスの暴力的な応答を惹起した。それは四月一三日、約四〇〇人の非武装の市民の命を奪ったアムリットサルの虐殺で頂点に達する。中国では五月四日の大蜂起が、西洋近代をモデルとする文化的刷新と、アジアにおける帝国秩序の拒否をめざした新文化運動の最高潮を画した[19]。

これら四つの事件はよく知られているだけでなく、それぞれの歴史叙述におけるアイコン的な瞬間であり、国民的な記憶の文化の鍵となるできごとである。四つの事例のすべてが、すでに充実した、実に広範囲におよぶ歴史記述を刺激し、生み出してきた。にもかかわらずマネラがこれらの主題になにか新しいものをつけくわえることができるとすれば、それは彼が、新しい視点からそれらにアプローチしているからである。彼の目的は、よりひろい国際的な文脈を参照することによってこれらのできごとの同時発生性を説明すること、そして第一次世界大戦終結後の国際秩序の変容にそれを関連づけることである。

したがって、議論されている四つの事例は、たんに並列されるのではない。マネラは古典的な比較を超えてゆく。また、朝鮮とインド、中国、エジプトの直接の関係に焦点を当てるのでもない。従来の移転の歴史のアプローチとも異なる。ここでは、事例研究は、ひとつの共通の参照点との関係において位置づけられる。アメリカ大統領ウィルソンによる民族自決権の宣言である。ウィルソンのキャッチフレーズは、ウィルソンを植民地主義のくびきからの解放のアイコンに仕立てあげるメディアのキャンペーンとプロパガンダ装置によってすばやく採用され、喧伝された。しかし、ヴェルサイユ条約による第一次世界大戦の講和が民族自決という高尚な願いに応えるものではないことが明らかになったとき、高揚感は一転深い失望へと変わり、その後、民族主義的抗議運動の暴力的な噴出の触媒となった。

このように、共時性への力点は見えなかったものを見えるようにする意義をもつが、このような分析は代価もともなう。問題は、共時性と連続性、グローバルな瞬間と、それぞれのできごとのもつ異なる前史との関係である。実際、ウィルソンの世界的インパクトに熱中する一方、同書はこれら四つの事例の、長い別個の伝統にはほとんど注意を払わない。もちろん著者は、ウィルソンが現れて民族主義運動に力を与えなければ、それらが棚ざらしのままになる運命だったとは考えていない。しかし、ウィルソニアン・モーメントを「反植民地主義ナショナリズムの国際的起源」と同一視している副題は、実際以上に強力な因果関係を示唆している。

共時的文脈に注意を向けることは、目を開かせる力をもっている。できごとを境界を超えて他のできごとに結びつけ、空間における絡み合いに視野をひろげる。グローバルな文脈に焦点を当てることで、従来のナショナルな枠組みのなかでは見えなかったできごとの同時発生性を説明することができる。くわえてこのアプローチは、研究対象となっている社会や地域性を超えて、あるいは横断して働く因果関係のファクターについて歴史家を敏感にさせる。しかし全体の絵を描くためには、より深い歴史的視点も不可欠である——たとえ、その前史が重要になるのは、その後の交錯によるものだとしても。連続性という仮構と「瞬間」のもたらす明るい見込みのあいだを舵取りし、系譜学と共時的文脈との折り合いをつけること、それはいかなるグローバル・ヒストリーにとっても、必ず要求される課題のひとつである。

## 尺度、行為主体性、責任

本章を終えるにあたり、尺度の問題に簡潔に立ち返ってみよう。ここまで述べてきたことから、あらゆる歴史的な問いには、特権的な時間枠はないことは明らかである——すべての主題、すべての関心に申し分なく当てはまる空間的実体が存在しないのと同様に。どの課題にも、それぞれ自身の時間的・空間的秩序が要請される。これは技術的、方法論的課題以上の問題だ。グローバル・ヒストリーにおいて適切な尺度を選ぶことは、歴史においてなにが主要な力でありアクターであると考えるかについての、重要な選択をつねに含んでいる。言い換えれば、尺度の選択は、つねに規範的含意をもつのである。

ナチス・ドイツの事例を考えてみよう。特定の瞬間や短い時間枠にズームすると、私的な決断や個人の行為主体性が表舞台に現れる。一九三三年のヴァイマル共和国の最後の数週間の研究、あるいは一九四二年のヴァンゼー会議と、そこでなされたヨーロッパ・ユダヤ人の殺害の決断に関する検討では、個々人の選択肢の幅と、その後の展開が取りえたかもしれないさまざまな方向性が強調されるだろう。時間枠をひろげれば、個人の説明責任の代わりに、より多くの匿名のファクターがただちに分析的重要性を獲得するだろう。一九世紀あるいはそれ以前からのドイツにおける反セム主義の役割、あるいは歴史家によってはルターまで遡る権威主義的傾向を考慮に入れるために非常に長い視点をとった場合、クローズアップでは偶発的に見えるものが、大きな、止めることのできないようにすら見えるプロセスへと解消されるかもしれない[20]。

空間的尺度を考える際も同様である。家族や小さな町といったミクロな研究は、個々人やその関心、決断に焦点を合わせることを可能にする。地域の学校の教師がどのようにユダヤ系の子どもたちを扱ったか、生徒たちに親について尋ねるとき、何がその教師の動機だったのか、などである。ナショナルなレベルに規模を拡大すれば、他のアクターが現れ、より大きな力が支配しはじめる。焦点は党エリートや官僚制内部の諸集団の競合、制度の論理など、多くの歴史家が、重要な、しばしば運命を決するようなものとなった展開に責任があると今のところ考えている要素に移行するだろう。しかし、もしグローバルな文脈に目を転じれば、重要な問題は異なった順番になる。大恐慌の影響、ヴェルサイユ条約以後の国際秩序の変容、共産主義と自由資本主義のあいだの第三の道を探すグローバルな動き、地域経済ブロックやアウタルキーの追求、人種主義言説のヘゲモニー。こうした集合的なレベルでは、個人の行為主体性は背景にしりぞき、責任の問題は構造的なファクターと総合的な因果関係の分析へと道をゆずる。ミクロな研究では責め（あるいは褒めたたえ）られる諸個人は、ナショナルな歴史においては政治エリートの犠牲者として、グローバルな視野においては大きな構造的変容にもてあそばれる存在として現れるだろう。

このことはグローバル・ヒストリーが個人を無視している、あるいは説明責任を意図的に避けている、また匿名のフローや非人格的な構造、循環のメタファーの背後に身を隠しているといった批判を呼んだ。よりひろい範囲での展開を説明し、異なる地域における歴史的経験をつなぐ解釈へと到達するための努力のなかで、歴史家たちはときに、人間の行為主体性を排除する傾向をもつ分析的カテゴリーを選ぶ。ではグローバル・ヒストリーとは、ひとびとを無視した歴史の一形態なのだろうか？あるレベルにおいては、これは歴史家の語りのスタイルによる。グローバルな概観がナショナル・ヒストリーよりも魅力的であるべきではないという理由はなにもない。ある国民の歴史に関するマクロな説明が個人の行為主体性の決定的な役割に留意した彩り豊かなものでありうるなら、グローバル・ヒストリーにもそれは可能である。

しかし、因果関係の少なくとも一部をグローバルなレベルに求めることによって、グローバル・ヒストリーの歴史家は責任の問題をより二義的なものに近づけているように見えるのかもしれない。これはある程度までは、長期的系譜とその内部における時間的連続性よりも、空間における共時的ファクターを強調するという、グローバルなアプローチに特徴的な方法論的な選択の効果である。内発論的な語りから逃れようとするのは健全なことだが、それが地上の行為主体を軽視するという代償を払うことになるとすればどうだろうか。ホロコーストが同時代のグローバルな諸力によってある程度説明されうるなら、それはナチスの犯罪者たちの罪を相対化することにならないだろうか？　過度な文脈化――ローカルなアクターに対するグローバルなファクターの特権化――は、説明責任、そして罪の問題を外在化させてしまうかもしれない。クローズアップで見れば偶然であるように見えるものが、グローバルな視点では不可避の運命であるような空気をもたらしてしまうかもしれない。尺度が大きくなれば、偶発性や個人の行為主体性は小さくなる――時間枠が大きくなればなお一層そうなる。「私の説明図式は必然性に基づく」と、ビッグ・ヒストリーの歴史家フレッド・スピアーは認めている[21]。

この潮流に抗おうと、多くの歴史家は反対のことを強調し、必然であるという印象を偶然のレトリックに置き換えようとした。歴史をローカルに見る利点を讃え、生きた歴史的現実は、マクロな視点が見せるよりもずっとごちゃごちゃし、断片化されていると主張する。くわえて彼らは、既存の語りの目的論的な仮定にも異議を唱える。「偶発性」にきわめて高い分析的な役割を与えたよい事例は、西洋の台頭に関する議論である。前の世代の歴史家はこれを所与の、ほとんど自然な発展として扱っていた。いま、この分野の重要なテクストは、歴史的展開の特異性や予測不可能な性質を強調することによって、西洋の台頭を自然化するようなメタナラティブを疑問視し、相対化している。「システムを東方にではなく、西方にとって有利に改変する歴史的必然性は、本来なかった」とジャネット・アブー＝ルゴドは一三世紀に関する思索のなかで主張している[22]。別の歴史家たちは一八世紀後半以来のイギリスと中国のあいだの「大分岐」、工業の発展によって生まれた格差を、「偶然の幸運」、「地理上の好運」の結果と見なした。この読みにおいては、ヨーロッパは、「幸運な変わり種」以外の何者でもない。[23]

必然性対偶発性。どちらの尺度もそれぞれのイデオロギーをもっている。このよい一例は、最近の人新世――産業革命と、地質営力〔地質学的現象の原因となるさまざまな力〕としての人類の到来以来の時代に関する議論に見られる緊張関係である。地球の歴史上初めて、ひとつの種が、惑星上の生物の根本的条件を変更する力を得ている。結果として、科学者と同好の歴史家たちは、超長期的視点をとることを主張した。人類史より長い地球の自然史のなかに人新世を位置づけないかぎり、気候変動の中心的な行為主体としての人類の衝撃を理解することはできないと彼らは主張している。このような古生物学的視点は、何十万年という巨大な時間枠のおかげでもっともらしく見えるし、環境保護の緊急性を示しており、問題発見的で啓蒙的である。しかし、巨大な時間枠は否定しがたい長所をもつものの、特有の近視眼的知見をも生む。この場合、種全体に焦点を当てることで、環境に被害を与えた集団や個人とそうでないもの、気候変動から利益を得るひとびととその被害者とを、区別することができなくなる。「種」や、大きな時間枠をとったカテゴリーは、重要で不可欠な知見をもたらす一方、それだけでは、私たちは歴史上の、また現在の、責任に関わる問いを提起できなくなる。近代社会において資本主義的・産業的変化を促進し、オルタナティブな社会の展望や、人間と自然の関係のオルタナティブな構想の可能性に対して開発主義的な計画を押しつけるような集団の利害や権力関係を視野から隠す。大きな尺度で作業することが、差異化されない「人類」として表されるもののなかにある社会的緊張をごまかしてしまうかもしれない。私たちを取り囲む世界にインパクトを与え、環境変化の問題を追究するにあたっては批判的に扱われるべき諸力――資本主義や帝国主義のような――も見えなくなってしまう。[24]

ビッグ・ヒストリーの支持者たちが、科学に似た形の歴史学の創造を目指し、化学や物理学の法則と同様の「歴史の法則」を定立しようとさえしている一方、多くの歴史家たちは非均質性、偶発性、断片性を強調する。しかしなすべきは、どちらを選択するかではなく、複数の尺度とそれぞれの解釈上の主張のバランスをとることである。異なった時間的・空間的な分析のレベルを扱うなかで、このような構造と行為主体性、必然性と偶発性の二分法ののりこえを試みることができる。マクロレベルにおける総合的な因果関係も、ミクロレベルにおける個人の行為主体性も、どちらも全体像を描くために必要な、正当な視角である。

ここで挙げた事例に戻れば、一九三〇年代には、ヨーロッパの真ん中にあった社会がグローバルな変容の影響とその結果として生まれたファシズムの誘惑に対して免疫をもっているなどほとんどありえなかった。しかしこれで物語は終わりではなかった。構造的変容がおよぼしたとてつもない圧力にもかかわらず、社会全体(たとえばスイス)が、あるいはドイツ内部の諸個人(それはたとえば私たちの学校の先生であったかもしれない)が、異なる方向へ向かう決断をする可能性もあった。したがって重要なのは、グローバルな構造は人の活動を形づくるが、同様に人の活動がグローバルな構造を形づくりもすることを忘れないことである。グローバルな構造は、構造化のプロセスの結果にすぎない。ひとびとが活動する条件を与えはするが、集団や個人の行動の選択を、最終的に決するものではない。[25]

# 第8章　ポジショナリティと中心化アプローチ

世界とはどこに位置づけられるのだろうか。世界の歴史を書くとき、歴史家はどこに立っているのだろうか。グローバル・ヒストリーの歴史家は、偏狭な、ナショナルな視野を乗り越え、私心のない客観性に到達することができるのだろうか。いくつかの、グローバル・ヒストリーのおきまりの綱領は、実際にグローバルなアプローチによって、世界の外から世界の全体像を見ることのできるようなアルキメデスの視点を達成しうるとしている。「世界中のひとびとが受け入れることのできる、文化超越的な歴史叙述[1]」に到達すると予見しているのである。

しかしこれは幻想だ。グローバル・ヒストリーは真空状態で描かれるわけではない。世界全体の歴史をカバーする歴史家であっても、彼ら自身の生活世界に組み込まれた特定の場所からものごとを見て、ある特別な時間において書くのである。関心を国民史から世界に移動させることで現在のさまざまな衝突から逃れられるという提案は誤解を招く。今日でもなお、国民国家という制度の文脈は、理論的解釈や歴史的発展のナラティブを形づくる際に決定的な役割を果たしつづけている[2]。世界の歴史についてのほとんどの説明はあたかも自明であるかのような仮定によって枠組みを与えられ、価値判断と意味のヒエラルキーに基づいている。したがってそれらは、世界あるいは「人類」の立場から語ることを意図しているときでさえ、根本的にはなんらかの形で、ある地域を「中心化」している。この章では、グローバル・ヒストリーの実践において暗黙のうちに内在するポジショナリティが含意するものを考えよう。

歴史の解釈を形成するさまざまな「中心主義」のなかでも、ヨーロッパ中心主義は過去二世紀にわたって支配的でありつづけてきた。グローバル・ヒストリーは一般的には世界のヨーロッパ中心主義的な見方を超えようという野心と結びついているので、ここが私たちにとっての出発点になるだろう。グローバル・ヒストリーは、世界史というかつてのジャンルに典型的な、「西洋の台頭」にせまく焦点を絞ったナラティブを超越すると請け合っている。しかしこれは厳密にはなにを意味しているのだろうか。一九世紀および二〇世紀の欧米のヘゲモニーを強調することがヨーロッパ中心主義なのか。反対に、宋代中国の知的洗練を強調すれば、自動的に中華思想(シノセントリズム)になるのだろうか。社会科学の術語を、それがもともとヨーロッパで生み出されたからといって、捨て去る必要があるのだろうか？

今日私たちが直面している危機における挑戦は次のことである。すなわち、私たちはいかにして、ヨーロッパ中心主義を乗り越え、土着主義や他の形態の中心主義の罠に陥ることなく、歴史を書く複数の位置を認めることができるだろうか？　本章は、ポジショナリティと中心化アプローチとのあいだにある緊張関係に取り組む。一方で、過去を解釈しようとすれば、否応なくポジショナリティが発生する──歴史を単一のナラティブに落とし込みたくないと考えるならば、私たちは視点の複数性を考慮する必要がある。他方、異なる社会の基盤にある文化的資源は根源的に異なっているので、特殊性と独自性の強調は比較することも、たがいに理解し合うこともできないという主張へと、容易に身を委ねることにつながる。実際、以下に見るように、ヨーロッパ中心主義から脱却したいという近年の欲求は、世界のさまざまな場所でさまざまな中心主義がはびこることにつながった。最後に、ポジショナリティを文化の問題ととらえる理解を超えることを訴えて、本章は閉じられるだろう。

## ヨーロッパ中心主義

ヨーロッパ中心主義をめぐる議論は、歴史研究の分野の基礎的な方法論・認識論の問題に関わる論争である。しかし多くの事例で、この問題のふたつの次元が混同されているのに出会う。一方で、ひとつの視点、解釈のひとつのパターンとしてのヨーロッパ中心主義がある。他方には、とくに最近の歴史においてヨーロッパが果たした支配的な役割の評価への挑戦がある。双方の次元は密接に関わり合っているが、問題発見的な目的からは、ふたつを区別するほうがわかりやすい。したがって以降では、(視点としての)ヨーロッパ中心主義と歴史上のいくつかの時代におけるヨーロッパ中心性とを区別しよう。

ヨーロッパ中心主義(という視点)はさまざまな装いで、異なるさまざまな形をとって現れる[3]。議論を円滑にするために、ヨーロッパ中心主義的思考をさらにふたつの主要な潮流に区分するとよいだろう。第一は、ヨーロッパが歴史的進歩の主要な起源であり、世界を近代へと本質的に駆り立てたのはヨーロッパであったという観念からなる(原動力としてのヨーロッパモデル)。第二の、概念的ヨーロッパ中心主義は、歴史家が過去を理解するときに用いる規範、概念、ナラティブに関連する。それらは、ヨーロッパが主題でないときでさえ、ヨーロッパ中心主義的でありうる。以下、三つの段階にわけて、順番に議論を進めよう。まず原動力としてのヨーロッパモデルとその克服の試み。つづいてヨーロッパ中心主義とヨーロッパ中心性の関係。そして概念的ヨーロッパ中心主義である。

ではまず、ヨーロッパを原動力として世界の歴史を説明するモデルから始めよう。ロバート・マークスはヨーロッパ中心主義のこのタイプの現れの大前提をつぎのように要約した。「世界のヨーロッパ中心主義的な見方は、ヨーロッパを世界史の唯一の積極的な形成者と見なす。世界史の〈水源〉といってもよい。ヨーロッパが行動し、世界の他の部分が呼応する。ヨーロッパは〈行為主体性〉をもち、世界の他の部分は受動的である。ヨーロッパは歴史をつくり、世界の他の部分は、ヨーロッパと接触するまで、なにももたない。ヨーロッパは中心であり、世界の他の部分はその周辺である。ヨーロッパ人だけが変化や近代化を開始する能力をもつが、世界の他の部分はそうではない[4]」。

古い世界史のほとんどが、この原動力としてのヨーロッパ・モデルという特徴をもっていた[5]。この観念は近年ではさまざまな点で挑戦を受けている。もっとも一般的なレベルでは、古代ギリシャからフランス革命までの、狭義のヨーロッパの軌跡が世界の歴史の全体像を当然のように表象していると仮定するのではなく、より包括的で、地理的にもバランスのとれたナラティブを目指す、広範な努力がある。地理的公正性を目指すこうした探究の初期の一例は、アーノルド・トインビーの『歴史の研究』全一二巻(一九三四〜六一年)である。イングランドに割り当てられた紙幅がエジプトの六分の一にしかならないと批判されたトインビーはこう反駁(はんばく)した。「エジプトの六分の一ものスペースをイギリスに与えることは不合理であり、私がそのようなことをした理由を説明し得るものは、私がイギリス人であるということ以外にはない。それが不合理であるのは、正しい比率は六分の一ではなくて、殆ど六〇分の一に近いであろうからである[6]」。近年のグローバル・ヒストリーも、同じように、より釣り合いのとれたページ配分をするようになっている。アフリカと東南アジアにより多くの紙幅が割かれ、全体としてはより包括的な叙述に向かっている。

これと関連して、反ヨーロッパ中心主義アプローチが目指すねらいのひとつは、ある地域の歴史を、西洋とのつながりを示すことで表そうとする強迫観念から解放することである。「グローバルな相互連関性」をヨーロッパとの関係と同一視してきた従来の研究に対し、近年はある地域における他の地域とのすべての接触を探究するようになっている。植民地化以前の南アジアを例にとってみよう。この地域は、インド亜大陸南東部のコロマンデルと南西部のマラバール沿岸、グジャラート、そしてなによりインド洋全体にひろがる緊密なネットワークによって形成されていた。仏教とサンスクリット語の普及を通じて、この地域は経済的にも文化的にも、アフリカやアラブ世界、東南アジアとの強い絆を維持した。これら初期の接続を軽んじ、いわゆる植民地主義がインドを停滞から解放し、世界に向けて開いたということにのみ焦点を絞るやり方には、狭いヨーロッパ中心主義的な「世界」観が働いている。ヴィネイ・ラルは、このようなヨーロッパ中心主義的な説明は紛れもなく「世界史から「世界」を撤退させる」ことになるだろうと警告した[7]。同じように、中国、朝鮮、日本などに適用される「開国」というレトリックは、西洋以外の世界との一定の接続を無視して、欧米との関係の開始を目立たせるために典型的に用いられる表現である[8]。

歴史家たちはこの批判に応えて、古い世界史の目的論的な軌跡に挑戦するようになった。欧米のグローバルなヘゲモニーが一九世紀初めより以前に存在したと述べることは不可能であると彼らは論じる。ヨーロッパ、そして西洋は、それ自体だけで成り立っていたことは一度もない。これまでヨーロッパの達成と数えられてきたものは、さまざまな相互作用や複雑なフローがヨーロッパやアメリカの権力が集中するさまざまな場所で合流し、その結果生じたものであって、必ずしも欧米で生まれたものではないことを近年の研究は証明している[9]。

このことは、ヨーロッパ中心主義とヨーロッパ中心性の関係という、第二の問題に私たちの目を向

なヒエラルキーと、歴史的プロセスの一部での欧米の支配的な役割を指摘することは、それ自体としてはヨーロッパ中心主義的ではない。しかし同時に、ふたつの次元(プロセスと視点)を完全に分離することはできないのもたしかである。ヨーロッパによるみずからの台頭の物語を保証し、ヨーロッパ中心主義的なナラティブを一見客観的な説明に変えたのは、まごうことなくその地政学的権力であった。

したがって、私たちは第三の局面、概念的ヨーロッパ中心主義の探究に進もう。このレベルにおけるヨーロッパ中心主義とは、過去に関する概念、価値観、年代記のある特殊な組み合わせの投影を意味する。ディペシュ・チャクラバルティは次のように論じている。「学術的な歴史言説――すなわち、大学という制度的な場で産出された言説としての「歴史」――に関するかぎり、「ヨーロッパ」は、私たちがインド史、中国史、ケニア史等々と呼ぶところのものも含むすべての歴史の、至高の理論的主題でありつづけている。これら、ヨーロッパ以外のすべての歴史が、「ヨーロッパの歴史」と呼ばれるべきマスター・ナラティブの単なる変奏になってしまう、奇妙な現象がある[11]」。

皮肉なことに、ヨーロッパの歴史的影響をかっこに入れ、その代わりに土着の力学と軌跡を強調しようとする説明でさえ、その語彙や全体的な論理においてはヨーロッパ中心主義的になりうる。たとえば、鄭和の指揮する中国船団が〔ヨーロッパに先立つ〕一四二一年にカリフォルニアに、一四三四年にフィレンツェに到達したことを扱って人気を博している本などは、近代への足がかりとして伝統的なヨーロッパ中心主義と同じできごと――すなわち両アメリカ大陸の「発見」やルネサンス――を措定し、ただそれらを中国に帰しているだけである[12]。学問的な仕事のなかでは、アンドレ・グンダー・フランクの『リオリエント』が、すでにタイトルからしてヨーロッパ中心主義から中華思想への威勢のい移行を示している。歴史のなかのヨーロッパの優勢を短い幕間のできごとへと格下げするフランクの説明は、市場、交易、経済成長といった、オーソドックスなヨーロッパ中心主義を支配してきたパラメーターに同じく基づいている[13]。これはたんなる裏返しであって、下敷きになっている概念や歴史的ナラティブへの根底からの挑戦をともなうものではない。

そうなってしまう本質的な理由は、ヨーロッパで生まれた近代的な学問分野がすぐに世界中で採用されたからだ。一九世紀全般にかけて、グローバルな統合と西洋のヘゲモニーの圧力の下、ヨーロッパの諸学問分野のパラメーターと概念が、それらがもともと考案された社会を超えて覇権的な地位を得た。ヨーロッパ史はアルゼンチンや南アフリカ、インドやヴェトナムといった場所で普遍的発展のモデルとして扱われた。この見方は近代の社会科学の概念ツールに深く染み込んでいるので、つねに、しばしば無意識のうちに、反復され再生産される。「国民」「革命」「社会」「文明」といった表面的には分析的な用語は、局地的な〔ヨーロッパの〕経験を、あらゆる地域の過去の解釈をあらかじめ構造化する〔普遍的〕理論へと変容させた。チャクラバルティはこのロジックをこう要約する。「理論的には、ヨーロッパだけが〔中略〕認識の対象となりうる。他のすべての歴史は、実のところは「ヨーロッパ」でしかない理論の骨組みに肉づけするための実証研究にすぎない[14]」。歴史叙述の実践において、ヨーロッパの術語体系と、その基盤にあるヨーロッパにおいて／のために発展した歴史の哲学を使用することは、封建制から市民社会へ、伝統から近代への長い進歩というナラティブを生むにいたった。非西洋諸社会の歴史的な差異や固有の軌跡はきまって、欠如や失敗という言語や、「いまだ」という修辞で描き出され、不足として扱われる。

もちろん、ここで暗に示されている「ヨーロッパ」は、地理的現実というよりは想像の産物であった。非対称な地政学的権力に貫かれ、希望と恐怖を背負って具象化された、ひとつのカテゴリーであった。ヨーロッパは決して均質な実体ではなく、実際にはきわめて異種混淆的な存在であるという現実も、概念としてのヨーロッパの魅力を減じさせることにはならなかった。実際、ヨーロッパ中心主義のヒエラルキーはヨーロッパの内部——たとえば受け身で後進的に見える東ヨーロッパに対しても適用された。[15] こうして、ヨーロッパの一部を除外しつつ、ヨーロッパ中心主義は一九世紀後半以降拡大し、アメリカ合衆国をも包摂するにいたった。それゆえ、より正確にはヨーロッパ中心主義ではなく、「欧米的歴史主義認識論」と呼ぶべきかもしれない。[16]

グローバル・ヒストリーをヨーロッパ中心主義のマスター・ナラティブから解放するのは、いまなお複雑な認識論的・方法論的課題である。それはまた、政治的な問題でもある。世界史におけるヨーロッパ（とアメリカ合衆国）の役割のたんなる再評価にとどまらない、明らかにより大きく複雑な課題である。かつてヨーロッパで生み出され、そして今日では「普遍化された」諸概念は世界の多くの場所ですでに長い歴史を有し、西洋における進行に沿った近代化のナラティブは、多くの制度環境に確固として埋め込まれているからである。

ヨーロッパ中心主義的視点を克服する探究において、歴史家たちはふたつの主要な道を追いかけてきた。ひとつは、歴史記述のポジショナリティを強調すること、そして、この目的を念頭においたうえで、異なるさまざまな位置から解釈を発し、多様化を進めることである。本章の後半では、このポジショナリティの問題を、その発生と、土着主義的思考や異なる中心主義の諸形態への移行とともに論じよう。第二の、概念と術語体系の問題については、次章で扱う。

## ポジショナリティ

ヨーロッパ中心主義の是正として、グローバル・ヒストリーの擁護者たちは歴史的視点のポジショナリティを強調してきた。彼らが依拠するのは、ポストコロニアル・スタディーズの分野で生成された批評と、中立的な観察の地点という虚構の乗り越えの要請である。コロンビアの哲学者サンチャゴ・カストロ・ゴメスのことばを借りれば「ゼロ地点の傲慢」は、知の形成の枠組みをなす権力関係を覆い隠す。ゆえにポストコロニアルの学者たちはデカルトの格言(我思う、ゆえに我あり)をひっくりかえすよう求めた。「存在の前に思考があると仮定するのではなく、あらかじめ地理―歴史的にしるしづけられた空間のなかの人種的にしるしづけられた身体が、衝動を感じたり、あるいは語れという呼びかけを聞いたりすると仮定するべきである[17]」。

歴史叙述の他のすべての形式と同様に、グローバル・ヒストリーもそれが生まれた条件と、それが書かれる特定の社会的文脈に一定の影響を受ける。研究対象が世界であったとしても、それによって世界中で均一な解釈が受け入れられ、そのうえ理解されるというわけではない。セルビアの歴史家とフランスの歴史家は第一次世界大戦の勃発について相争う見方をするであろう(実際そうである)ように、世界史の表象も、ときに根本の部分で異なっている。焦点を向けられる主題において、省略されるものにおいて、そして扱うできごとの解釈において。それぞれの問題(たとえば奴隷制といった)の意味は、アンゴラやナイジェリアから見るのか、ブラジルやキューバから見るのか、フランスやイングランドから見るのかによって、根本的に変化する。その主題に関連する「世界」をなにが構成するかという認識も、異なる社会や国民を通じて同じであるとはいえない。

その結果、グローバル・ヒストリーの実践者のなかには、グローバル・ヒストリーを視点の多様化や、歴史叙述の合唱に声をつけ加える——中国の世界史、ズールーの世界史、アボリジナルの世界史といった具合に——ことによる解釈の幅の拡大と同一視する者も現れた。歴史叙述の多様化によってグローバル・ヒストリーが訴えようとすることのひとつは、これまで無視されてきた場所からひとびとを力づけ、彼らが過去について権利を主張することを可能にすることであった。

もちろん、私たちは差異を大げさにいうべきではないし、なにかエキゾチックなものからオルタナティブな視点が出てくると考えるべきではない。歴史研究はいまやトランスナショナルな現象であって、その課題や方法論の諸学派、解釈のモードは、境界を超えてすばやくひろがる。歴史家たちのトランスナショナルな対話は、かつてはそれぞれを特徴づけていた多くの個性を均質化させた。そのうえ、たがいに、そしてだれに対しても広げられた歓迎の抱擁——「世界中のすべてのひとびとによって書かれたら、世界の過去はどのように変わるだろう？」——は、それ自体なんの問題もないというわけではない。[18] すべてを包括せよという要求はしばしば、かつての一方的な世界史の不公平を埋め合わせたいという欲望、あるいは、過去の不正義や人間の苦しみを贖わねばならないという衝動に駆られていることがある。最悪の場合、その結果は、たんなる償いの歴史学になるだろう。くわえて、歴史家はたいてい彼ら自身ではなく、より大きな集団に代わって語るものなので、代表性の問題も考慮しなければならない。最後に、規範的な領域の問題として、「現地」の声に配慮することが——ナチの加害者を思ってみればよい——、当然のように解放的であるわけではない。

にもかかわらず、世界の見方の複数性——歴史的アクターから見た場合も、今日の歴史家から見た場合も——を認識することは、重要な進展である。実践的なレベルでは、歴史家たちはそれによって、異なる複数のアクターの行為主体性と認識を自覚し、それらを包括するよううながされる。そうして、植民地の歴史を植民者の物語に限定せず、宣教の出会いを宣教師たちの見方に限定せず、境界紛争の研究をどちらか一方に限定しないようにするのである。グローバル・ヒストリーという分野のもつ全体性にとっては、多くの競合する、ときにはたがいに排除しあうような、グローバルな過去の読みが共存することを認める必要がある。

グローバルな学問分野へと変態していないという意味では、歴史は自然科学とはまったく違う。歴史はいまも、ローカルの、国民国家の、そして地域の布置関係に強く影響されている。また国家の諸制度と公的記憶の近接性によって、これらのローカルな要素は過去についての研究に影響をおよぼしつづけるだろう。異なる解釈間の競合は将来より一層激しくなるかもしれない。したがってグローバル・ヒストリーを書くことは、本質的に多様な努力でありつづける。ドミニク・ザクセンマイアーはその教育的な事例研究において、アメリカ合衆国、中国、ドイツを例として、実践者たちのあらゆるトランスナショナルな願望にもかかわらず、グローバル・ヒストリーは変わることなくナショナルなパラメーターや制度設計、文化的／政治的関心と結びついていることを示した。これらの文脈は、規範的のみならず概念的にも異なる歴史叙述を生み出す。「グローバリゼーション」、「近代」、「歴史」といった一般的な術語さえ、場所が異なれば異なる意味を負わされる[19]。より多くの事例を含めば含むほど、世界の過去への視点の非均質性はより顕著になるだろう。これらすべての視点が、同じ重さ、同じ牽引力、同じ妥当性をもつわけではない。しかしなお、このことは、グローバル・ヒストリーがある意味で「究極的には、世界についての異なるさまざまな概念化、そしてまた過去についての異なるさまざまな理解の仕方の説明としての歴史叙述としてのみ書かれうる」ことを意味する[20]。

　ここから、従来は周縁化されてきた視点の回復と、それらの視点から歴史を叙述する権利を認めようとする動きが生まれた。そうした多くの試みのひとつとして、アフリカの例をかんたんに見てみよう。他の場所と同様に、〔歴史叙述に対する〕反ヨーロッパ中心主義的介入は一九世紀に遡る。初期のフレデリック・ダグラスやエドワード・ウィルモット・ブライデン、後にはW・E・B・デュボイスなどの思想家がその代表である。デュボイスの『世界とアフリカ——世界史においてアフリカが果たした役割の検討』（一九四六年）は初期の古典だ[21]。脱植民地化の時代、世界史のアリーナにおけるアフリカの周辺的な地位についての嘆きは次第に大きくなっていった。歴史家たちはアファーマティブ・アクションを求めた——アフリカ人の役割に、初期のアフリカの帝国に、アフリカ大陸における文明的達成に。しかし彼らの批判はより理論的な問題も提起した。マーティン・バナール、ヴァレンティン・ムディンベ、ポール・ギルロイらのような研究者たちは、彼らがアフリカの周縁化の根本に見たヨーロッパ中心主義に本質的に挑戦するために、オルタナティブな認識の方法を包摂するよう力強く主張した[22]。

　しかしながら、「オルタナティブ」はどのようにオルタナティブなのだろうか。差異は共約不可能性と翻訳されるのだろうか？　「地理的公正」の探求において、歴史家たちは困難な「純粋にアフリカ的なナラティブを発見するという任務」[23]に乗り出していった。しかし何世紀にもわたる大西洋—インド洋間の緊密な交換を経てもなお「純粋にアフリカ的」と名づけられるなにかがあることに疑いを抱く者がいたとしても、おかしくはないだろう。もちろん同じことが、純粋さを求めるいかなる要求——フランス的、トルコ的、ロシア的、あるいはコロンビア的であっても——についてもいえる。より一般的にいえば、ポジショナリティの認識と文化的特異性の主張とのあいだには、しばしば、ごく細い線しかない。私たちの関心を、それぞれの歴史家のもつ文化的・社会的な暗黙の前提に向けることは、過去についての解釈に影響を与えている立ち位置を理解することに役立つだろう。しかし、根源的にオルタナティブな見方——歴史に対するアボリジナル的、ネイティブ・アメリカン的、中国的アプローチ——は、新たな形の中心主義へと容易に横滑りし、土着の認識論の境界を超える対話を、不可能といわないまでも、困難にするだろう。

## さまざまな中心主義の増殖と文明の回帰

これらの中心主義は、実際のところ、いまやグローバルに喫緊の課題となっている。冷戦が終わった一九九〇年代の初めには、ヨーロッパ中心主義は自らの運命の反転を目撃した。自分たちの縄張りのなかで次第に攻撃されるようになったのである。さまざまな理由から、数々の中心主義が増殖しはじめ、承認を求めだした。グローバル・サウスから発せられるこれらの中心主義——しばしば西洋の支配からの解放という装いの——は、今日の世界秩序の変容が引き金となった空間性の象徴的再配置の兆候である。同時に、資本主義的統合が活性化され、文化的多様性が売れ筋の商品として浮上してきた時代における、知の商品化の一部と理解することもできる。とくに二〇〇一年九月一一日のグローバルな衝撃波は、文明的本質という仮定をさまざまな場所で——エジプトとインドで、またアメリカ合衆国でも、さらに加速させることに貢献した。

これらの新しい中心主義の多くは、文明の語彙で表現されている。文明思考のモデルはもっとずっと古く、一九世紀までその血統は遡るが、〔資本主義／共産主義の〕二極的世界秩序の解体に呼応して、目に見えて回帰してきた。別の言い方をすれば、古い解釈枠組みへの回帰のように見えるものは、実際には、なによりも現在のグローバリゼーションの経験への応答であることは間違いない。ある意味では、文明パラダイムは、大衆的なグローバル・ヒストリーの変形として理解することができる。ある程度まではローカルの系譜学に依拠しつつ、「文明の衝突」や「オルタナティブな近代」の呼び声など別のさまざまな概念ともかかわっているからである。しかし多くの場合このアプローチは、ここで提示しているグローバル・ヒストリーの概念とは相容れない。文明論的言説は、絡み合いや相互作用を強調するよりも、境界感覚の先鋭化や文化的特殊性に焦点を向けがちである。[24]

文明モデルの幅は広い。構造やナラティブはみなよく似ているが、現れ方は場所によってかなり異なる。それらはしばしば、固有のローカルあるいはナショナルな紛争に焚きつけられた力学をもち、ポピュリスト的な傾向を内在させている。冷戦後、文明概念の再生はほとんどあらゆるところで観察された。たとえばアフリカ中心主義はアメリカ合衆国やアフリカのいくつかの地域では人気があり、古いヨーロッパ中心主義的アプローチを裏返して、道徳的にも文化的にもヨーロッパ文明をはるかに優越する均質なアフリカ文明の絵が描かれた。[25]トルコやエジプトなど中東では、西洋に対する知的依存からの脱却をはかる民族主義的エリートによる、イスラーム社会は本質的、存在論的に西洋とは異なっているのだという主張が広まっている。マレーシアは、支配的な世界史の描き方に対するオルタナティブが誕生した場所のひとつである——マレーシアの場合、宗教に基盤をおいた歴史が魅力をもつようになっている。マレーシア国際イスラーム大学の歴史・文明学部では、コーランに示唆された啓示の観念に導かれた、イスラーム世界史が教えられはじめている。進歩の観念に基づく、世界史の進化論的メタナラティブへの挑戦である。[26]

南アジアではアシス・ナンディらが、近代の歴史記述の思想のいくつかに対する根本的な批判を発した。ナンディにとって、歴史記述の様式はそれ自体が西洋のヘゲモニーの道具である。今日なお、インドの住民の大部分は、歴史性というカテゴリーでは思考していないと彼は語る。歴史の様式において思考するということは、過去に接近する別のやり方を無視することであり、ありうる未来の可能性をただひとつしか残さないことだとナンディは主張している。[27] 一九九〇年代には東アジアも文明の熱病にかかった。日本では、川勝平太などの学者が文明の概念を使って世界史のオルタナティブな形を提案した。彼は明らかに、西洋で支配的な世界システム論のようなナラティブに対抗していた。たとえば川勝は、日本が厳格な鎖国政策を維持した一六〇〇年から一八五三年までの時期を、中国と西洋の影響を遮断し、土着的な日本文化が成熟する段階と解釈した。彼は、日本人がグローバル化した世界から孤立して生きることのできる自給自足への回帰と、「棲み分け」の確立を提唱した。[28]

多くの社会で文化本質主義が立ち上がってきたが、これらのオルタナティブな中心主義のうち今日にいたるまでもっとも強力なものは、中華思想である。これは世界の舞台での中国が果たしている際立った役割によるものでもあるし、また中国が国際秩序に対して示した経済的、そしてある程度は政治的な挑戦によるものでもある。このような中国の突出は、中国でもその他の場所でも、現在においても過去においても中国に特権的な役割を与えるよう歴史の軌跡を想像しなおすことを、研究者たちにうながした。[29] 中華思想を支える文化的核心は物質的西洋への対抗軸として認識されている。そしてその文化的核心は一般的には、近代社会への変容を超え、時代を超越して持続する伝統を表す儒教と結びつけられている。儒教的遺産は、一九九〇年代に中国で熱狂的にとりあげられる以前にまずアメリカ合衆国、香港、台湾、シンガポールの学者たち——その多くは中国系だった——によってもちあげられた。政治的次元では、それぞれマレーシアとシンガポールの首相であったマハティール・ビン・モハマド博士とリー・クアン・ユーが掲げた倫理、「アジア的価値観」のような、大衆的なスローガンに体現されている。[30]

中国の台頭が中華思想に弾みをつける一方、それが皮肉なことに、ヨーロッパ中心主義の再活性化をも引き起こした。ヨーロッパとアメリカ合衆国やその他の地域における、西洋の概念的へゲモニーに対する長い批判を鑑みれば、驚くべきことではあるが、この強力な批判的潮流にもかかわらず、ヨーロッパ中心主義的なマスター・ナラティブは二一世紀になって新たな人気を獲得している。とりわけ二〇〇一年九月一一日のできごとは「文明の衝突」の切迫という古い決まり文句に新たなもっともらしさを与え、歴史家たちは「西洋」アイデンティティに対する大衆の飢えに、ヨーロッパの自己発生的発展というナラティブで応えた。「たゆみない創造性と自由意志の精神」のおかげで、「西洋はつねに、世界の他の諸文化とは異なる存在でありつづけた」という類の物語である。[31] 結果的に、グローバルな変容の力学は西洋諸社会の達成の普及によってうながされたように見える。[32] 学問の世界ではこれほど見え透いたヨーロッパ中心主義は全体として周縁的な地位にとどまっているが、一般大衆のなかや教育システムの端では、もっと大きな成功を収めている。

アメリカ合衆国においては、新しいヨーロッパ中心主義は間違いなくいわゆる「文化戦争」の文脈に位置づけられる。「文化戦争」とは一九九〇年代に学界を襲った多文化主義に対する大衆的な反動と、九・一一とティーパーティ運動の誕生以降の政治文化の二極化である。[33] 宗教的原理主義の復活と、キリスト教のナラティブを大衆に注入しようとする試みとも結びついている。その結果は、国民と文明の独自性というナラティブにとどまらず、土着主義的論理の深く染みついた世界史の説明にも現れている。それは明らかに、同時期に生まれたアフリカ中心主義、あるいはイスラーム中心主義の論理と並行している。この新しいヨーロッパ中心主義は西洋の歴史を、非キリスト教社会と鋭い対照をなすキリスト教の自己実現のプロセスとして描く一方、非キリスト教社会は迷信、好戦性、狂信の足かせに囚われていると見なす[34]。この陣営の多くの著作はしばしば勝ち誇った調子で書かれているが、にもかかわらず、自らが包囲されているという感覚と、「五〇〇年の西洋による支配の終焉を生きている」という恐怖を伝えている[35]。つまりある意味では、これはリロードされたヨーロッパ中心主義なのだ――実質的に潮目は変わり、昔と同じ話をしても、かつてほどの力はない。かつてヨーロッパのヘゲモニーは、揺らぐことのない岩盤だった。しかし今日のヨーロッパ中心主義の外観は、多くの自民族中心主義のうちのひとつにすぎない。

## 文化と中心主義の議論を超えて

冷戦後、グローバル化の進行にともなって、さまざまな場所で同時に文明ナラティブが登場したのは偶然ではない。多くの歴史家たちは文明ナラティブの価値についてむしろ懐疑的であるが、大衆には一般的に好意的に受けとめられている。ナショナリストの、あるいはときに排外主義的な訴えと結びつきグローバルにひろがったこの概念の魅力の一部は、グローバル秩序の変容によって引き起こされた諸問題に対する単純明快な答えを提示しているところにある。切迫したグローバルな均質化に対する批判を言語化し、グローバルなひとの移動に対する留保と、アメリカ合衆国のヘゲモニーへの不安を分節化することを可能にする視座を提供するからである。文明アプローチは、グローバリゼーションの対抗言説として、自律的な文化圏、各々の地域に固有の発展の道を築くであろう、言うところの純粋な伝統の貯蔵庫を想定している。

文明アプローチにはさまざまなバージョンがあるが、おおまかな筋書きにおいては類似性を見せる。それらは、それぞれの文明を「西洋」と競争させる、二項対立の世界観で動いている。自分自身の文明は本来的に平和を好むが、近代西洋との接触の結果変化してしまった、とするのが典型的な観念のひとつである。多くのアプローチは、彼らの文明の未来の活力への希望を共有している――イスラーム文明であれ、アフリカ文明であれ、中華文明であれ、グアラニ文明であれ、土着の合理性、土着の信仰、土着の社会秩序を復活させることができれば、潜在的な可能性を実現することができるだろうと。さまざまな形態の中心主義が特殊性と独自性を強調するのに対して、文明アプローチはなんであれ、本質的には同じ衣装をまとい、同じ仮定を餌にしている。そのため、それら相互の交換は容易になった。たとえこれらの類似性が、イデオロギーや政治的影響の問題をめぐる現実の不一致をぼやかすものであったとしてもである。[36]

グローバル秩序が変化する勢いに刺激された中心主義の増殖は、しばしば、「土着主義的起業家」と呼んでもよいものの産物である。オルタナティブな近代を求める声は、複雑な闘争の場を構成している。ある部分ではこれらは、彼ら自身の社会の内部で起こっている、未来の可能性についての闘争である。そこでは土着の知の技法を主張することは、競争相手の政治的・社会的主張の評判を傷つけるために使われる。またある意味では、国際的に競合するエリートとの争いの結果でもある。そこではオルタナティブな見通しは、近代をもはや欧米文化の派生ではなく、土着的伝統の産物と見なすために利用される。興味深いことに、こうした主張は滅多に近代の概念そのものの批判にいたることはない。この点では、今日の文明概念は歴史的先駆者たちのそれとは異なっている。たとえば第二次世界大戦中、東京で開催されたある有名な会議で、日本の知識人たちは「近代を超克する」戦略を追究した。今日そのようなレトリックに出会うことは滅多にない。それぞれの伝統は、中華の、イスラームの、日本の、そして欧米の、資本主義の未来への独自の道の資源としてのみ動員される。ほとんどの場合、文明の概念は近代化へのオルタナティブな道の文化的正当化のために利用されるのであって、近代それ自体のオルタナティブの模索に向かうことはない。

このため、特殊性への執着にもかかわらず、オルタナティブな近代を主張するひとびとは国際的なアリーナで活動する。つまり、この主張の擁護者たち、土着主義的起業家たちは、グローバルな知的市場の要求に突き動かされているのだ——ただ伝統の呼び声や遠い過去の生き方に応えているのではなく。アリフ・ダーリクは痛烈な問いを投げかけた。「いま「オルタナティブな近代」を求めているひとびとが、文化的アイデンティティを同じくすると考えている民族あるいは文明の祖先たちよりも、オルタナティブを任じて対抗している当の相手方のほうにより近いなどということがありうるだろうか[37]」。中心主義イデオロギーの擁護者たちの多くが、故郷を離れたディアスポラの状況で土着の認識論への偏好を発展させたのは偶然ではない。ヨーロッパ中心主義批判とオルタナティブな視点の要求はこうしてしばしば、文化本質主義とアイデンティティ・ポリティクスへと堕落する。

しかしこれによって、ポジショナリティを認識する試みが失速させられるべきではないし、今日の知の生産の構造を批判的に省みることが喫緊の課題でなくなるわけでもない。世界に向けるさまざまな異なる視点と、過去をめぐる私たちの解釈の脱中心化は変わらず重要である。この挑戦は、知的生産の制度的構造に染み込んだヨーロッパ中心主義的カテゴリーと、土着パラダイム間の非‐対話のあいだを上手に航海することにあるだろう。言い換えるなら、問いはこうだ。ポジショナリティと、新しい中心主義である土着主義とのあいだに、どうやれば適切な線を引けるだろうか?

# 第9章　世界制作とグローバル・ヒストリーの諸概念

独自のアプローチとして理解されるグローバル・ヒストリーは、固有の視点をもつ、世界制作のひとつの形式である。しかし「世界」も「グローバル」も、自然に存在する自明のカテゴリーではない。それらは特定の問いと関心の結果として、見えてくる。このことは、グローバリゼーションのレトリックが公共圏に充満した今日の状況においてはとくに顕著である。それを背景として、政治家、研究者、芸術家、社会運動が、それぞれのやり方で実践的かつ認知的なカテゴリーとして「グローバル」を喚起している。歴史家もこの大きな潮流の一部である。

「世界」を構築的な枠組みとして考えるとき、歴史家はたんに記述的な言明を行っているのではない。別の言い方をすれば、グローバル・ヒストリーは、構築主義的な努力という側面をもつ。ある意味ではその対象自体を創造しているのである。この点では、社会史やジェンダー史といった、主題に対する固有の向き合い方にしたがって過去を編成するようなアプローチととてもよく似ている。グローバル・ヒストリーの歴史家たちが連関と交換を示す史料を精査すればするほど、より一層接続を発見すればするほど、そしてこれらの接続に特権的な地位とできごとの原因となる力を認めるようになればなるほど、「グローバルな視点はグローバルな歴史を生む(1)」。

もちろん、プロセスと視点との対話はグローバル・ヒストリーに固有の営為ではない。どこで仕事をしていようと、また個人的な背景や地域・時代の専門性にかかわらず、それはすべての歴史家の関心事である。歴史家は長らく、特殊性と一般性の関係性や、土着の（当事者の）視点を用いるのか分析的な述語体系を用いるのかについて、議論を戦わせてきた。歴史家が個別の事例を超えて説明しようとすれば、ある種の抽象に依拠せざるをえない[2]。しかし、グローバル・ヒストリーの分野では、この一般的な問題がまさに固有の切迫性をもって浮かび上がることになる。広大な時間と空間のひろがりをカバーするような研究において集合的なカテゴリーを創造することには、歴史的特殊性をかなりぼやかしてしまう危険がともなう。一般的な枠組みをつくりだすために、きわめて多様な歴史的経験が等価物に翻訳されてしまう。これによって複数性が犠牲にされる可能性があるが、その一方で、「外国の」という区別が消え去るならば、それはいわば、異なりはするが相互に関係していたさまざまな過去のあいだの対話のために支払われる代価であり、またそれを可能にする条件でもある。

つまり、歴史家は彼らなりに一種の世界制作に従事しているのだと言うことができる。本章では、それが何を意味するのかを探究しよう。地球の歴史について書くことが、抽象、発明、あるいは構築にすぎないというのではない。視点としてのグローバル・ヒストリーと、実際に起こっているグローバルな統合のプロセスは双方が連関し、たがいにたがいを構成している。私たちはふたつを引き離すことはできない。プロセスと視点との対話を念頭に置きつつ、この章ではアプローチの問題に重きが置かれるだろう。

## 歴史家と世界の制作

哲学的概念としての世界制作は、ニーチェ、ハイデガー、ガダマー、ジャン＝リュック・ナンシー、さらに言語行為論までを含む長い系譜をもつ。ネルソン・グッドマンは大きな影響力をもった著作『世界制作の方法』において、人間が「世界」を象徴的に構築するプロセスを、根源的に構築主義的かつ相対主義的なものとして理解する見方を導入した。ひとはみずからのまわりに絶えず世界を創造するが、世界はただ見出されるのではなく、多様な意味づけの行為を通じて生成されるのである。グッドマンにとって、「単一の現実世界のようなものはない。バージョンやビジョンを離れて自立した、唯一の完全な既存の現実などない。あるのは多くの正しい世界＝バージョンであり、そのうちのあるものは、他のものと和解しえない。したがって、あるとすれば、多くの世界があるのだ」。言い換えれば、歴史家はローカルな記号体系がつねに生成、再生産され、ある世界観が別の世界観にとってかわる――ときには以前のものを絶滅させる――そのプロセスの、道筋を記すことができる。ポストコロニアル・スタディーズが、帝国主義の時代のローカルな生活世界の破壊や「想像力の植民地化」を懸念するのは、このような強制的な意味体系の置き換えへの関心を示す主要な例のひとつである[3]。

グッドマンの読みにしたがえば、そのような世界制作は、潜在的には意味の社会的生産のあらゆる種類の形式を包摂する。私たちの目的にとっては、すべてを包括するような課題よりも、特定の焦点に絞り込むことや、並び立つ多数の生活世界よりも、ひとつの社会的カテゴリーとしての「世界」観念の誕生に注意を払うことの方が、有益だろう。したがって、グッドマンから出発した私たちの関心は、歴史家たちが接続と交換に向けたまなざしや、彼ら自身もその一部を構成している全体性(彼らが生きる人類世界、世界、地球、宇宙)の構想の表現の仕方に絞られる。このようにして見ると、「世界」は複数であり、それぞれの解釈が、それが創造された位置を反映している。第2章で見たように、このような世界構築は、時間とともに変化し、場所によって異なる。世界制作の形式は、誕生の条件を反映している一方で、社会的現実に積極的に介入するものでもあった。それらはたんなる、私心のない公平な活動ではなく、特定の関心や課題に呼応している。

その結果、グローバル・ヒストリーにおける今日の努力とその効果に対して批判の目が向けられ、グローバル・ヒストリーの政治学が問われることになった。とくにそれは、ポストコロニアル批評の形で現れている。ポストコロニアル批評は、世界が、言語と語りのメカニズムを通じて一貫した相互に依存する全体性として定位され、生産されるその仕組みに注意を払ってきた。「近年のグローバリゼーションに関する議論のなかでは、「グローバル」という形容詞は暗黙のうちに、「世の中」で起きている経験的なプロセスをさすと仮定されている」と文学研究者サンジェイ・クリシュナンは述べる。「これに対して、私は、グローバルとはテーマ化のひとつの様態、あるいは世界を目に見えるようにするひとつの方法を表していると論じる」。クリシュナンはこう断言する。グローバルなものについて語る言語は、透明性、経験的に観察されうるプロセスに直接的にアクセスしうるという印象を創りだす。しかし実際には、それは、たがいに大きく異なるさまざまな現象をひとつの共通の言説に入れ込むものの見方なのであり、つまりは異質性を縮減する。「それは世界をあるがままに指し示すのではなく、世界のさまざまな地域やひとびとを単一の枠組みのなかで理解しやすくするための、制度的に有効と確認された様態にともなう条件と効果を表している」[4]。

したがって、あることがグローバル性をもつと主張することは、つねに直接的に、利害、立ち位置、権力関係と結びついている。知の生産のヒエラルキーに服従しているのである。クリシュナンはポストコロニアルな視点から、グローバル・ヒストリーを有力なイデオロギーの方便、統治と支配のための道具と見なしている。「「グローバル」は、世界を表象し管理するためにどう生産するかを決定する支配的な視点として存在している。同様に重要であるのは、この視点が、主観性や歴史を想像するために用いられてきた術語や表現を固定してしまうということである」[5]。「グローバル」を扱うしばしば注意不足で配慮に欠けたやり方を考えれば、これは重要で生産的な批判である。歴史家たちが用いる世界制作のさまざまな戦略を再検討することは、グローバリゼーションの単純すぎる目的論の罠に落ち込まないようにする助けになる。

しかし、クリシュナンのように、グローバル・ヒストリーを強者の策略と見る向きに賛同する場合でも、陰謀論の肩をもつ必要はない。グローバル・ヒストリーはもっぱらトップダウンの構造というわけではないし、グローバルな視点は管理、あるいは（西洋の）帝国主義の道具ではない。

一方で、ここまで検討してきたグローバルな視点は、たんなる抽象ではない。少なくともその一部は、歴史的アクターたち自身が世界を見ていたそのやり方に由来している。歴史家たちは勝手に世界制作を行っているのではない。社会主義者、アナーキスト、フェミニスト、宗教的マイノリティ、ディアスポラ共同体、反植民地主義活動家などを含む、多様なアクターが歴史家の前にいる。これらすべての集団が、さまざまに異なった目的のために、必ずしも利益や権力の獲得あるいは維持を求めてではなく、世界についての彼ら自身の観念を構築してきた。歴史家はそうしたオルタナティブな世界観を考慮しながらその世界の歴史を再構成する。

他方、今日のグローバル・ヒストリーの歴史家もまた、世界がグローバルであるというひろく受容された前提の内部で仕事をしている。問題発見的な目的にしたがえば、今日の〈地球制作〉――惑星規模と、地球全体にひろがった循環システムに力点を置いた――を、長い世界制作の歴史の、二一世紀版と理解することができるだろう。実際、地球世界を概念化するに際して世界をフラットなものとして扱い、グローバリゼーションをたんなる凝集と見なすものもある。[6] また、地球はもっとでこぼこがあり、諸文明へと分裂し、まったきアナーキーへと解体しつつあり、ローカルな摩擦と「ぎこちない関わり合い」によって支配されていると見なすものもある。[7] さらに、アントニオ・ネグリとマイケル・ハートの「帝国」「マルチチュード」「コモンウェルス」概念のように、グローバリゼーションについての新自由主義的な観念に対して根源的なオルタナティブを提案するものもある。[8] したがって私たちは、グローバルな視点をアプリオリに特定の——クリシュナンの場合でいえば新自由主義的な——地球制作の形態と同等視するべきではない。[9]

## ことばで世界を制作する方法

歴史家たちによって実践される世界制作は、社会の発展の方向を示したり、歴史的連続体の内部で起きたできごとの重要性を定義したりする、広範囲で包括的なナラティブだけとはかぎらない。そのようなメタナラティブの位相の下には、歴史家が世界を構築するもっとも強力な方法のひとつが隠れている。彼らが世界を描き出すときに用いる諸概念である。「交易」「移民」「帝国」「国民国家」「宗教」「人口統計学」等々は、単純、無媒介に、言語外の現実を参照する術語ではない。それらは歴史的プロセスを叙述しつつ、同時に私たちの概念装置の一部となり、その装置は概念的・言語的複雑さを減じさせて、グローバルな過去を読解可能なものにする働きをもつ。そうやって多様な形態の社会実践のあいだに等価性を創りだし、そうすることで一定程度、歴史的現実を再形成し、その複雑さを平らにのばしてしまう。

この点を明らかにするため、先述のような諸概念のうち、移民と帝国のふたつをもう少し詳しく見てみよう。ひとの大規模な移動は、世界の形を深いところから変容させた。このディープ・インパクトは近代にかぎられるものではない。何千年も、それこそ紀元前一万五〇〇〇年に、初期の人類が地球上に拡散し、言語や遺伝子情報、物質的伝統がひろがったときにまで遡る。続く時代にも、大規模移民のプロセスはしばしば、技術や耕作法などに多くの変化を引き起こした。情報のネットワークと輸送技術が発達し、境界を横断する移動の危険は次第に小さくなった。シルクロードや、地中海と南シナ海をつなぐ海路など、決まった経路に沿って移動するパターンが何世紀も続いた。つまり長距離かつ大規模な移動は、時代を超えたグローバルな相互作用の主要な動力だったのである[(10)]。

そうだとすると、移民は歴史的過程としては議論の余地のない自明のことで、歴史家はただそれを観察しさえすればいいように見える。しかしこの術語はぱっと見よりずっと曖昧なものだ。移動（モビリティ）／移民という観念には、歴史叙述が抱えるたくさんのお荷物もいっしょについてくる。遊牧民の場合を考えてみればすぐにわかる。彼らの移動は、トランスナショナルな歴史に関心をもつ歴史家をひきつける類の移民とは認識されない典型的な事例である。「移民」の意味する範囲から遊牧民的生活様式が排除されてきたということは、「移民」という概念が基本的に、なんらかの形の国家のもとで暮らすひとびとに適用されてきたことを示唆している。その場合でも、「移動」という概念にふさわしい移動であるためにはどのくらい移動すればいいのかは、不確かなままである。場所を変えるさまざまな形を「移動」と名づけるとき、ほとんどの歴史家は暗黙のうちに、なんらかの境界が横断されていると想定している。近代においては、移動／移民という概念は国民国家を前提とする傾向がある。メキシコのティフアナからアメリカのサンディエゴまでの、三〇キロメートルほどの短い移動は「移民」と呼ばれるが、ティフアナから同じくメキシコのグアダラハラへの二〇〇〇キロ以上の長い旅はそのような立派な術語では呼ばれない。つまり、移民への注目はどんなものであれ、暗黙のうちに、注目されることのない日常的な移動の形態と、さまざまな境界や国境の横断を含む、すなわち、歴史家たちが移民と認める移動の形態とのあいだには差異があるという想定に依拠している。[11]

くわえて移民という観念は、膨大な種類の移動の形態を、ひとつの概念の下にひとくくりにしてしまう。なぜそうした移動を行おうとするのかという動機の多様性、それにともなうさまざまな経験などのファクターを無視する総称だからだ。境界地域を往来する小規模行商人も遠距離をゆく商人も、この題目に収録される。臨時雇いの労働者もスーフィーの巡礼する聖者たちも、あるいは大西洋をアフリカから両アメリカ大陸へ運ばれる奴隷もスパやビーチ・リゾートに群がる観光客も、区別なく収められてしまう。征服者と難民、船主とその船の甲板の下に閉じ込められた年季奉公の労働者の区別もしない。

移民という観念は私たちが道具として用いる一揃いの概念の一部である。つまりひとつの視点なのだ。この視点のおかげで、異なる歴史的現実が翻訳可能になり、両立可能なものになる。したがってこの視点は構築的な性質をもつのだが、そのことによって、この視点の普遍的な応用可能性は否定されるだろうか。あるレベルではたしかに、この概念にともなわれている普遍性は厳しく問われる。歴史家は彼らが用いるカテゴリーを注意深く反省することが求められるし、グローバル・ヒストリーに携わる歴史家ならなおのことそうだろう。他方で、このカテゴリーを完全に放棄せざるをえないということもない。この問題にはあとで立ち戻るが、ここでは以下のことを指摘しておきたい。この問題は、より一般的には近代の諸概念の使用を特徴づける、視点とプロセスの弁証法に関わっている。移民という概念は、歴史家によってのみ発展させられてきたのではない。今日用いられるこの語は、固有の歴史的な事情の組み合わせの産物である。私たちが知る「移民」とは、国民国家と近代諸科学の分類の欲求から生まれたのであって、たんなる記述用語ではない。国民国家、帝国主義、労働力の徴募という重なり合ったプロジェクトと結びついた社会科学の術語として近代に誕生した。これらのプロジェクトは非常に幅広い戦略――国境の監視、望ましくない形態の移動の管理、自由な個人としての移民という法的・イデオロギー的創造――をもたらし、ひとびとの移動そのものにも影響を与えた。別のことばで言えば、それらは、私たちが今日利用している術語法を生み出しただけでなく、ある意味で現象そのものをも生成した。「移民」という術語は、したがって、世界についての私たちの考え方を形づくっただけでなく、ひとの移動という社会的プロセスそのものを形づくったのである。[12]

この理論的課題をより詳細に検討する前に、ふたつめの事例、帝国に移ろう。実のところ帝国は、グローバル・ヒストリーの歴史家たちのお気に入りだ――必ずしも好きだから、ということではなく、どこにでも見出せるから。帝国――民族的および／あるいは文化的に異なる複数の集団を支配し、しばしばそれらの諸集団のあいだに存在するヒエラルキーのうえに建てられた国家として理解されるもの――は、超歴史的な経歴をもっている。帝国は人類史の初期に現れ、現在にまでおよんでいる。ジョン・ダーウィンはこう書いている。「帝国は歴史のほとんどの時期を通じて、政治的組織の標準的な様態だった。帝国の力とは、通常、道を支配する力であった[13]」。

帝国は単一の民族に限定された単位を超えた政治的混成体であるため、グローバル・ヒストリーの歴史家のトランスローカルな欲望を象徴的に示すものとなる。歴史研究におけるトランスナショナルな、そしてグローバルな視点への移行は、多くの歴史家を帝国の研究に向かわせ、過去の主たる容器としての国家の役割を相対化することをうながした。「帝国はきわめて持続性の高い国家形態であった」とバーバンクとクーパーは述べている。「それと比較すると、国民国家は歴史の水平線にちらりと見える影のようなものだ」[14]。このような、(帝国主義的とは言わないまでも)拡大的な術語の使用にともなう緊張は、他の概念の場合にも内在している。一方で、共通点のない歴史的経験を「帝国」という包括的な術語に翻訳することによって、それらのあいだに現実に存在する差異をないものとしてしまう危険がある。他方で、術語を共有することで、本来は異なる事例を比較し、それらについての対話を進めることができるようになる。

「コマンチ帝国」はこの点の例証となるだろう。多数の賞を受賞した同名の刺激的な研究のなかでペッカ・ハマライネンは、ネイティブ・アメリカンはヨーロッパの拡大の犠牲者であるという標準的なナラティブを、一八世紀後半および一九世紀初頭に、ネイティブ・アメリカンのなかのある集団によって創造された政治形態に着目することによって問い直した。ロッキー山脈の東側に広がるグレート・プレーンズからメキシコにいたるまでの広大な地域に対する襲撃を通じて、コマンチは何十年もその領域を支配し、隣接する諸部族を征服・併合し、スペインやフランス、アメリカといった競合する帝国の要求を払いのけた。ハマライネンの意図は、歴史修正主義的であり政治的でもある。今日の多くのアメリカ人にとって、アメリカ先住民が「帝国」という呼称にふさわしいものを創造しえたと信じることは難しいであろうからである。このように視点を移動させることによって、ハマライネンは、コマンチを競争相手であるスペイン帝国や、アメリカ合衆国の西進と同等に議論することを可能にした。たしかに、コマンチの政治組織と、清やアルジェリアにおけるフランスのような現代の官僚制的帝国とのあいだには大きな差がある。ハマライネンはこの差を認識するため、遊放民的、あるいは「動的帝国」と呼ぶことで、他の非定着型の帝国の形態と比較するための概念的空間を創りだした[15]。

コマンチ帝国と呼ぶことは有意義だろうか？　それとも、バイソン狩りと時折の襲撃を基盤とするコマンチ経済の歴史的現実を、ベッドの大きさに合わせて人を切断したり引き裂いたりしたプロクルステスのように無理やり歪めることになるだろうか？　たしかにこれは、コマンチの経験を、彼らにとっては異物である術語の下に包摂することである。私たちの知るかぎり、コマンチは彼らの領域を帝国とは呼ばなかったのだから。では、なぜ彼らの虜囚を「奴隷」と呼び、冬のキャンプを「都市」と呼ぶのだろうか。なぜ彼らを、独自の「外交政策」をもった「超大国」と呼ぶのだろうか。西洋の概念を用いるかわりに、なぜ先住民のカテゴリーを採用し、過去についての私たちの視点を真にグローバル化しないのだろうか。先住民の行為主体性を強調する試みは、「皮肉にも、先住民の認識論を軽視する」ことによって成り立つのだろうか[16]？

たしかにコマンチは孤立して暮らしていたことは一度もなかった。それどころか、彼らの政治組織体は競合する帝国的編成から大きな影響を受け、またそれに反応していた。この時代のコマンチの暮らし方にとって、小銃など軽火器の使用は、馬とおなじくらい不可欠であったし、彼らのとった戦略は、部分的には、スペインや初期のアメリカ合衆国の帝国的企図に対する応答であった。より一般的にいえば、コマンチの闘いは、グローバルな交易の回路に左右され、一八四六～四八年のアメリカ＝メキシコ戦争（米墨戦争）で頂点に達した北アメリカにおける覇権争いという、より大きな巡り合わせの一部であった。したがって、コマンチの実践を一九世紀のグローバリゼーションのプロセスに結びつけることは可能である。先住民自身の術語体系に限定すると、こうした大きな絡み合いは摑みにくくなるかもしれない[17]。しかし以下の問題は残る。近代社会科学のカテゴリーは、グローバルな現実の非均質性を解き明かすのにつねに適切なのだろうか。それとも、過去を経験する複数の方法を満遍なく認識するには、先住民の術語体系で補完される必要があるのだろうか。

## 先住民の認識論？

近年、学術的な語彙のヨーロッパ中心主義的バイアスを乗り越えようとする試みが、多くの場で表面化している。根本的な見直しや、先住民文化のなかで生み出された概念や価値判断の探究も始まっている。先住民の知のカテゴリーを探す洗練された試みは、サバルタン・スタディーズグループの初期の刊行物に見出される。そのねらいは、南アジアの歴史を抑圧されたひとびとの視点から、エリートの言説から自立して書くことであった。最終的な目標は、長いあいだ抑圧されて接近することのできなかった、従来のものとは根本的に異なるような、世界についての解釈の回復であった。しかしこの、オルタナティブな世界観と純正性の痕跡をたどろうとする、いわば歴史の考古学には方法論的な困難があり、ノスタルジックな逆投射、本質主義と強く批判された。サバルタン・スタディーズグループはポスト構造主義アプローチの影響を受け、歴史の書き直しのプロジェクトを放棄し、かわって覇権的言説の効果としてのサバルタンの位置の分析に集中した[18]。

一九九七年の、世界銀行による土着の知の体系の研究育成の決定でも促進され、先住民の知のカテゴリーの提案はますます増加している。ラテンアメリカでは先住民の諸運動がアイマラやマヤ、その他のひとびとの認識論とオルタナティブな知のあり方を認識するよう求めている[19]。南アフリカでは政府が二〇〇四年に、「アフリカン・ルネサンス」の名で土着の知に関する政策を採用した[20]。中国では「中国学」すなわち「国学」——二〇世紀初頭に、中国での近代社会科学の台頭と西洋的な専門用語の増加に対する応答として同名の学問が創出された——が力強い復活を遂げた。中国国内の有名大学する本や新聞の付録、テレビ講義やサマー・キャンプに殺到している。これは表面的には革命以前の中国とその文化的伝統へのノスタルジーの証左であるが、過去の王朝の偉業の魅惑の背後には、啓蒙の諸科学によって長らく脇に追いやられていた中国的な知の技法の回復を求める、より根本的な欲求がよこたわっている[21]。

西洋における政治思想とぴったり同じものではない、古い時代の認識論や思考の回復によってもたらされる利点は間違いなくある。それによって、過去の生活世界の内的論理をよりよく理解することができるようになるだろう。また、その遺産の新たな評価も導かれるだろう。「中国学」は、以下のような問いを考え抜く空間を開くかもしれない。儒学は哲学の一形態か、それとも宗教のそれであったか？　宋代の水墨画は中国の「芸術」として適切に分類されているか？　この方法論は、中国の伝統を「それ自身の術語で」たどることによって、中国のよりよい理解が獲得される可能性を有している[22]。くわえて、過去の伝統の徹底的な探索は、そうした資源が固有の形態の資本主義的近代の再評価をうながす視点のために発掘されるときには、現在に批判的にかかわる出発点にもなりうるだろう[23]。

しかしながら、オルタナティブ探しには特有の問題もはらまれている。批判的な再評価と、内在性パラダイムと新しい中心主義についての大雑把な主張のあいだに引かれた線はとても細い。自生的伝統の発掘は実に多くの場合、市場化可能な商品としての文化的多様性探しをともなう今日のグローバルな結びつきの兆候に近く、私たちがいま向き合っている理論的挑戦への応答のようには見えない。認識論的な位置を装っているものが、ナショナル・アイデンティティや人類共同体といった全体論的な見方の餌食になるのはかんたんだ[24]。これはグローバル・ヒストリーという分野が有する、普遍的で対話的な傾向とは相容れない。異なるさまざまな生活世界と世界観の正統性を認識するときにも、対話し、人間の経験は総体として両立しうるという観念をもちつづけることは明らかな強みなのだ。

## 言説を超えて

ようするに、近代社会科学の諸概念は、そうかんたんには置き換えることができないということかもしれない。ふたつのわかりやすいオルタナティブ——まるごと全部拒否するか、あらゆる術語体系は等しく応用可能であるという文化相対主義に甘んじるか——は、どちらも説得的でも、満足のいくものでもない。過激な対抗モデルを超えてゆくという決意は、ごく単純化して言えば、時計の針を戻すことはできない——たとえそうしたいと思っていても——と理解することから生まれる。私たちの概念的言語の発展は、歴史のプロセスの動態から切断することはできないからである。

近代社会科学の諸概念は、いまやそれ自体が長いグローバルな歴史を有し、世界中のさまざまな社会から深く影響を受けている。別の言い方をすれば、私たちの概念装置は、かんたんに置き換えることのできる修辞的な道具ではないのだ。それらはひとびとが世界と関わり、世界を認識して摑みとる方法に長いあいだ影響を与えてきた。伝統や先住民のカテゴリーそれ自体の把握や理解の仕方をも少なからず定義してきている。つまり、社会科学の概念は、ディペシュ・チャクラバルティの適切な公式化においては「不適切」[25]かもしれないが、同時に、私たちが現代世界の力学と折り合いをつけるには「不可欠」でもある。

プロセスと術語体系の弁証法の一例は、宗教という近代的概念である。ほとんどの社会において、なんらかの形の信仰や儀礼の実践は何世紀も遡ってあとづけることができる。しかし私たちが「宗教」として知っている概念は、一九世紀初頭にようやく現れた。この術語は、社会活動のなかの独自の領域としての宗教が対置される、国家機関や世俗の領域の認識を前提としている。このような意味での「宗教」の発明は、まず欧米で起こり、ヨーロッパの帝国主義がこの観念の世界大のひろがりを容易にした。同時に、西洋の外のローカルエリートや新興中流階級はこの術語を歓迎し、故郷の社会的実践を改革するという彼ら自身の目的のために利用した。その結果、彼らは文化的伝統——仏教やヒンドゥー教、イスラーム教や儒教も——を「宗教」に変え、シク教やバハーイー教など新しい宗教を創造した。

「宗教」——一方で「迷信」と、他方で哲学や科学と対立するものとしての——という術語は、宗教的伝統の欠如がハイカルチャーの不在と解釈されがちであった時代における社会的実践に対して、一種の正統性と承認を与えた。つまり表面的には、この術語は、ヨーロッパの権力とヘゲモニーによって異なる社会的現実の上に接木された、特有の(つまりヨーロッパの)視点と似ている。これらの実践をすべて「宗教」と呼ぶことは、それらのあいだの差異を、誤解を招きかねない仕方でならしてしまうものだった。しかしこの新しい術語は——「世界宗教」という表現が現れたとき、もっとも明白になったのだが——記述のための道具以上のものだった。社会的実践を根本から変化させ、近代の「宗教」へとひた走らせる効果があった。それにしたがって、いまや「宗教」と呼ばれるようになった多くの実践が、集権化された官僚制や体系化された教義、あるいは信仰は聖職者という専門家階級の仲介を経ることなく個々人にアクセスすることができるという観念などの、いくつかの特徴を共有するにいたった。もちろんこのプロセスは決して完成することはなかったし、「宗教」という術語の意味と、それに結びつけられる実践のなかの重要な差異は、今日まで継続している。

一方で、宗教の概念は、歴史家が歴史的事例を識別し、さまざまな経験をたがいに比較可能なものにするために用いる道具である。このような作業には明確な利点がある――それがなければ私たちはさまざまな社会のあいだの異同を正確に測ることはできず、それぞれの宗教的実践は別個に分析されるしかなくなるだろう。とはいえそのことには、差異を平均化することで、過去の豊穣さを減じてしまうという代償もともなう。しかし他方で、この概念は見方を均質化するという利益のために現実を歪めるぺてんだと単純に見なすこともできない。この術語それ自体が、社会的領域の総体としての変容に対する応答として生まれている。そしてそれは、社会的実践を名づけ直したというだけでなく、実践の、ときに根源的な変化を、うながしてきた。術語とそれが記述しようとするものは、このようにたがいに影響を与え合ってきたのである。近代においては、「宗教」という観念に応答せずに発展をとげた信仰共同体を見出すことははなはだ難しいのではないか[26]。

概念を歴史のプロセスから解き放つことができないのなら――私たちはどうするべきなのだろうか？　だからといって歴史家が、近代の諸術語が生まれ、世界中で受容された瞬間の再構成の仕事、あるいはそれが実現させた権力の不均衡の分析をしなくてよいということにはまったくならない。ある概念がグローバルに普及しているとしても、それは本来的に普遍的であるからではない。そのヘゲモニーはしばしば、強要と抑圧によって、別様のあり方の排除を通じて実現した。つまり、宗教の例がはっきりと示しているように、概念の歴史とその平均化の効果に目を向けることが引き続き肝要だということである。社会的実践とは非均質的なものであり、それと結びついた現象も多様であるのだから、それらを普遍的な概念へと分類することは、決して完全な成功にはいたらないだろう[27]。それを踏まえたうえで、私たちは概念の更新に対して、そして非西洋の歴史的経験に拠った新しい術語体系の導入に対して、開かれていなければならない。

　同時に、社会科学の道具と、それらのもつ普遍化への要求を一切合切放棄せよという呼びかけには慎重であるべきだ。近代の諸学問が蓄積した諸概念は、これからも私たちにとって有益な分析作業を行う道具でありつづけると信じるもっともな理由がある。反省的、自己批判的普遍主義の精神はいまも、四つの理由から、到達可能な価値ある目標である。

　第一に、そしてなによりも、これは規範的な選択である。今日実践されているグローバル・ヒストリーは、統合的な枠組みと、社会と文化をまたいだ対話はどちらも可能であり、望ましいという想定のうえに立っている。普遍的に応用可能な術語には欠点があるかもしれない。しかし全体としてそれらがもつ境界を横断する対話を可能にする能力は、断片化された語彙の長所をはるかに上回るだろう。それぞれの場に固有の術語体系は、国家や家族、知について境界をまたいで語ることを結局のところ難しくする。

　グローバル・ヒストリーの歴史家たちによる多くの概念的選択には、このような規範的な思考が働いているのを見ることできる。その好例のひとつは、時期区分としての「初期近代」という術語の使用の広がりである。一九九〇年代にジョン・F・リチャーズがこの定義を導入したとき、その意図がインドを「例外的で、独特で、エキゾチック」ではなく、「世界史から切り離された」存在とはしないということにあるのは明白だった。[28] ディペシュ・チャクラバルティが私たちに思い起こさせてくれたように、「こうした振る舞いは、異なるさまざまな歴史を対等に扱い、西洋を世界の中心としないことを選ぼうとする集合的な傾向の表現」かもしれない。私たちの時代の、多文化的でコスモポリタンな時代精神（ツァイトガイスト）の結果として「さまざまな歴史には相互に対等であってほしいと願う、ゆえに私たちは

「対等」な過去の歴史をもっている」と思いたいだけかもしれない[29]。

このことは、私たちの一見抽象的な術語体系に含まれる価値判断――そして、とりわけ、グローバル・ヒストリーにしばしば結びつけられる平等主義的な展望について思い出させてくれる。異なる複数の事例にひとつの術語体系を適用することで、たがいの過去が必然的に対等になるわけではない。しかし異なるさまざまな歴史を、それらが異なる道を進む分岐点を含めて理解するための共通の枠組みは提供されるのである。つまるところ、初期近代をともにしているからといって、インドとイングランドが同じになるわけではない。単に、双方の社会が共有していた世界大の変化のプロセスが示されているにすぎない。事実、ふたつの社会が異なっているところ――織物産業における相互補完的な役割や、帝国における役割――は、まさしくふたつの社会の相互作用の結果であった。そして、異なる過去を比較可能なものにする語彙は、自動的に均質性をもたらしはしないが、平等を与えもしない。差異は、ますます似通った術語で、共通の概念的言語を通じて表現されるようになっても、きわめて明確に分節化されるだろう。

第二に、世界中の多くのアクターが社会科学の言語を彼ら自身の目的のために領有し、「現地化」している。(遅くとも)一九世紀半ば以来、欧米と「西洋」は、ほとんど世界中の文化的・政治的エリートの近代化戦略において主要な(唯一のでは決してないが)参照点であった。このような言説の完全な外部にあり、そうした前提や主張にとらわれていない立場を想像するのは、実際のところ困難だ。したがって、これらの概念の普遍化――それらが世界中のどこでもますます応用されるようになっていくという状況――は、さまざまな場所にいる多くのアクターたちによる共同作業なのだ[30]。

第三に、概念的な言語を用いて世界を共通の判型に収めることは、社会秩序に対するきわめて現実的で根本的な影響をもった。概念とは、さまざまな伝統から発せられたたんなる言説ではない。それらは構造的な諸条件への応答として生まれた——と同時に、それぞれのやり方で構造を表象し、変容させていった。たとえば国民国家という概念の導入は、たんなる言説的・法的な押しつけではなかった。社会が自らを組織化するそのやり方をも変えたのだった。ゆえに、ひとそろいの語彙を、別のものと単純に交換することはもはやできないし、失われた意味や消えたオルタナティブを単純に回復させようとするのは、無駄な骨折りである。

第四に、とにかく術語体系をただ入れ替えるだけでは十分ではないことが結局明らかになるだろう。ヨーロッパ中心主義を乗り越え、オルタナティブな概念をつくりだし、先住民の知の形態を回復させる試みはしばしば、言説と表象のレベルの批判にとどまる。しかし知の生産は、それを取り巻いている地政学的条件と切り離すことはできない。ようするに、近代の諸概念は、グローバルな統合という、より大きな構造的変容とその諸形態と手を携えて発展したのである。このようなプロセスは社会科学の諸概念に消すことのできない痕跡を残しているのみならず、それらの概念に権威と権力を帯びさせる。「ヨーロッパ」の普遍化は、ヨーロッパの文化と政治システムへの憧れのみから生まれたのではない。それは、当時の経済的・帝国的な力の均衡と不可分であった。アリフ・ダーリクはこう書いている。「資本主義と、それが政治的・社会的・文化的組織にもたらしたあらゆる構造的革新がなければ、ヨーロッパ中心主義は自民族中心主義のひとつにすぎなかったろう[31]」。

間違いなく、歴史家たちによる世界制作と、彼らが用いる術語体系の修辞学的な力はある収斂の形態を生み出し、過去の経験の多様性を一定程度、見えなくする。さらにこれに関しては、歴史家——より一般的には人文学——だけの問題ではない。現代世界における遺伝子情報の解明とそれが生み出すもの、経済学における市場の論理、ビッグ・データと「デジタル・ヒューマニティーズ」プロジェクトを通じてのローカルな意味の植民地化、環境に対する脅威という言説等々はすべて、特異性や固有性の締め出しに関わっている。

しかしどんな分野でも、どのような言語を用いようとも、ここで私たちが言説の作用に帰している世界の「平坦化」は、歴史のプロセスそれ自体と分離させることはできない。統合の進行は――古代メキシコにおいてオルメカ文明のヘゲモニーによって主導されたものであれ、初期近代ロシアのシベリア進出であれ、国際通貨基金のルールや規制であれ――つねに語彙の共有を課し、異なる空間をまたぐ社会的実践を調停してきた。近代においては、いくつか挙げるならば、国家建設、帝国主義、資本主義、一連の開発プロジェクトなどが、歴史家などとは比較にならない強度で社会的現実の型をつくって――そしてある意味では「平坦化」させて――きたのである。

# 第10章　誰のためのグローバル・ヒストリーか？

## ――グローバル・ヒストリーの政治学

歴史学は一九世紀に学問分野として生まれ、国民国家の諸制度との密接な関係のなかで発展した。多くの歴史家たちは、国民という読者を念頭に置いていた。国民を創造し、成形するという目標を意図して追究する者もいれば、自身の国民の苦難や達成をなにげなく表舞台に立たせることによって、無意識にそうする者もいた。多くの歴史家が現地の言語で、自分と政治的にも文化的にも共通点の多い読み手に向けて書いた。いずれにせよそこには、国民をつくりだすことに貢献しているという感覚があった。同じようにグローバル・ヒストリーも、非常に基本的な意味では、グローバルな過去と折り合いをつけ、現在の目的のために世界を創造することに関わっている。現在の目的は重層的であり、たがいに競合し、衝突するかもしれない。歴史家たちは自由主義と資本主義とに拠って立つ境界なき世界を思い描くかもしれないが、彼らによる世界の再構成は同時に、環境運動、先住民コミュニティ、社会的圧力団体などが提示する課題とも関連するだろう。歴史家たちはそれぞれに世界制作に励みつつも、世界をつくることの意味をよく考えてみなければならない。「世界」が主題であるなら、グローバル・ヒストリーの歴史家が体現する「私たち」とは誰なのだろうか？　どのような政治がこのアプローチに含意されているのだろうか？

## 誰のためのグローバル・ヒストリーか？

グローバル・ヒストリーは本来的にコスモポリタンな試みである、というのが、この問いに対するもっとも一般的な答えである。グローバル・ヒストリーはその核において、地理的にも規範的にも包摂的なプロジェクトである。まず、グローバル・ヒストリーは人類の過去についてざっくりとした説明を提供する。ニュースがもはや個々の社会の境界のうちにとどまるものではなくなり、観光客が地球全体を放浪し、移民が世界のさまざまな場所の労働市場をつなぎ、私たちが遠く離れた場所で育ったものを食べ、どこか知らないところで生産された商品を買う――すなわちグローバル化された現在において、グローバル・ヒストリーは私たちが生きる世界を意味のあるものにするために寄与する。

つまり、二一世紀に歴史家であるということは、根本的な意味において、グローバル・ヒストリーの歴史家であるということを意味する。「そのような視野の狭さは、化学学部が他のすべてを無視して〔中略〕ただひとつの元素の働きを研究し教えるのと同じようなものだ(1)」。歴史学部がひとつの国民にだけ焦点を当てていればすむ時代は過ぎ去った。地球上の多くの地域に異なるさまざまな過去があり、それらのあいだには相互作用と交換があったことに気づくことは今日の命題である。私たちの現在は、この大きな枠組みのなかで問いを立て答えを探すよう、他のナラティブ、視点、声と出会うよう、歴史家に求める。それはひろい心をもった歴史家たちの昔からの願いだった。「国家と国民が敵意とエゴイズムに飲まれて立ち上げた境界に小さな穴が穿(うが)たれた(2)」とフリードリヒ・シラーは一七八九年に宣言した。「すべての思慮深い人は今日、世界市民に加わる」。

私たちを世界市民に変える。それはグローバル・ヒストリーのユートピア的な約束である。このような約束がもっともらしく見えるのは、それが、地球がさまざまなレベルで統合され、規模の大きなプロセスを孤立したものとして研究したり理解したりすることが実際にできなくなったという事実に基づいているからである。グローバルなイデオロギー、政治運動、金融・経済危機、ウェブを基盤とするコミュニケーションのひろがり――研究を厳密にひとつの場所に限定していては、もはやこれらのことを理解することは不可能だ。今日社会が直面している問題の多く――環境や気候の問題、労働条件や市場の機能、文化交流まで――は、私たちがみな同じ地球に暮らし、その資源を共有しているのだと認識することを要求する。[3]しかし実際問題として、自分が地球市民であるという観念は、多くのひとびとにとってアイデンティティのごく一部であり、生活世界に強く根づいてはいない。

「コスモポリタニズム」と「市民」という術語はどちらもヨーロッパにおける長い系譜をもつ。しかしコスモポリタニズムに関する議論はいまや、西洋哲学、抽象的な普遍的理性、普遍性への規範的主張から、みずからを解放した。近年、研究者たちは、包括的か限定的か、同化主義的―普遍主義的か偏狭かといった容易な分類をはねつけ、西洋を超えてさまざまな場所から、無数のコスモポリタン的アプローチを発見している。彼らは社会の諸集団がたがいに折り合いをつけるための実践や、哲学者の観念論的な概念の外で行われている実際的な対話や協力の形態のさまざまな方法を追究している。「コスモポリタンな思考の領域」は、似たところのない集団が共同で問題解決に当たろうとするところで、すなわち共通の普遍的な見解をもっていなくても（文化やその他の）隔たりに架橋するときに生まれるのである。[4]

しかしながら、誰がグローバル・ヒストリーを書いても、コスモポリタンな見解に達するというわけではない。アプローチとしてのグローバル・ヒストリーは、たがいに競合し矛盾する、多様な目的のために力を発揮する。明らかに、みずからが属する国民に光を当て、強大に見せるための手段として、世界史やグローバル・ヒストリーを利用するひとびともいる。たとえば中国では最近、鄭和による大航海の記憶やその他のトランスリージョナルな歴史的偉業を歴史家たちがあらためてとりあげるようになっている。中国のイニシアティブを刺激し、中国が世界の指導的な位置につくよう推進するためである。中国における世界史の人気は、そのグローバルな経済的・政治的権力としての地位の向上とはっきりと結びついている。公共の議論では、グローバリゼーションはときに中国国家の政治的道具のように見なされ、グローバル・ヒストリーも、方法論的なオルタナティブというよりは、国民の発展を説明し、増進させる文脈と考えられている[5]。

グローバル・ヒストリーと、小さく制限されたアイデンティティを結びつけるというやり方は他でも観察される。「文脈としての世界史は、それ自体としては国民的・文明的優位の主張と矛盾しない。どのような国民あるいは文明も、世界史の中心に置かれる機会はあるからである[6]」。この関連づけはあからさまにイデオロギー的というわけでもない。厳密にいえば、ある国民や文明をよりよく説明しうる文脈としてグローバル・ヒストリーが役立つと考えられる場合には、その再検討されようとしている空間性が再生産されることはしばしば起こりうる。ナショナルな過去をきわめて批判的に説明しようとするときでさえそうだ。

とはいえ、コスモポリタンな視点と国民的／文明的視点のあいだの緊張関係は誇張されすぎるべきではない。多くの歴史家にとって、人類全体について考えているのではないときでさえ、国民はもはや長らく特権的な参照点ではなかった。歴史家にとっての想像の共同体はしばしば国民ではなく、労働者階級、女性、仏教徒、環境運動など、国民の断片、あるいはトランスナショナルな集団だ。しかし歴史家がそうした読者を念頭において書いたとしても、実際の購買層はしばしばそれよりずっと狭い。本質的には、同業者だけである。いくつかの評価の高い包括的な仕事をのぞいて、グローバルな視点をもった専門家の仕事に絞れば、この傾向はもっと強まるだろう。学術的な研究の制度的な枠組みのなかでは、グローバル・ヒストリーを書くということは専門的な対話の一部であり、「私たち」とは仲間の歴史家たちのことである。

それでも、今日歴史家は、学界を超えたより大きな公衆に対する説明責任をもっている。そして世界中の多くの場所で、一般のひとびとはかつてないほどにグローバルな潮流に巻き込まれている。学生から教養ある市民まで、潜在的な読者たちは生活が日々グローバル化してゆくという経験を重ねている。この集団、すなわち金融資本だけでなく、高度に集積された社会的・知的資本を支配するグローバルな中間層にとって、トランスナショナルでグローバルな視点はとても道理にかなったものである。歴史家たちはこうした市場の要求を満たしつつ、公的資金およびアカデミズムという制度に付与された力を使うことを正当化する必要があるとも感じている。このため自分たちの仕事がグローバルな重要性を有していることを、地球規模の喫緊の課題を提起することによって強調しようとする向きもある。同時に、自分たちとは異なる過去を研究する者――たとえばサハラ砂漠を横断する交易やマレーシアのゴムプランテーションを研究するアメリカ合衆国の研究者のような――にとっては自分の行っている研究がエキゾチックでも周辺的でもなく、私たちの生きる大きな世界で、私たちの社会が占めている場所を理解するために必要不可欠な仕事を生産しているのだと示すことも、重要でありつづける。

## グローバリゼーションのイデオロギーとしてのグローバル・ヒストリー?

グローバルやその他の空間的な問いは、しばしば規範的な問いでもある。ナショナリズムとコスモポリタニズムの緊張関係を別としても、最大の懸念は、グローバル・ヒストリーと現行のグローバリゼーションの関係を明確にすることである。グローバルな視点が有する広範な魅力は、現行のグローバリゼーションのプロセスへの応答であり、グローバリゼーションのプロセス自体が魅力を生じさせていることは間違いない。しかし正確には両者はどのように関連しているのだろうか? あるいはより挑発的にいうならばこうなるだろう。国民史（ナショナル・ヒストリー）が一九世紀の国民形成（ネイション・ビルディング）と共謀して誕生し、地域研究（エリア・スタディーズ）が冷戦の産物であるなら——二一世紀のグローバル・ヒストリーは、本質的に二一世紀のグローバリゼーションのしもべなのだろうか?

批判者たちが指摘するように、グローバル・ヒストリーがときに現行のグローバリゼーションプロセスの系譜の構築に接近していることは明らかである。運動、移動、循環への熱狂的関心は、かつてないほど進む世界の統合を、多かれ少なかれ自然な発展のように見せてしまう。そうすることで、グローバリゼーションは歴史的アクターたちの背後で、彼らとは無関係に起こっているプロセスのように見えはじめる。レトリックのうえでは、歴史家たちが言祝ぐさまざまなかたちの「フロー」は、経営者たちが引きあいに出す汎用性や流動性といった呪文や、グローバリゼーションの市場主義的・自由主義的言語とさほど隔たりはない。人類学者のカレン・ホーの議論では、社会科学分野における「フロー、脱中心化、非物質性といったことば遣い」は資本主義の自己イメージが理論的レベルにまけさせる。さまざまな社会の歴史的多様性を十全に評価し、それらのあいだの接続の複数性を探究することは、グローバル・ヒストリーの歴史家にとって切迫した課題でありつづけている。それはまた困難な課題でもあった。従来とは反対の極端な見解に走り、地域史の色鮮やかなパッチワークをくりひろげ、それらに対する権力構造の役割を掃いて捨ててしまわないようにするという問題に、歴史家たちはすぐさま直面したからである。目標は、欧米の歴史的役割を周縁化させることなく、ヨーロッパ中心主義を克服することである。歴史家たちが「世界史は世界の共通の歴史へのすべてのひとびとの貢献を認識するための、最適な方法である」と言祝ぐとき、彼らはよき普遍的意図を告げているだけでなく、裏に潜む権力構造を無視する危険も冒している[10]。言い換えれば、グローバルな力学のどのようなオルタナティブな説明も、西ヨーロッパと、その後はアメリカ合衆国が支配的な役割を果たしたエピソードを視野から隠すべきではない。

したがって、ある特定の現象におけるヨーロッパの中心性を強調することと、それをヨーロッパ中心主義的に説明することのあいだには重要な違いがある。産業化がイングランドで最初に起こったと述べることはヨーロッパ中心主義ではない。しかし、そこでしか起こりえなかったとするのは間違いなくヨーロッパ中心主義である。一九世紀後半に世界中の多くの社会が欧米の学校制度をモデルとするようになったことに言及するのは、単純に、西洋に有利に傾いたヒエラルキーと当時の権力の不均衡を証明するにすぎない。しかしそのような所見は、もし私たちが、近代の諸制度は西洋でしか生まれず、それがあらゆるところに普及したのだとほのめかそうものなら、ヨーロッパ中心主義となるだろう。

歴史的記録における欧米の役割を評価することは、結局のところ、実証的な作業である。地政学的で高まったことに由来する。[7] フェルナンド・コロニルは、「ワン・ワールド」や平和な「グローバル・ヴィレッジ」という観念がグローバリゼーションの正統化言説として働いていることを見てとる。彼にとって、そのような「グローバル中心主義」はグローバリゼーションを誤って表象し、実のところは金融資本によって突き動かされていることを覆い隠すイデオロギーのベール以外のなにものでもない。[8] とすれば、グローバル・ヒストリーやグローバル・スタディーズの学問的訓練からは、なんにせよグローバルなものについての専門的知見が育まれ、そのようにして生産された学生たちはグローバル企業に惹かれてゆくことになる。

逆説的にも、まさにヨーロッパ中心主義的なナラティブの否定が、グローバル資本主義の台頭が必然的であるという印象を創りだし、そうして実際にはヨーロッパ中心主義を極限まで推し進める。事実この数十年、歴史家たちはさまざまなところで伝播モデルに異を唱え、エジプト、日本、中国など各地での土着の資本主義の起源の探究に乗り出している。彼らは近代世界へといたるそれぞれの文化に固有の資源と、ありうるさまざまな道を強調し、グローバルな近代は複数のルートをもつ、ゆえにもはやヨーロッパの専売特許ではなく、西洋の外にも見出しうると主張する。そのような立場から見れば、たとえば中国の伝統は、中国的資本主義の資源ということになる。しかしこの種の構想は、普遍性なるものが地元で生まれ自然に発展したように連想させる。これはかつてイマニュエル・ウォーラーステインが名づけた、「反ヨーロッパ中心主義的ヨーロッパ中心主義」に近い。反ヨーロッパ中心主義のスタンスにもかかわらず、一九世紀にグローバルな世界秩序をつくりあげるに際して帝国主義とヨーロッパの資本主義が果たした支配的で抑圧的な役割を不可視化させてしまうおそれがあるからである。[9]

したがって、グローバルなプロセスの文化的多様性を強調するような研究のなかには、容易にグローバリゼーションのイデオロギー的支柱に変態するものがある。それらは差異を文化的なものとして、「西洋」、「中国」「インド」の伝統の衝突として理解するが、他方で社会経済的な不平等は概ね無視する。たとえば複数の近代という概念は、グローバルな影響力を他のエリートと競い合う非西洋エリートによって領有され利用されるが、当該社会の労働者たちが求める経済的包摂に向き合うことにはそれほど積極的ではない。こうした土着の近代の逆投射は、しばしば当該の国民を均質的な文化的単位のように表象し、国民内部の、近代の諸問題をめぐる議論から目を背けさせる。[10]

グローバル性とグローバリゼーションの言説のもつこの根本的な難点は、容易にふりはらえるものではない――労働と資本の明快な二分法や、隠蔽のレトリックに対してたとえ懐疑的であったとしても。ゆえにグローバル・ヒストリーの歴史家は、彼らの発見の使われ方、無意識のうちに彼らのプロジェクトに忍び入る論理に、注意深くあらねばならない。権力構造を分析の対象としているときでさえ、彼らもその構造の一部であるということを自覚する必要がある。このことは本質的に、グローバル・ヒストリーの重要な課題のひとつが、進行するグローバリゼーションのプロセスに対して批判的注釈を提供することであることを意味する。グローバル・ヒストリーは再帰的な気づきを与え、福祉国家の縮小や国境管理の廃止を目論むひとびとが、彼らの政治的課題を正当化するために利用するナラティブを問題化することができる。それには少なくとも四つの方法がある。

第一に、グローバル・ヒストリーはグローバリゼーションの目的論的なレトリックに挑戦する方法論として用いることができる。このアプローチはできごとやプロセスを具体的な(グローバルな)文脈に位置づけることによって、長期にわたる継続性と世俗的変化という仮説や、経済学や社会科学分野でしばしば出会うようなグローバリゼーションの形而上学に対して重要な矯正をほどこす[11]。第二に、グローバルな構造は、部分的にはつねにさまざまなグローバル化のプロジェクトの結果であり、つまりはそのプロジェクトにおいてみずからの関心や計画を追求する歴史的アクターたちの活動の結果であるということを、歴史家は私たちに思い起こさせることができる。このように、グローバル・ヒストリーの視点は、グローバリゼーションが自然な発展プロセスであるという仮説に対する解毒効果をもつ。

第三に、歴史家は、グローバルな統合の損失と利益の双方を評価しうる位置に立つだろう。接続はそれ自体としては善でも悪でもなく、本来的に有益でも有害でもない。奴隷制、戦争、帝国、伝染病は、接続が潜在的にもつ苛酷な損失である。しかし同時に、境界を横断する相互作用は、さまざまなものや観念を利用可能にし、個人や集団が同盟を結び、改革を要求し、グローバルな現実の複雑さを考え抜くことのできる新しい空間を創造する。グローバリゼーションのプロセスをどう評価するか――その多くが歴史家にかかっているだろう。多様なアクターたちが、グローバリゼーションを不平等の世界的拡大、搾取と支配の新しい方法、強制的な排除、周縁化、生態学的ホロコーストと関連づけてきた。しかしそのプロセスを、繁栄、自由、解放、民主主義のかつてない形態を創造したと讃える者もいる。モンゴル帝国は、境界横断的な通商の、文化的相互作用の、総体的な地平線をひろげたエンジンであったのか――それとも破壊をもたらし、黒死病の蔓延を助けたのか？　どちらもある程度真実である。利益を得て繁栄したひとびとがいた一方で、新しい形の交換によって苦しんだ被害者や犠牲者もいた。偏狭な地域主義に高い代価を支払った人がいる一方で、その反対に、グローバルな構造に包摂されないことで、ローカルなものや接続されないものが、救い出されることもある。市場の収斂、文化的ヘゲモニーの確立、トランスナショナルな政治的諸制度の形成、あるいはその動きの阻害について、それらの固有のあり方を批判的に見る必要はあるかもしれない。しかし総体としては、接続が、歴史それ自体以上に、そうした欠点の責任を負うと主張するのは難しいだろう。

最後に、グローバル・ヒストリーというアプローチは、内発的説明を克服させる。この点はどちらかといえば技術的で、あまり重要ではないかもしれない。しかしそれによって、歴史的発展——誕生と衰退、繁栄と欠乏、開放と孤立といった——を直接的に個人や社会や「文化」に固有の質へと還元する系譜学的説明に疑問を呈することが可能になる。したがってグローバル・ヒストリーは、諸個人やそれより大きな集団が、彼ら自身の幸福や悲惨の責任を全面的に負わなければならないというイデオロギーに挑戦している。社会科学には方法論的個人主義の強固な伝統があるから、このことは重要な異議申し立てとなる。グローバル・ヒストリーは、私たちの関心を権力のヒエラルキーと地政学的構造に向けさせる。それらこそが、個人や集団や社会全体に大きな影響を与えつつ世界が統合される、その条件をつくっていたのである。

## 誰が世界を書くのか？　知のヒエラルキー

新たな千年紀をむかえるころ、ディペシュ・チャクラバルティは歴史家仲間たちに対して、グローバルに普及した知の生産構造としての「無知の不平等」について警戒を呼びかけた。彼はこう言った。「第三世界の歴史家たちは、ヨーロッパ史の仕事に言及しなければならないと感じるが、ヨーロッパの歴史家たちは、それに返礼するべきだとはまったく思わない」[12]。インド、ケニア、アルゼンチンの歴史家にとっては、西洋の著名な同僚の仕事を無視することは重大なリスクをともなう。反対に、エドワード・トムスンやジョルジュ・デュビィ、カルロ・ギンズブルグ、ナタリー・デーヴィスが研究をものすとき、欧米の外の歴史叙述と対話することを期待されることはほとんどなかった。グローバル化が進んだ今日、これはどの程度変わったのだろうか？　パラダイムとしてのグローバル・ヒストリーはより幅広い声を学術的な対話に呼び込むことを可能にしたのだろうか？　グローバル・ヒストリーは、実際にはどこで書かれているのだろうか？

第一に、二一世紀になっても、グローバル・ヒストリーがまずもって世界の工業化された、経済的に特権的な地域の所有物でありつづけていることを認めなければならない。もちろん、ひとつの視点として、また新たな次元をつけくわえるものとして、それ以外の地域にもなんらかの影響をもちはじめてはいる。しかしグローバル・ヒストリーが大学システムのなかに安定した拠点のようなものをもちえているのは主にアメリカ合衆国とその他の英語圏の国々、西ヨーロッパの一部および東アジアである。制度的な構造は重要だ。グローバル・ヒストリーに対する異なったさまざまな視点は、たんに理論的な論争や、言説の伝統のみによるのではない。それは大部分、さまざまに分岐した知の社会学の生み出したものである。

この不均衡な発展にはたくさんの理由がある。グローバル・ヒストリーが魅力をもつかどうかはその国のさまざまな内的諸条件に左右される。たとえば合衆国では、地域研究の誕生、カリキュラム改革に関する論争、移民によって形成された社会の要求のすべてが重要な役割を果たした。その結果、世界史協会が一九八二年に設立され、一九九〇年には『世界史ジャーナル』の刊行が始まった。イギリスでは、帝国史の伝統が多くの他の国々よりも幅広いアジアとアフリカの歴史叙述を生んだ。とはいえ、各国内の特殊性がどうあれ、ひとつのパラダイムとしてのグローバル・ヒストリーの台頭を見たのは、主としてグローバリゼーションのプロセスに積極的に参加し、そこから利益を得た国々であったことは看過できない。いくつかの場所——とくにアメリカ合衆国と中国——では、グローバル・ヒストリーの反響は、世界における自国の主導的な役割をめぐる国民の認識と一致している[13]。

なぜこれらの場所以外ではグローバル・ヒストリーはそれほど目立たないのか、またその人気のなさは何を意味しているのだろうか？　制度的な条件の違いが、あるところではそれほど熱狂的になっていない理由をかなりの程度説明してくれるだろう。ひとつの重要なファクターは、その地域の学術共同体が英語圏の議論に触れ、影響されているかどうかである。アラブ諸国およびフランスやイタリアといった国々でも、英語による議論との接触はしばしばかなり小さく、それぞれの言語による出版がなお標準的である。ラテンアメリカの歴史家たちは伝統的にイギリスや北アメリカよりもフランスやスペインの学界の影響をより強く受ける傾向がある——グローバル・ヒストリーが早くから人気を博したデンマークやオランダとは異なる点である。

国民形成が政治家や知識人の優先的緊急課題である国々でも、グローバル・ヒストリーは魅力に乏しい。アフリカの多くの地域がそうだし、冷戦後の東ヨーロッパもこのケースである。こうした状況下では、資金は——それが利用可能な場合は——主として国民の過去に関するプロジェクトに割り当てられがちである[14]。そして当然、どんな場合も、資金の問題は重要だ——グローバル・ヒストリーにかぎらず。とくにアフリカでは、多くの大学や学術組織はきわめて危機的な状況にあり、歴史教育自体の必要性が問われることもある。グローバル・ヒストリーはとくにお金のかかる取り組みだ。雑誌、研究センター、言語の訓練、国際学会等々は、財団や政府組織が新しいアプローチを積極的に推進し、そのリスクをとり、また出版社が投資を回収しようとはしないところでしか、発展しない。彼らが積極的になるかどうかは、少なからず、社会がグローバル化のプロセスから政治的・経済的な利益を得ることができるかどうかにかかっている。この結果、西洋や東アジアの富裕国——と、他の地域出身でいまはアメリカ合衆国かイギリス、あるいはシンガポールで教えている国際派の歴史家たち——がいまだにこの分野では大きな割合を占めている。さらに、大規模公開オンライン講座(Moocs)やグーグルの論文検索サービス(Google Scholar)の創造したヒエラルキー、上海交通大学の世界大学学術ランキングが幅を利かせる世界では、研究の国際化・グローバル化への強烈なインセンティブが働く。学究的環境におけるグローバルな政治経済は、知識生産の課題設定とその不均等なひろがりの力学を理解するに際しては、もっとも重要なファクターである。

したがって、グローバル・ヒストリーという制度のひろがりには非常にむらがある。しかしだからといって、他のところには境界横断的な視点が見出せないということではない。国民の歴史はあらゆるところで特権的な形態でありつづけているとしても、トランスナショナルな研究の要請は一九九〇年代以来多くの国々で顕著に高まり、オルタナティブな語りや空間の展望を求める声も大きくなっている。その目的は、多くの場合、国民の歴史を完全に捨て去ることではないが、「トランスナショナル化」することではある[15]。したがって、目に見える形でグローバルなアプローチがなかったとしても、それがすなわち偏狭な地域主義を意味するわけではない。

この文脈では、トランスナショナルな視点——インド洋や南大西洋、東アジアといった大洋や広域に関する研究——が、西洋の外の多くの歴史家たちにとって決定的な役割を果たした。このような大きな地理を扱うことは、国民国家の優位性に対する挑戦になりうる。また、グローバル・ヒストリーをグローバリゼーションのプロセスに対する応答として、政治的に理解することも可能である。したがってこの視点はしばしば、欧米の世界システムへの「その他」の地域の漸進的包括という語りを超越する、オルタナティブなナラティブの出発点として機能する。ゆえに、西洋の外の地域間の絡み合い――アンゴラとブラジルの接触、朝鮮から満州への移民、インドネシアからモーリタニアまでつながるイスラームのネットワークなど――に格別な注意を払う歴史家が現れるのである。これらの研究の焦点がしばしば一九世紀、西洋の帝国的へゲモニーがひろがる以前に置かれるのもこのためである。

このように、英語圏外での歴史学においてはトランスナショナルな歴史記述が確立されてゆく一方で、「グローバル」という術語はあまり頻繁には登場しない。歴史家がこの語を使うのを明らかに避けている国すらある。これは反ヨーロッパ中心主義的レトリックにおける、本質的に西洋から押しつけられた、帝国主義的言説と受けとめられるアプローチに対する全般的な懐疑と関連している。グローバル・ヒストリーの批判者たちによれば、グローバル・ヒストリーの歴史家たちは相互作用や絡み合いについて語っているように見えるが、実際には西洋と「その他」の関係に狭く焦点を絞っているだけである。インドの知識人たちは、インド世界と西洋という二極化された世界観に慣らされてきた、とヴィナイ・ラルは記す。「これが、あらゆる植民地化されたひとびとにとっての条件である。この枠組みは、自明のものとしてヨーロッパ植民地主義によって供給された」[16]。

ときにグローバル・ヒストリーは、「西洋からの挑戦に対する現地の応答」というパターンからきわめて意識的にみずからを解放した歴史記述と衝突する。それはたとえば、ラテンアメリカと西洋、アフリカと帝国主義、インドとイギリスのインド統治、アヘン戦争後の中国といった研究を含むパターンである。こうした枠組みにかわって、焦点は内在的な力学へと、帰納的な「下からの」歴史へと転じられる。そこでは外的影響は全体的な背景としては存在するが、さまざまな発展を規定しはしない。こうした研究からすれば、グローバルなナラティブは時代遅れと考えられた解釈への退行とも見えかねない。

つまり、グローバルという語を避けるのは、たんなる条件反射と簡単には片づけられないということである。それはそれぞれの国内外における知の生産の条件と関わっている。ローカルな関心事と歴史叙述の伝統は、世界をどうみずからのものとするか、あるいはナショナルなナラティブからどう排除するかひきつづき規定しているのである。同時に、グローバルな枠組みに対して「オープンである」か「抵抗する」かに着目しても、グローバルなアプローチの魅力の一部しか説明したことにならない。グローバルなアプローチの刻々と変化する魅力は、それぞれの国を超えた地政学的構造と、それらの国々のグローバリゼーションのプロセスへの巻き込まれ方の効果としても理解される必要がある。

## 地政学と言語

グローバル・ヒストリーパラダイムに対する異議は、それがアングロフォンの学問的支配批判と結びついているときにとりわけ強力になる。言語の問題は、実際きわめて重要だ。自然科学や社会科学ほどには人文学への影響は大きくないとしても、アカデミズムの慣用として英語がヘゲモニーをもっていることは事実である。グローバル・ヒストリーの分野ではとくに目立つ――そのためしばしばこの分野は英米の肝煎りと見られるほどだ。たしかに今日グローバル・ヒストリーに関わるほとんどの歴史家は、英語以外の言語で書かれ、西洋の大学――なかでもアメリカ合衆国とイギリス――の制度的枠組みの外で産出された学術研究を無視しつづけている。ドミニク・ザクセンマイアーが指摘したように、英語圏以外の歴史叙述が、翻訳によって手に入る場合ですらこのように周縁化されることは、グローバル・ヒストリーアプローチの包括的でポスト＝ヨーロッパ中心主義的なレトリックとははっきりと矛盾する。「いまのところ、過去一、二世紀にわたって浮き彫りになった知のヒエラルキーは明らかに無傷のまま、世界中で認識の幅や学術的な関心を方向づけている」。ザクセンマイアーはさらに、英語のグローバルなヘゲモニーが西洋の外で生み出した余波についても注意するよう呼びかける。「たとえば中国では、世界史やグローバル・ヒストリーの研究者は通常、西洋の最近の研究には親しんでいるが、インドやラテンアメリカ、中東あるいはサブ＝サハラ地域等の社会におけるこの分野の発展についてはまったく気づいていない[17]」。

英語のヘゲモニーが他の言語と歴史叙述の伝統を周縁化させる力をもつことにはなんの疑いもない。とはいえ、グローバルな「リングア・フランカ」（共通語）の誕生は、たんなる支配の道具を意味するだけではない。かつての、バビロンの時代のごとき多言語宇宙では見られなかった、境界を横断した対話の可能性をも宿している。ラテン語やペルシャ語、中国語や他のさまざまな地域の言語と異なり、英語使用はもはや特定の世界に限定されず、グローバルにアクセスが可能である。原理的には、これまでは不可解で侵入不可能であった学問世界に容易にアクセスできるようになり、より多くのひとびとが議論に参加し、それ以前にはローカルにしか届かなかったさまざまな声の共鳴が可能になる。

学問世界で英語に付与された権威は、英語圏以外の歴史家たちが戦略的に英語を使い、異なるさまざまなナショナルな伝統に見られる特異性とさまざまなかたちの偏狭さを批判することも可能にした。たとえばドイツやイタリア、韓国、中国の歴史家たちは、世界について記述するかつての（ナショナルな）伝統から明らかに距離をとり、そのかわりに翻訳と方法論を借りてグローバル・ヒストリーを導入した——そこには普遍史や外国史といったかつての伝統を乗り越えようとする明確な狙いがあった。英語圏の議論を参照することで、新しい知的課題と、世界の過去についての古くて偏狭な(たとえばヨーロッパ中心主義的な)読みからの解放のための空間を切り開くことに役立てたのである。[18]

くわえて、この分野での英語のヘゲモニーは決して絶対的なものにはならないだろう。結局のところグローバル・ヒストリーの歴史家にとっては、多くの言語に通じていることは決定的に有利なのである。あらゆる技術的な平準化にもかかわらず、過去の言語的な非均質性は変わらない。それは、どんどんグローバル化が進むように見える現在であってもそうである。ベネディクト・アンダーソンが述べたように、一九世紀のフィリピン人は「ドイツ語でオーストリア人に、英語で日本人に、自分たちのあいだではフランス語かスペイン語かタガログ語で」書いた。「なかには少しだけロシア語、ギリシャ語、イタリア語、日本語、中国語を知っている者もいた。電信はものの数分で世界中を駆けめぐるかもしれないが、実のあるコミュニケーションのためにはポリグロットが実際に越境的な移動をする真なる国際化が必要であったのである[19]」。グローバル英語の未来がどうあれ、過去の文書はマレー語やペルシャ語、ロシア語やテルグ語〔インド南東部で話されるドラヴィダ語族のひとつ〕で書かれている。長い目で見れば、グローバル・ヒストリーの流行はそうした言語を自由にあやつることのできない歴史家たちを不利にさえするかもしれない。彼らの母語である英語の普遍的な力とそのおよぶ範囲に対する見当違いの信頼の外には、もう快適な場所はない。

そうはいっても、英語はかつて他のどんな言語ももたなかったほどの、覇権的な位置にある言語となった。「国際的な」という語の意味はしばしば、本質的には「アングロフォンの」という意味に狭められる。このことは当然、英語を母語とする話者に特権を与える。母語として英語を話さない研究者は、学術会議でアングロフォンのひとびとのようにはうまく自分を表現したり、すらすらと書いたり、効果的に対抗したりできないかもしれない。より重要なのは、英語が研究を支配することで、英米の大学の特殊な慣習が学術的な規範としてひろく受け入れられてしまうようになることだ。それが望ましい本の長さ(明らかにフランスの学位論文の長さではない)、博士論文が実証的であるべきか、理論先行であるべきか、「最先端」と見なされる問いや研究計画の種類などに影響を与えている。つまるところ使用言語のもつ力の不均衡は、研究の形式や内容にも大いに影響をおよぼす。情報や研究がデジタルで流通するようになっても状況は変わらないだろう。オンライン授業は世界中からアクセスできるかもしれないが、使われる資史料はアクセスしやすさからも法的配慮のうえでも英語に翻訳されることになりがちだ。デジタル時代はこれまで以上に英語偏重になりそうである。

英語の支配と、より根本的にはアメリカ(およびイギリスのいくつか)の機関の強力な役割はかなり明白である。これは本質的にはアメリカ合衆国の地政学的権力のたまものである。実はグローバル・ヒストリーのひろがりは平坦ではなく、明らかな方向性があるのだが、あまり注目されていない。この新興分野は明らかに、アジアに傾いているのである。ひとつには、制度的な傾きがある。日本、韓国、中国、シンガポールの研究者たちはグローバルな問題設定に基づいて研究するようになり、これらの国々での制度的な支援も成長を続けている。二〇〇八年に設立されたアジア世界史学会は、この盛り上がりを反映した事業である。しかしもうひとつの、予期せぬ側面は、アジアがグローバル・ヒストリーの記述の特権的な主題でもあるということだ。最近の多くの研究がアジアでのできごとやアジアとヨーロッパ、新世界をつなぐ接続の歴史に焦点を当てている。ほとんどの総論や概論で、アジアは際立った注目を、しばしばラテンアメリカやロシア、サブ＝サハラ・アフリカを犠牲にして集めている。ジョン・ダーウィンの『帝国のグローバル・ヒストリー』は印象的な一例である。同書はユーラシア以外の帝国的編成には一言も触れていない[20]。

このアジアとは、もちろん、大陸でもなければ純粋に地理学的な呼称でもない。アフガニスタンとイランより、日本とアジアの四匹の虎（香港、韓国、シンガポール、台湾）に焦点が合わせられることのほうが多い。マレーシア、フィリピンよりも中国である。根本的な意味において、グローバル・ヒストリーは中国の台頭と、とりわけ地政学的状況の変化と折り合いをつける必要性が引き金となっている。この点において、ケネス・ポメランツのイングランドと中国の経済発展と工業化の比較研究は新しいアプローチの模範的な仕事である[21]。学界におけるどんな方法論的な議論やその他の知的な潮流よりり、中国資本主義の発展こそが、グローバルなヒエラルキーの再考を、政治的にも認識論的にもうながした。グローバル・ヒストリーの議論の軌跡を理解するには、中国の挑戦は、アメリカの諸機関の優勢と英語のヘゲモニーと同等に重要である。

## 「グローバル」の限界

グローバル・ヒストリーの社会学にしばし時間を費やしたが、ギアを入れ替えて、本章および本書の結論として、アプローチとしてのグローバル・ヒストリーの考えられる欠点と知的代償についてかんたんに検討しよう。グローバルという概念は、孤立した物語や、影響と移転、普及と借用といった語りの二分法的構造を私たちに超えさせる助けになる。これは歴史分析における一国主義に挑戦する、方法論的な革命の一部をなす。しかし同時に、「グローバル」という概念には限界と、そして固有の危険もある。

このアプローチが陥るかもしれない落とし穴のいくつかについては、これまでの章で触れた。第6章と第7章で議論した尺度の問題はとくに繊細だ。空間的・時間的に大きな枠組みを採用することで、よりひろい文脈や、特定のできごとや状況にインパクトを与えた構造的な制約を明るみに出すことができるだろう。しかし同時に、できごとや状況にかかわったアクターの役割や彼らの動機、選択を吸収してしまい、歴史における個人の責任を曇らせる可能性もある。ローカルなアクター対グローバルな要因という二項対立は明らかに誤りであり、一方を他方からきれいに分離することはできない。にもかかわらず、ローカルな行為を軽視するという犠牲を払っても、大きな尺度の特権化が行われることがある。

この問題とは別に、グローバル・ヒストリーの歴史家が直面するさらなる五つの挑戦について考えてみよう。手短に言えば、「グローバル」の概念は、過去の特定の論理の消去、接続性への惑溺、権力の問題の無視、人間の行為主体性と責任の問題の除外、統合的枠組みの追究における歴史的現実の平準化、という五つの課題を歴史家にもたらすだろう。五つの危険はいずれも、グローバルという要求をあまり過大にとらえないよう、私たちに注意をうながしている。以下で順番に見ていこう。

第一にグローバル性やグローバリゼーションへの関心は、多くの歴史家をして相互作用と移転を特権化させ、それ自体を目的化させた。そして接続性は資史料が語っているように見える唯一の言語となった。あたかもそれこそが資史料の真の意味であり、その他の可能な物語——信仰、戦争、政治的陰謀、親密さ、環境保護、あるいは仕事上の習慣といった——は表面的ではかないもののように扱われる。ときにグローバル・ヒストリーの歴史家は、そうした表面的なできごとのベールを見通す能力をもち、ゆえに接続性の状態や質、論理について資史料が語るべきことを求めて深掘りすることができると主張する。

それが私たちの求めていることなら、そのようなアプローチは当然適切だろう。しかしこの種の探究は、過去の豊かさやその織物の複雑さを消去する、限定的なアプローチにもなりうる。一八四〇年代にアメリカ中西部に移民したあるドイツ人の伝記は、一八四八年の政治史、ドイツ農村部の経済状況、ミシガンのドイツ人ディアスポラコミュニティ、移民とネイティブ・アメリカンの関係、マスキュリニティと家族内のジェンダー関係、その他多くのことを私たちに教えてくれる。これらの物語を主として接続性の状態に接近する手段として用いるなら、それは歴史分析を貧しくすることになりかねない。ジョン＝ポール・A・ゴブリアルはこう警告している。「実際、私たちがいまあえてやろうとしているのは、世界を顔のない世界旅行者、色のないカメレオン、見えない境界の横断者であふれているかのように見ることだ。個人は属する場所から遠くへ引っ張り出され、告白や個人的な文脈は、彼らが生きる接続された世界を見るための、ちょっとした窓ガラスのようなものになる」[22]。歴史上のあらゆる伝記や物語、できごとをグローバル性のメタファーと見なすと、過去のイメージは一元的で幅の狭いものになってしまう。

第二にこのことは、グローバル・ヒストリーが移動――この分野の最近のほとんどの仕事の特徴である――の物神化を超えてゆかねばならないことも意味する。実際のところ、多くの議論のなかで移動は、グローバル・ヒストリーと等しいとはいわないまでも品質証明のしるしになっている。境界を超えるひとびとの移動――旅行者や移民として、奴隷や労働者として、貿易業者として、戦争捕虜として――は、国際性とグローバル性を創りだした鍵となるメカニズムのひとつであり、国際性とグローバル性を直接体験する、主要な方法でもある。このため関連する多くの研究書は、移民や移動する集団に集中した。このような視点は、過去を見るための新しい重要な窓を開いた。しかし同時に、移動への関心は、過去をグローバリゼーションのたんなる前史にしてしまう傾向がある。その結果、誰もかれも、なにもかもが、どこかしらへ移動しているように見える。現実にはそうしたイメージが教えてくれるのは、過去そのものよりも、現在の欲望なのだ。

したがって移動できることや移動することにあまりに執着すると、誇張や歪曲を招く。グローバル・ヒストリーの概説で、かつては社会変化にあてられていた章が移民に関する章に置き換えられた例は枚挙にいとまがない。何百万人もの農民たちはしだいにレーダーから消え、かわりに船の乗組員たちが、実際の数以上に学問的な注目をあびている。大部分のひとびとはほとんど、あるいはまったく旅行しなかったし、長距離、あるいは見知らぬ文化の土地には行かなかった。既存の社会的・政治的・経済的条件と、世界の多くの場所でのインフラの未整備のために、移動がひろくひとびとの間に普及することはほとんど不可能であった。つまり、グローバル・ヒストリーの歴史家たちは軽率にも、循環や流動性といった彼ら自身の関心事に、移動せざるひとびとを巻き込んでいるのである。まったく皮肉なことだ。遍歴するひとびとや移動民はグローバリゼーションプロセスの被害者であった――そしていまや、生まれた場所にとどまる定着民が歴史家たちに無視され、歴史叙述の代価を払わされているのである。

この現象の一般に認められていない効果のひとつは、いくつかのグローバル・ヒストリーのテクストで特権的な役割がエリートに割り当てられたことである。もちろん、奴隷制もあった、苦力(クーリー)労働もあった、ひとの大量移動もあった。しかし多くの記述で、鍵となる役割は、かなたの土地へ向かった教養ある旅人に、遠く離れた王国から報告を書き送る賢人に、自らのグローバルな意識をことばにし紙につづるごくわずかなひとびとに、割り当てられる。だが長期的には、グローバル・ヒストリーは社会的転回から利益を得ることだろう――結局のところ、ほとんど移動しなかったひとびとにもより大きなプロセスの影響は及んだ。歴史家たちが最終的によりいっそう、現地で生まれ育った、多くの特権をもたない定住者、概ねグローバリゼーションの囲いの外にあり、接続されていなかったひとびとへと関心を戻すだろうと予測することは難しいことではない。歴史家が「ゾミア」と名づけた東南アジアの山岳地帯にいる、周縁化された諸集団に属する一億以上のひとびとについて考えてみよう。何世紀にもわたってこれらの集団は統合を避け、国家によって管理される諸制度や搾取的諸関係を回避しつづけた。こうした集団――「近代からの難民」――は、現在のグローバリゼーションのナラティブからはほとんど完全に欠落している[23]。

もっと一般的にいえば、グローバリゼーションの社会科学は移動を優先し、商品、ひと、観念のフローを言祝いできた。持続的な循環のパターンとして理解されるフローは、この分野の鍵となるメタファーとして出現した。フローという概念は場所や領土といった定着的な概念を掘り崩すものと見なされ、「あらゆる堅固なものは胡散霧消する」というグローバリゼーションの呪文が宣言された。フローは「脱領土化」と、とくに国民国家の枠組みの超克と、同一視されている。しかしフローの研究が必要だとしても、スランプや障害物に気づくことも必要だ。領土化のプロセスにはおぞましいものも見られるが、それらはグローバリゼーションというきつく編まれた網の目のなかで生じた意固地さや嘆きの結果ではない。むしろそれらはグローバルな統合に対する応答と見るべきである。国民国家がもっとも顕著に立ち現れたのは、一九世紀におけるグローバルな圧力への反応としてであった[24]。ふたつのプロセスは大抵の場合、手に手を取って進んだ。一八六九年にスエズ運河が開通し、イギリス・インド間の旅行時間は劇的に短縮したが、新たな水路はラクダのキャラバンやダウ（木造帆船）の通行を止め、長年にわたってつづいてきた交易と移動のルートは切断されたのだった。グローバリゼーションの加速と、さまざまな形で起こる減速は、たがいを制約しあっていたのである。[25]

ということは、なにもかもが移動し、誰もが旅をしたわけではないということだ――だから私たちは、フローのレトリックを、摩擦や非移転、惰性などの言語で補わなければならないということでもある。なぜ、ある種の知の形態は決して旅をしなかったのか？　なぜいくつかの観念は伝えられなかったのか――政治やインフラの点からは可能であったただけではなく、実際にそうした移転が推進されたときでさえ？　ひとつだけ、ピーコック・フラワー〔和名：黄胡蝶（おうこちょう）〕の例を見てみよう。ピーコック・フラワーはラテンアメリカとカリブ海で、避妊薬・堕胎薬として使用されていた。奴隷の女性たちは一八世紀にこの花の薬効の知識を得、生まれれば奴隷になるしかない子どもを中絶するために用いた。しかしこの知識は、カリブ海が大西洋経済の資本主義的構造に緊密に統合されても、ローカルなものにとどめられていた。科学史家ロンダ・シービンガーは「無知学（アグノトロジー）」――文化的に引き起こされた無知の形態に関する研究――という概念を導入し、知がひろめられる際に出会う文化的・制度的優先権から個人的な好き嫌いまでさまざまなファクターを叙述した。[26]

第三に、グローバル・ヒストリーというアプローチは、権力の問題を無視しているという批判を免れない。そのような批判によれば、「グローバル」という概念は近代世界の形をつくった社会的ヒエラルキーと権力の非対称性を隠してしまう可能性がある。そして実際、グローバルな接続を、みずからの利益を追求する個人や集団が駆動したプロジェクトとしてではなく、ほとんど自然なプロセスと見なしがちな研究もある。接続していることを賞賛するあまり、それらの記述は「グローバル」であることを、たいていは故意にではないにせよ、潜在的な権力の不平等を隠すために使ってしまう。

その結果が、自己発生するフロー、巧まざる商業の発展、縛られない自由な移動という物語である——あるいはそのようなものになる可能性がある。作家のシュテファン・ツヴァイクは、ノスタルジックな回想である『昨日の世界』の中で、境界なき移動性のユートピアに次のような鮮明な表現を与えた。彼によれば、「〔一九世紀には〕大地はすべての人間のものであった。各人はその欲するところに赴き、欲するだけ長くとどまった」。ツヴァイクには、「グリニッジの子午線を通り越すのと同じように気にも留めずに越えられた」象徴的な線という以上の境界は存在しなかった。しかし彼の経験は代表的なものとは到底言えない。南アフリカやキューバ、ハワイの鉱山やプランテーションで働いていた何百万人もの年季奉公の労働者やアジア人クーリーたちの生きられた経験は、オーストリアの作家やイギリスの旅行家など一握りのひとびとが享受したものとはひどく異なっていた。ツヴァイクの境界なき移動——「当時は聞くこともなければ聞かれることもなく〔船に〕乗ったり降りたりした」[27]——は、移民手続き、衛生管理、検疫所、国籍法、指紋押捺と書類審査、市民権法と移民排斥法に直面した多数のひとびとの経験とはまるで違ったのである。

このような近視眼は他の分野でも見られる。最近のいくつかの著作では、帝国はまるで非均質的な住民を支配する自明の政治的形態であり、個人や集団の権利の侵害を基礎とする政体ではないかのようである。市場は自然に収斂するようにみえる——多くの場合、銃で脅して交易を開始させたにもかかわらず。宗教の普及は翻訳と対話の結果であるように描かれるが、迫害と聖戦のおかげとはあまり言われない。こうした記述には、私たちの歴史理解を脱政治化し、自由な市場という虚構の枠に過去を嵌め込もうとする傾向がある。[28]

理論と方法のレベルでは、このような政治の排除は、一方ではポストコロニアル・スタディーズ、他方では世界システム論研究が大げさにすぎるという類の認識のための解毒剤のようなものとして、「グローバル・ヒストリー」が利用されることがあることと呼応している。ポストコロニアル・スタディーズと世界システム論がどちらも権力の批判に基づくアプローチであるのに対して、近年の、グローバル経済史や自然科学に傾いたビッグ・ヒストリーと見なしうる系統の研究は、社会的・政治的ヒエラルキーの問題をばっさりと切り落としている。したがって、境界を横断する相互作用とグローバルな統合のプロセスは、権力の不均衡と暴力によって徹底的に規定されているということを想起することが本質的に重要なのだ。トランスナショナルあるいはグローバルな接続はしばしば本来的に進歩的で好ましいものと歓迎されているが、その多くはそれ以上に不穏な力によって成し遂げられた。私たちはジュール・ヴェルヌの『八十日間世界一周』の旅をグローバル意識が生まれつつある象徴として読むことに慣れているかもしれないが、何百万ものひとびとを遠い岸辺へ、戦場へ、そして墓場へと強制的に移動させ、消し去ることのできない傷を残しながらグローバルな経験を創造したのは、第一次世界大戦であったのだ。

## 「グローバル」は何を隠蔽するのか?

四つ目の論点は、極端にいえば、規範、より具体的には責任の問題である。時間のスパンを長くとった研究や、とくに概説には、進行する大きな匿名のプロセスを、そのなかでは個々の人間の役割などなにもないかのように描き出す傾向がある。幅のひろいさまざまな展開を説明し、異なる地域における歴史的経験を架橋する解釈に到達しようと努めるうちに、歴史家たちは人間の行為主体性を実質的に排除してしまうような分析カテゴリーを選択している。この傾向はとくに極端なビッグ・ヒストリーに顕著だが、そこまで時間の幅がひろくない記述にもおよんでいる。グローバル・ヒストリーとは、人間を除け者にした歴史の形なのだろうか？

ある意味では、これはナラティブの文体の問題である。しかし、叙述の鮮やかさにおいてグローバルな概説がナショナル・ヒストリーと異ならなければならないという理由があるだろうか？　ある国民の歴史のマクロな記述が色鮮やかで、個人の行為主体性の決定的な役割に目を配ったものになりうるように、グローバル・ヒストリーも、少なくとも原理的には、そのように叙述しうる。実際、いくつかのジャンルのグローバル・ヒストリーの叙述は、与えられた大きな諸条件から気が散りそうになるほど、個人の活動を特権的に描いている[29]。しかし総体としては、世界の歴史についての多くの概説は、行為主体性の問題と格闘しているように見える。広大な空間と長い時間を整然と並べようとした結果、私たちはしばしば、必然性や不可避性の語彙と出会う。

より根本的な問題は、グローバル・ヒストリーの歴史家は、因果関係を少なくとも部分的にはグローバルなレベルに位置づけることによって、責任という、より身近な問題を相対化しているように見えるということだ。これはグローバルなアプローチに特徴的な方法論的選択の効果かもしれない。つまり、長期的系譜や内的な時間の連続性よりも、空間における共時的なファクターを強調するからである。内在論的なナラティブから逃走しようとするのは健全ではあるが、地上の行為主体性の軽視を代償としてしまうのである。ひとつ例を挙げよう。ホロコーストは、部分的には当時グローバルに働いていたさまざまな力によって説明しうるが、それはナチの加害者の罪を相対化することにもなりうる。このような過剰な文脈化——ローカルなアクターに対してグローバルなファクターを優越させること——は、説明責任の、そして罪の問題を、外部化してしまうかもしれない。したがって、人間の活動は構造によって形成されるが、グローバルな構造は人間の活動によって形成されるということを想起するのは重要なことだ。グローバルな構造は、さまざまな構造化のプロセスの結果である。構造はそれ自体として、ひとびとが活動する条件を限定する要因となるが、ひとびとにどうふるまうか命じるわけではない。構造は特定の状況を組み立て、そのなかである種の展開の可能性を減少させるのであって、人間の行為主体性を決定するのではない[30]。

第五の問題は、多くの点でもっとも根本的なものである。端的にいえばこうだ。「グローバル」という術語がマルコ・ポーロの旅を描くにも、二〇〇八年の金融危機の際のさまざまな動きを記述するにも使われるとすると、あまりにも蓋然的すぎないだろうか？　普遍的に応用可能な術語はどれほど効果的なのだろうか？　あらゆる種類の境界横断的な交換を「グローバル」の語のもとに包摂するとき、それは分析的なカテゴリーとしてどれほど有用なのだろうか？

たしかに、さまざまな時代を通じて世界中の場所がたがいに接続されてきたし、これらの接続を拡大して見ることによって貴重な知見がもたらされる。しかし、これらの連関が、すべて同じ種類ということはない。くわえてそれらは、それぞれきわめて異なる構造——統合的なものや競合的なもの——によって可能になったのであった。相互作用が起こった環境の特有の論理を見失うと、歴史的固有性も失われることになるだろう。すべてを「グローバル」であるとすることはあるレベルでは適切かもしれないが、個人の名前を「ひと」という語に置き換えるような具体性のなさがある。誰が十字軍やバスティーユの襲撃を開始したのか、太平天国の乱で苦しんだのは誰か、もっと正確に知りたいと私たちは思う。「ひと」では、どんな個性もかき消されてしまう。同じように、遠く離れた場所をつなぐ連関の持続性を保証したのは、イスラーム世界なのか、ペルシャ語なのか、汽船の大西洋横断航路なのか、中国の大家族の連鎖移民なのか、イギリス帝国の力なのか、あるいは需要と供給のものいわぬメカニズムなのかを理解することは決定的に重要だ。「グローバル」をあらゆるものの代役にしてしまうと、これらの決定的な差異は見えなくなってしまうだろう。

「グローバル」という観念はある連続性を示唆するが、しばしばそれはあてにならない。空間的には、異なるさまざまな形態の絡み合いを同種のものへと翻訳してしまうし、時間的には、早い時期の連関をのちの接続の前史のように見せてしまう。偉大なモロッコ人旅行者イブン・バットゥータ(一三〇四〜七七年)は、今日の格安航空会社利用の旅行者のたんなる先駆者だったのか？　イギリス植民地主義はグローバリゼーションへの――ある歴史家たちがいうには「アングローバリゼーション」への[31]――道を開いたのだろうか？　イギリス帝国は間違いなく新しい接続を確立した――が同時に、古い、もはやロンドン・シティの利益の役には立たない由緒ある接続を破壊した。植民地主義は移動と交易を妨げる新しい境界も強制した。たとえばスリランカは、一九世紀はじめにイギリス人がこれを別個の領土的単位とすることによって大陸とインド洋との連関を断ち切ろうとしたために、正真正銘「孤島」化した[32]。つまり、接続性の形のかつてとその後のあいだの連関がどのようなものであれ、「グローバル」という術語が示唆するよりずっとそれは複雑なのである。

問題は、大規模な構造が地球規模であり、地球上のどんな小さな片隅にも届く文字通りの「グローバル」であるかどうかではない[33]。この術語をどのように用いるかという問題である。多種多様な帝国(モンゴルからイギリスまで)や交易のネットワーク(サハラ砂漠を横断するキャラバンから現在の多国籍企業まで)、言説のヘゲモニー等々をすべて「グローバルな構造」と翻訳するのは、概念的暴力でしかない。そのような抽象化では、大規模な問題のうちのほんのいくつかにしか答えることはできず、むしろ、多くの歴史家や読者大衆が今日抱いているさまざまな関心を扱うのにはあまり適していないことが明らかになるだろう。「グローバル」という観念は、このように使用されると、さまざまな歴史的現実を平準化し、ある意味ではグローバル・ヒストリーから歴史を取り去ってしまう恐れがある。

では、「グローバル」という語彙はいっそ捨ててしまったほうがいいということだろうか？　もちろんそうではない。もっとも一般的なレベルでは、一見異なるように見えるさまざまな過去をひとつの枠組みで議論し、以前のパラダイムでは見えなかった接続を考察するきっかけとして、この語は必要だ。もっと個別のレベルでは、それによって私たちは、真にグローバルな構造の問題を扱うことが可能になる。そして政治的には、スローガンとして必要だ。グローバル・ヒストリーはアプローチであるだけではない。知の風景を再構築し、知の生産の制度を改造するために必要なスローガンでもある。グローバル・ヒストリーは、過去はグローバルだったことを示唆してくれる――そしてそれはアメリカ史、イタリア史、中国史に限らないことを。私たちの知のパラダイムの革命のためには、そして型にはまった思考から歴史を救い出すためには、「グローバル・ヒストリー」という概念は必要不可欠なものでありつづけるだろう。

とはいえ分析の装置としては、「グローバル」観念はもっと具体的で、しばしばもっと精密な術語と競合している。ゆえに、長い目で見れば、その問題発見的な価値は減少してゆく運命にある。だからこう予言してもさしつかえない。世界のさまざまな場所がどの程度相互に連関し、大きな構造がローカルなできごとにどのようにインパクトを与えたかをよりよく理解すればするほど、私たちはグローバルのレトリックから解放されるだろう。もちろん、まだまだ道のりは長い。現実的には、歴史家たちはどこでも、主に自分自身の国民に焦点を絞っている。多くの国々で、制度設計と大衆の期待が結託して、現行のナショナルな枠組みを維持させている。歴史という学問分野がナショナル・アイデンティティをめぐる問いと固い絆で結ばれているために、この枠組みはそうすぐには変わりそうもない。対照的に、グローバル・ヒストリーの制度化は進まず、いまのところ主にアングロフォン世界と西ヨーロッパおよび東アジアの一部で立ち往生している。そしてこれらの地域においてさえ、そのひろがりは限定的である[34]。

しかし将来いつか、私たちがグローバルな構造と世界大の動態を当たり前のこととして理解することができたら、「グローバル」の観念は背景へと退き、個別の事象の特殊性へあらためて力点が置かれるようになるだろう。歴史家たちは、アプリオリに国民国家でもなく、といって必ずしも全世界でもない、新しい地理に依拠してゆくだろう。探究の出発点としてなにかひとつの尺度をとるのではなく、固有の相互作用や交換のパターンにしたがった尺度を選択してゆくだろう。そうして、「グローバル」というレトリックが次第に消えてゆくとき、それは逆説的に、パラダイムとしてのグローバル・ヒストリーの勝利の前兆なのだ。

# 謝辞

本書を書き上げるにはいくらか時間がかかった。グローバル・ヒストリーという分野の研究の蓄積の評価が、スナップ写真のようにしかなりえない変化の速さゆえに、もっと時間がかかる可能性もあった。これは、二〇一三年にドイツのC・H・ベック出版から刊行された拙著『グローバル・ヒストリー』の翻訳から始まったが、すぐに、翻訳ではなく新たに書きはじめる必要があることがわかった――そして、プリンストン大学出版のブリギッタ・ヴァン・ラインバーグとジェレミー・エイデルマンがその方向で優しく励ましてくれた。ドイツ語版の八章のうち、二章を修正し、厳密に初学者向けであったものをより問題志向のテクストにするためにそのほかは捨てた。その結果、まったく異なる本になった。

その間、世界中の多くの同僚が、私を支え、鼓舞し、批判してくれた。多すぎてここにすべての名前を挙げることはできない。ヨーロッパ、アメリカ合衆国、東アジアのさまざまな会議やワークショップでアイディアを発表した。ジェレミー・エイデルマン、アンドレアス・エッカート、キャサリン・デイヴィーズ、ミヒャエル・ファチウス、シェルドン・ギャロン、羽田正、ラッセ・ヘールテン、クリストフ・カルター、デルテ・ラープ、キラン・パテル、マルグリット・ペルナウ、アレッサンドロ・スタンツィアーニ、アンドリュー・ジマーマンは一章あるいは数章を読んでくれて、惜しみない批評を与えてくれた。また、ベルリンでのグローバル・ヒストリーの修士課程のゼミで、ほとんど毎日のように問いと批判に向き合い、刺激を受けた。プリンストン大学出版に依頼された六名の匿名の査読のうち、ただひとつ批判的であったものが、本書全体の構成と議論を再考するよう私を促してくれた。そして最後に、とりわけクリストファー・L・ヒルとドミニク・ザクセンマイアーに、本書で描かれた問題のいくつかを、繰り返し、集中的に議論してくれたことに感謝する。彼らがいなければ、本書は形にならなかったし、もっとずっと暫定的なものになっただろう。

　第2章と第3章の一部はもともとドイツ語で書かれたが、シヴォーン・ヒースとジョイ・タイトリッジが専門家として翻訳してくれた。このテクストを用意するなかで、私は幸運にも学生アシスタント、ステファニー・フェザー、ジャニス・ガーグスディーズ、マット・ステフェンス、マティアス・テイデン、バーバラ・ウフドーフをたよることができた。本書は韓国教育省韓国研究ラボラトリー・プログラムと韓国学中央研究院の韓国研究推進サービスの支援を受けた（AKS-2010-DZZ-3103）。

# ［解説］　誰のために歴史を書くのか

小田原　琳

## 1　グローバル・ヒストリーという観念の登場

グローバル・ヒストリーという言葉が最初に登場したのが一九六〇年代であったとしても、[1]その表現を頻繁に目にするようになったのは九〇年代以降のことである。二〇〇〇年代に入っては、むしろ「ブーム」と呼ぶことさえできるだろう。私たちの日常の言語に「グローバリゼーション」がいつのまにか浸透していたことと、そのことは深く関連している。気づかないうちに私たちの暮らしは「グローバル化」していた。しかし、「グローバリゼーション」とはなんなのか、「グローバル」であるとはどういう状態なのかについては、必ずしも確信があるわけではない。それをどのように評価するか、ということになれば、なおさらである。グローバリゼーションそれ自体を問うことと、「グローバル・ヒストリー」とはなにかを問うことは、私たちの日常の「グローバル化」が認識にもたらした変化であるという意味で同一の地平にありつつ、しかも後者には歴史叙述特有の課題がはらまれている。ドイツ出身の日本史研究者であり、またドイツの植民地主義の歴史に関する仕事もある歴史家、ゼバスティアン・コンラートによる本書が、近年日本語訳が出版されたパミラ・カイル・クロスリー[2]と、リン・ハント[3]の同種の議論とも比較しながら、歴史叙述としてのグローバル・ヒストリーという問題とどのように向き合っているかを検討し、改めて、今なぜ、私たちがかくもグローバル・ヒストリーを求めているのかを考えたい。

## 2　グローバル・ヒストリーという場の設定

本論に入る前に、著者ゼバスティアン・コンラートについて略歴を見ておこう。

一九六六年にハイデルベルクで生まれたコンラートは、良心的兵役拒否の代替としての市民奉仕活動に服務中にハイデルベルク在住の日本人家族と暮らしたことで、日本語と日本文化への関心を抱いた。歴史学と東アジア研究に携わり、大阪や東京への留学を経て、パリの社会科学高等研究院やフィレンツェの欧州大学院で教鞭をとったのち、現在はベルリン自由大学の歴史・文化学教授を務めている。第二次世界大戦の敗戦を受けて日本とドイツの歴史家たちが国民の過去をどのように定義しなおしたかを問うた学位論文、一九世紀後半以降のグローバル化がドイツ・ナショナリズムに与えた影響を扱った教授資格申請論文を執筆したあと、ユルゲン・オスターハンメルやドミニク・ザクセンマイアーらとともに、ドイツの植民地主義に関する研究やグローバル・ヒストリー研究に乗り出していった[4]。ユルゲン・コッカの指導のもとで学んだ伝統的なドイツ歴史学と日本研究、アメリカ合衆国やイタリアでの経験など、多様な場での歴史研究の遂行、学術的な環境の国境を超えたひろがりや移動、交流がコンラートの視野を形成していることは間違いない。その意味で、彼自身が、われわれと同様にグローバル化時代の歴史の主体であり、そのことが、包括的で教育的でもある本書の背景になっている。

当然ながら、グローバル・ヒストリーを書くということと、グローバル・ヒストリーとはなにか、またどのようであるべきかを考えることとは別のことである。後者は前者の実践を基盤として組み立てられなければならないが、同時に、前者の実践の、ときに無意識の前提となっている問題意識の結晶化でもある。コンラートを含め、グローバル・ヒストリーというジャンルを語るためには、そのための場を設定せねばならず、論者たちは実践と理論との関係性をさまざまに捉え返しながら、その課題にとりくんでいる。

クロスリーの『グローバル・ヒストリーとは何か』は、グローバル・ヒストリーと名乗るにせよ名乗らないにせよ（グローバル・ヒストリーという呼称そのものの新しさを考えれば、明示的にそれに挑戦している歴史叙述のほうが少ないのは明らかである）、すでに書かれたグローバル・ヒストリーと見なしうるものを挙げ、それらをその語り（ナラティブ）の型――発散・収斂・伝染・システム――によって分類する。つまり、グローバル・ヒストリーとはなにかという問いに関していえば、人は、古代からひとつの世界を描き出そうという欲求をもち、地球規模での「人類史」を語ろうとしてきたのだと、クロスリーは指摘する。ただその書き方は、カタログ集成的なものから、さまざまに異なる文化をひとつの一貫した物語に統一的に組み上げて語ろうとする仕方へと変わっていったというのがクロスリーの見立てである。ときどきに用いられるナラティブの型は、社会ダーウィニズムから資本主義化、遺伝子学まで、同時代の、ときに歴史叙述とは直接関わりのない技術や変化の影響を受けているととらえられている。その分析は、いくらかは、ナラティブにおける進歩史観の様相を呈しているようにも見える。

一方、コンラートとハントは、両者とも実践を踏まえつつも、歴史叙述の新しい可能性をもつ方法としてのグローバル・ヒストリーに、議論を集中させてゆく。ハントは、近代の歴史叙述を規定してきたパラダイムとしてマルクス主義、近代化論、アナール学派、「アイデンティティの政治」の四つを挙げ、さらにそれが、一九六〇年代から九〇年代にかけて、ハントが総称する文化理論——カルチュラル・スタディーズ、ポスト構造主義、ポストモダニズム、ポストコロニアリズム、言語論的転回、文化論的転回など、「文化や言語に対する親和性を共有する」[5]諸理論——によって後景に退けられたことを示す。しかし、これらの文化理論は、その本質主義批判という性質において、新たなパラダイム(歴史的発展の包括的解釈)を提供することがなかった。ではグローバリゼーションはそれに替わるパラダイムになりうるだろうか? ハント自身は、グローバリゼーションは人類の経験した共通のプロセスではあるものの、パラダイムを意味してはいないと考えている[6]。むしろ、私たちがグローバリゼーションという経験を通じて、歴史分析の基礎カテゴリーである「社会」と「自己」という観念の再考を促されること、「社会」と、その内部でのみ成立しうる「自己」という西洋生まれの観念を再検討する契機を得ることに、グローバルに視点を据えることの意義があるだろう、という。このようなハントの立ち位置にも示されているように、グローバル・ヒストリーというジャンルの台頭、このジャンルについて考察する態度には、近代歴史学の特徴といってもよい二つの論点に関する批判的眼差しがわかちがたく結びついている。すなわち、社会や個人が置かれる「容器」としての国民国家という歴史叙述の単位と、そのヨーロッパ中心主義的性質である。

クロスリーが語り方の型という視点から、ハントが歴史解釈の型という視点から、グローバル・ヒストリーというジャンルを見定めようとしたとするならば、ゼバスティアン・コンラートは、方法論や問題意識のうえでグローバル・ヒストリーに先立ち、あるいは並行して、これと競合するアプローチとの比較を通じて、それを試みる。ここで彼が挙げるのが、比較史、トランスナショナル・ヒストリー、世界システム論、ポストコロニアル・スタディーズ、複数の近代論の五つである。そのなかには必ずしも歴史学の分野に属するわけではないものも含まれるが、これらは何より、ナショナルな境界を超え、歴史解釈における西洋のヘゲモニーを超えようとする意図を共有している(本書三七―三八頁)。コンラートによれば、これらの五つのアプローチは、それぞれに有効性と限界をもつ。たとえば比較という古代から連綿とつづくアプローチのメリットは、異なる歴史的経験のあいだの対話を開くことだが、同時に二つの問題をもつ。第一に、異なる二者を比較するとき、往々にして、一方の発展を当然のものと見なし、そのために他方を「欠如」や「後進的」なものとして描く目的論的記述に陥ってしまう。第二に、比較される二者はそれぞれ、本質的には無関係に、独自に発展したものとして扱われかねない。比較という方法のこの二つの問題/特徴は、直接の接触や交換をもたない複数の対象を同一の地平で検討するという可能性をもたらすはずであるにもかかわらず、むしろ独自性や逸脱、例外というナラティブ――ドイツの「特殊な道(ゾンダーヴェーク)」、あるいは近代=「ヨーロッパの奇跡」といった――を生みだしてきた(四一頁)。世界システム論は、比較史やトランスナショナル・ヒストリーと異なり、個別の事例の比較や関連性ではなく、より大きな地域ブロックとシステムを歴史的分析の単位とする。国民国家など既存の統一体を所与のものと考えないという点で重要だが、経済還元主義になりがちで、内部の歴史的特殊性が蔑ろにされ、市場の統合に働く非対称な力関係が無視されること、具体的分析よりも体系的文脈が先行すること――ハントの言葉を借りれば「上からの」グローバリゼーションの説明であること――という限界があり、しかもヨーロッパ世界システムそれ自体の誕生が内在的に説明されることがない。すなわち、「ヨーロッパ中心主義の要素を捨て去ることができていない」とコンラートは指摘する(五〇頁)。他方ポストコロニアル・スタディーズは、世界システム論がマクロな経済統合プロセスに注意を払うのに対し、一九八〇年代以降、文化的境界を横断する複雑な相互作用について注意を喚起したことできわめて重要な役割を果たしてきた。ここではグローバリゼーションはたんなる支配と経済的搾取の形態としては理解されない。私たちが歴史的変化を説明するためのさまざまな知的カテゴリー——カーストや宗教、人種などの概念——それ自体が植民地との出会いの応答として誕生し、みずからと植民地との差異を示すために用いられたことを、この批評理論は自覚させた。グローバルな統合プロセスは、軍事力や資本主義化だけでなく、認識の枠組みにまで降り立って、そこから不平等な権力構造として位置づけられなければならない。「近代世界がますます相互に接続を強めていく状況は、それが起こった植民地主義の諸条件から切り離すことができない」(五四頁)。コンラートはグローバル・ヒストリーが扱う対象とする時代を必ずしも近代以降、すなわちグローバリゼーション以降とはしないが(第5章)、彼がグローバル・ヒストリーという視点において、「グローバルな統合、ないしはグローバルなレベルでの構造的変容」(六一頁)を重視するとき、まさに「構造」という用語が示すように、力関係の問題に意識的であることは強調しなければならない。比較の視点が進歩という近代的な時間認識に容易に取り込まれていくことへの警戒感もまた、そこに立脚している。

では、近いところにあるそれらのアプローチに対して、グローバル・ヒストリーはどのようなものであるべきだとコンラートは考えているのだろうか。

## 3 方法としてのグローバル・ヒストリー

競合する諸理論に対して最新版のアプローチであるからといって、それらが内包している限界が自動的に乗り越えられるわけではない。マクロな比較にかわって、グローバル・ヒストリーはしばしば、「接続」や「交換」、「交流」や「ネットワーク」といった語彙で表現されるような流動的な事象に関心を寄せた。しかし、ただ移動や相互作用に焦点を当てることだけではこのアプローチは十分に新しいものにはならない。グローバル・ヒストリーを独自のアプローチとしうる方法論的選択としてコンラートは七点を指摘しているが、以下ではこれを三点に整理して提示しておこう。

### (1) 空間性

「グローバル」という形容詞が端的に示すように、グローバル・ヒストリーは空間性について意識的であることが重要とされる（人文学における「空間的転回」）。国民国家や帝国、文明、あるいは宗教など、歴史叙述における既存の空間的単位に対して、流動性に関わる問いが必要とするオルタナティブな空間性を求めることになるだろう。たんに規模を地球全体へと拡大することがグローバル・ヒストリーの空間なのではない。大西洋やインド洋、南シナ海など、大洋は複数のアクターが交差するトランスナショナルな空間であるだけでなく、ポール・ギルロイが『ブラック・アトランティック』[7]で描き出したように、ヨーロッパが副次的な役割しか果たさなかった空間であった。このように見ることで、空間的視点における脱ヨーロッパ中心主義の契機ともなるようなコミュニケーションが交換された新しい社会的空間を創造することが可能になる。たとえばその一例として、コンラートは環境史家のグレゴリー・クシュマンの仕事を挙げる。クシュマンは、グアノ(海鳥の糞)がラテンアメリカ、東アジア、オセアニアの農業と経済の発展に果たしたきわめて重要な役割を追っている。北アメリカとヨーロッパで人口が急激に増加した一九世紀、ペルーが輸出するグアノは、肥料としてこれらの地域の農業の増産に貢献し、ペルーの歳入の六割を占めるにいたった。他方グアノのブームは大量施肥による集約農法への注目を高め、二〇世紀オセアニアにおけるリン鉱石の採掘へとつながった。クシュマンはこうして、海鳥の糞の導きにしたがって、近代世界における食糧生産と環境という大きな問題を語る。(8) このようなオルタナティブな空間の設定において肝要であるとコンラートが考えるのは、グアノのように、それが具体的な主題に基づいて追究されることである。グローバル・ヒストリーの事例としてしばしば引用されるケネス・ポメランツの著作(9)のように、マクロな視点からの歴史叙述だけがグローバル・ヒストリーなのではない。いわばグローバルなミクロストーリア——ハントが提示し、一世を風靡しつつある表現でいえば「下からの」グローバル・ヒストリー——でなければならないとされる。それはグアノのように商品であったり、ディアスポラのようにひとの移動であったりもするだろう。

暗黙のうちに前提とされる歴史叙述の単位に対する問いは、グローバル・ヒストリーを次のような認識へ導くはずだ。「いかなる歴史的単位——文明、ネイション、家族——も、孤立して発展するのではなく、他の単位との相互作用を通してしか理解しえない」(六四頁)。ある単位——たとえばヨーロッパ——の発展は内在的に説明されるのではなく、他の地域や社会とのさまざまな交換から考えられなければならない。先述のように、世界システム論に対するコンラートの批判はこの点にあった。グローバル・ヒストリーの求める広域的な空間性は、ある種の統合過程を描き出すことでもある。コンラートは「統合」を「構造的変容」と同義で用いており（六一頁、一〇〇頁など）、統合過程における権力の非対称性を強く意識しているが、空間性の議論との関わりからはさらに、この変容が「より少ない統合からより多い統合へ、欠如から充満へ」（一〇〇頁）という単線的なものであると前提してはならないという戒めが導かれる。社会構造は不動の存在ではなく、個々人の実践を通じて生産され、再生産されるものであり、「行為主体性の、日々の実践の、絶えざる変容と修正の、産物」である（一〇二頁）。グローバル・ヒストリーの空間的射程は、ただ表層的にグローバルであるだけでなく、個人の実践が構造に働きかける可能性も含めてとらえているかどうかで違ってくるのである。

ただしグローバル・ヒストリーの空間性をめぐるこのような理解は、グローバル・ヒストリーにおいて時間をどのようにとらえるかという問題とのあいだに、緊張をはらむことにもなる。

### (2) 時間性

叙述の対象の規模を空間的に拡大し、諸個人や社会の相互作用に目を向けるグローバル・ヒストリーでは、従来の歴史叙述に付随していた時間にかかわる語彙——進歩、停滞といった——が、領域性や地政学、循環やネットワークなど空間的メタファーにその場所を譲った。時間の尺度の取り方においても、伝統から近代へ、といったような目的論的な叙述を排し、むしろ歴史的なできごとの同時性を強調するようになる。直近では「アラブの春」が示すように、社会の変化においてはそれ以前の歴史からの連続性と同じように、同時代の外的な諸力の配置が重視される（六五頁）。このことはそれ自体として、マルクス主義や近代化論など、発展という時間的枠組みで歴史をとらえてきたパラダイムへの異議申し立てとなる（一四一頁）。とはいえ、それが歴史であるかぎり、グローバル・ヒストリーが時間性と無関係であるわけはない。そうではなく、そこでは空間性に関するのと同様に、歴史的説明における時間の再配置が試みられている。とりわけそれは、グローバル・ヒストリーが扱う対照的な二つの時間の尺度に表れる。人類史全体を対象とするような可能なかぎり長い時間と、発展的時間という観念に対抗する、もっとも短い時間、すなわち共時性である（一四九頁）。共時性に注目した研究として、コンラートは彼自身の仕事を挙げている。検証されているのは、一九九〇年以降の東アジアにおける第二次世界大戦の記憶をめぐる論争である[10]。しばしば抑圧された記憶の回帰、あるいはトラウマなど、「過去と現在の関係性、五〇年前に起こったことへの遅れた応答」（一五〇頁）と叙述されるこの現象について、コンラートはむしろ、日本、中国、韓国における「記憶の戦争」は同時代の、同時的変容、つまり一九九〇年代に起こったことへの応答と理解するほうが「生産的」だと主張する。冷戦の終結によって東西の二項対立にしたがって配列されていた体制が変化し、政治集団や市民社会のイニシアティブ、企業の利害関心が東アジアに向かった結果、韓国と中国の犠牲者の声が日本で聴かれるようになり、「過去の解釈がとくに好まれるアリーナとなり、そこでアジアの交流や協力の可能性が交渉された」、新たなアジア的公共圏の到来をもたらしたと見なすのである（一五〇頁）。いまの東アジア、とりわけ日本における激しい政治的変動や歴史認識の歪みを目の当たりにして、私はさほど楽観的にはなれないが、コンラートが別の事例を引きつつ指摘しているように、相互に深く関連するできごとが離れた場所で起こったことの理由を同時代的に求めることによって、オルタナティブな空間や解釈の枠組みの発見につながる可能性はあるだろう。ただし個々のできごとの、それぞれの固有の歴史的経験を等閑視してよいことにはならない。系譜学的追究と同時的の双方に目配りすることが、グローバル・ヒストリーには必要である。

グローバル・ヒストリーの空間性と時間性双方において指摘された、課題ごとにそのつど関係的なものとして要請される時間的・空間的秩序を測るために、必要な尺度を選択するという態度は、技術的・方法論的な問題ではなく、規範的な含意があるとコンラートは注意を喚起する。主としてドイツで知的形成を果たしたコンラートが、集合的意識に関わる課題としても、個人的な研究の課題としても向き合わざるをえなかったナチス・ドイツの歴史について考えるとき、個々人の実践と広域的な空間設定、極小的な時間と長い歴史的経験とのあいだの緊張関係が浮かび上がる。ユダヤ人虐殺は、短期的には個々の行為主体の決定の連なりの結果だが、それらの決定は一九世紀以来の反ユダヤ主義や、マルティン・ルターにまで遡ることができる権威主義的傾向を歴史的背景としてなされた。空間的にも、個人の動向が重要な意味をもつ家族や小さな町といった単位ではなく、党エリートや官僚、組織の論理が重要性をもつナショナルなレベル、第一次大戦後の世界体制や世界恐慌、資本主義の危機、その克服をめぐる思想の流行などの尺度をとれば、個人の行為主体性は後景に退くだろう。グローバルなアプローチの特徴である方法論的選択は、ホロコーストを同時代のグローバルな諸力で説明することによって、ひょっとするとナチスの犯罪者たちの罪を相対化することになるかもしれない。グローバル・ヒストリーは、尺度を広げることによって、起こったことが不可避であり、あたかも必然であったかのように見せかけ、ことによっては説明責任を外在化してしまう危険性をもつ、と自問しているのである（一五八頁）。ここでもコンラートは、構造と行為主体性の双方のバランスが重要だとくりかえす（一六〇頁）。

### (3) グローバル・ヒストリーとポジショナリティ

矛盾する二つの方向性のあいだのバランスを見失うべきではないという指摘は、結局のところ、歴史を書く者の認識、あるいは良心に頼っているにすぎないという批判もできるかもしれない。しかし、グローバル・ヒストリーが、従来の歴史叙述が暗黙の前提としてきた知のヘゲモニーともいうべきものに対する批判的な営みとして登場したとしても、そのアプローチが「私心のない客観」的な歴史を保証するわけではない(一六一頁)。構造を論じる際に不均衡な力関係について意識的であったことにも示されているように、ポジショナリティの問題にきわめて自覚的であることは、コンラートのグローバル・ヒストリー論のもっとも優れた特質といってよいだろう。本書は全体として、構造への関心が高い。それはグローバルな統合現象に、すなわちグローバリゼーションという現象それ自体に向き合う歴史叙述を考えるにあたって、避けがたいことであろう。しかし空間と時間の尺度に対する倫理的とさえいえる配慮に見られるのは、構造との関係において個人の生を理解したいという欲求かもしれない。それは最終章のタイトル「誰のためのグローバル・ヒストリーか?」に端的に表れている。さまざまな歴史的アクター——社会主義者やアナーキスト、フェミニストや宗教的マイノリティ、ディアスポラ共同体、反植民地主義活動家たち——がそれぞれの仕方で「世界」を表象し、構築したように、グローバル・ヒストリーの歴史家は、書くことによって世界を「制作」する(一八五—一九〇頁)[11]。ナショナル・ヒストリーが一九世紀の国民形成プロジェクトに奉仕したように、地域研究が冷戦の産物であったように、グローバル・ヒストリーはグローバリゼーションのイデオロギーなのだろうか。この疑念に対して、コンラートは本書を通じて抗おうとしている。「グローバル」という視点によって導かれる可能性のある、権力構造の隠蔽や個人の役割の無視などの問題をくりかえす——

本書の構成をいくらかは煩雑にしてしまっているほどに――のはそのためだ。先進国の大学における英語と英語圏の学問研究の圧倒的支配の批判や、非ヨーロッパ社会について知ること、複数の言語を学ぶことの利点など、実践的な指摘もそのなかにある。本書は、グローバルな環境に否応なく投げ込まれ、そこで過去の叙述に取り組まねばならない歴史家である彼自身が、同時代の諸力の配置関係のなかで歴史を書くことの意味と格闘し、応答責任を果たそうとする、そのプロセスそのものなのである。

＊　＊　＊

二〇一八年の春ごろ、成田龍一氏（日本近代史、日本女子大学名誉教授）、岩崎稔氏（西洋哲学・思想史、東京外国語大学）からのご紹介で本書の翻訳を開始した。お二人は二五年以上続く学際的な研究会、ＷＩＮＣ（Workshop in Critical Theories）を通じて、著者のゼバスティアン・コンラート氏と交流がある（これもまた、著者の国境を超えた視点の基底を構成している経験のひとつだ）。まず『思想』一一二七号（二〇一八年三月）に書評を執筆し（その後成田龍一・長谷川貴彦編『〈世界史〉をいかに語るか――グローバル時代の歴史像』岩波書店、二〇二〇年に所収）、今般それを解説として、訳語等を本文に合わせるかたちで修正して再録している。読み返すと、最初に本書を手にしたときの自分自身の興奮が伝わってくるようで、少し恥ずかしいような気もする。著者が訳者と同じ時代を生き、同じ研究から学び、グローバリゼーションとの格闘を通じて、一九世紀に誕生した歴史学という学問分野の限界を認識し、その乗り越えを図り、またその特質を生かそうとしていることを感じながら、翻訳を進めた。遅れがちな作業にペースメーカーとして伴走し、問題意識を共有して的確なアドバイスをくださった岩波書店の吉田浩一さんに感謝申し上げる。

仕上げの段階は、新型コロナウイルス感染症の世界的な流行により、誰もが国境やもっと小さな空間に閉じ込められ、未来の見えない逼塞感や、経済的な危機感を感じるなかで進められた。「誰もが」と書いたが、本書が示唆するのは、たとえすべてのひとびとがグローバルに同じことを感じていたとしても、それには地域や社会によって異なる強度があり、その差異をもたらす歴史的な背景があることを見過ごしにしてはならないということだ。私たちはそれを照射しうる適切な空間的・時間的尺度を選択しなければならないのである。しかしその知的な可能性が、息の詰まるようなこの瞬間にもひらかれていることは、歴史学に託された希望でもあるのではないだろうか。

（1）木畑洋一「グローバル・ヒストリー——可能性と課題」歴史学研究会編『第4次 現代歴史学の成果と課題——新自由主義時代の歴史学』第一巻、績文堂出版、二〇一七年、四九頁。
（2）Pamela Kyle Crossley, *What Is Global History?*, Polity Press, 2008（パミラ・カイル・クロスリー／佐藤彰一訳『グローバル・ヒストリーとは何か』岩波書店、二〇一二年）。
（3）Lynn Hunt, *Writing History in the Global Era*, W. W. Norton & Company, 2014（リン・ハント／長谷川貴彦訳『グローバル時代の歴史学』岩波書店、二〇一六年）。
（4）Timothy Nunan, 'Global History as Past and Future: A Conversation with Sebastian Conrad on "What is Global History?"' http://toynbeeprize.org/global-history-forum/global-history-as-past-and-future-a-conversation-with-sebastian-conrad-on-what-is-global-history/（二〇一七年六月三〇日アクセス）。
（5）ハント前掲書、一九—二〇頁。
（6）同前、五五—五七頁。
（7）Paul Gilroy, *The Black Atlantic: Modernity and Double-Consciousness*, Harvard University Press, 1995（ポー

ル・ギルロイ／上野俊哉・毛利嘉孝・鈴木慎一郎訳『ブラック・アトランティック――近代性と二重意識』月曜社、二〇〇六年）。

（8）Gregory T. Cushman, *Guano and the Opening of the Pacific World: A Global Ecological History*. Cambridge University Press, 2013.

（9）Kenneth Pomeranz, *The Great Divergence: China, Europe, and the Making of the Modern World Economy*. Princeton University Press, 2009（K・ポメランツ／川北稔監訳『大分岐――中国、ヨーロッパ、そして近代世界経済の形成』名古屋大学出版会、二〇一五年）。

（10）Sebastian Conrad, 'Remembering Asia: History and Memory in Post-Cold War Japan' in: Aleida Assmann and Sebastian Conrad (eds.), *Memory in a Global Age*. Palgrave Macmillan, 2010, 163-177.

（11）ここで挙げられている「アクター」が、さまざまな局面で弱者とされたひとびとであり、それを自分たちに強制する力に抗ったひとびとであることに気づいておきたい。

**ゼバスティアン・コンラート** Sebastian Conrad
1966年ハイデルベルク生まれ．パリ社会科学高等研究院等を経て，現在ベルリン自由大学歴史・文化学部教授．ドイツ植民地主義史，日本近現代史，グローバル・ヒストリー研究．
*Globalgeschichte: Eine Einführung* (C.H. Beck, 2013), *German Colonialism: A Short History* (Cambridge University Press, 2012), *Globalisation and the Nation in Imperial Germany* (Cambridge University Press, 2010), *The Quest for the Lost Nation: Writing History in Germany and Japan in the American Century* (University of California Press, 2010)など．

**小田原 琳**
1972年生まれ．東京外国語大学大学院地域文化研究科修了．学術博士．現在，東京外国語大学大学院総合国際学研究院准教授．イタリア近現代史，ジェンダー・スタディーズ．
『イタリア国民国家の形成』(共著，日本経済評論社，2010年)，「「平和の犯罪」としての戦時・植民地主義ジェンダー暴力」(『ジェンダー史学』12号，2016年)，「〈境界〉を創り出す力——南イタリアから立てる近代への問い」(東京歴史科学研究会編『歴史を学ぶ人々のために』岩波書店，2017年)など．

グローバル・ヒストリー——批判的歴史叙述のために
ゼバスティアン・コンラート

2021年1月27日　第1刷発行
2021年6月25日　第2刷発行

訳　者　小田原 琳（おだわら りん）

発行者　坂本政謙

発行所　株式会社 岩波書店
〒101-8002 東京都千代田区一ツ橋2-5-5
電話案内 03-5210-4000
https://www.iwanami.co.jp/

印刷・三秀舎　カバー・半七印刷　製本・松岳社

ISBN 978-4-00-022644-8　Printed in Japan

# 索　引

## 【さ行】

**【た行】**

【な行】



【は行】

**【ま行】**

【や行】



【ら行】

# 注

［第1章］

(1) C. A. Bayly, *The Birth of the Modern World, 1780-1914*, Oxford (Blackwell) 2004, 469 (C. A. ベイリ／平田雅博，吉田正弘，細川道久訳『近代世界の誕生（上・下）』名古屋大学出版会，2018年，下632ページ).

(2) Anthony G. Hopkins (ed.), *Globalization in World History*, London (Pimlico) 2002; Thomas Bender (ed.), *Rethinking American History in a Global Age*, Berkeley, CA (University of California Press) 2002.

(3) Anthony D. Smith, *Nationalism in the Twentieth Century*, Oxford (Robertson) 1979, 191ff.; Ulrich Beck, *What is Globalization?*, Cambridge (Polity Press) 2000, 23-24; Immanuel Wallerstein et al. (eds.), *Open the Social Sciences: Report of the Gulbenkian Commission on the Restructuring of the Social Sciences*, Stanford, CA (Stanford University Press) 1996.

(4) 先天的欠陥という観念については以下を参照．Jerry H. Bentley, Introduction: The Task of World History, in: Bentley (ed.), *The Oxford Handbook of World History*, Oxford (Oxford University Press) 2011, 1-16.

(5) Dominic Sachsenmaier, Global History, Version: 1.0, *Docupedia-Zeitgeschichte*, 11. Feb. 2010, https://docupedia.de/zg/Global_History.

(6) この分野を別のやり方で整理したものとして，以下を参照．Lynn Hunt, *Writing History in the Global Era*, New York (Norton) 2014; Diego Olstein, *Thinking History Globally*, New York (Palgrave Macmillan) 2014.

(7) Felipe Fernández-Armesto and Benjamin Sacks, Networks, Interactions, and Connective History, in: Douglas Northrop (ed.), *A Companion to World History*, Oxford (Wiley-Blackwell) 2012, 303-320, 引用は303.

(8) 19世紀に関する事例としてBayly, *The Birth of the Modern World*; Jürgen Osterhammel, *The Transformation of the World: A Global History of the Nineteenth Century*, Princeton (Princeton University Press) 2014; 特定の年のグローバル・ヒストリーに関してはOlivier Bernier, *The World in 1800*, New York (Wiley) 2000; John E. Wills, *1688: A Global History*, New York (W. W. Norton) 2002; 最近の1000年に関してはDavid S. Landes, *The Wealth and Poverty of Nations: Why Some are so Rich and Some are so Poor*, New York (Norton) 1998;「世界史」に関しては，Felipe Fernandez-Armesto, *The World: A Brief*

*History*, New York (Pearson Prentice Hall) 2007; 大きな歴史の事例としては David Christian, *Maps of Time: An Introduction to Big History*, Berkeley (University of California Press) 2004.

(9) John Darwin, *After Tamerlane: The Global History of Empire*, London (Penguin Books) 2007; Jane Burbank and Frederick Cooper, *Empires in World History: Power and the Politics of Difference*, Princeton (Princeton University Press) 2010.

(10) Dipesh Chakrabarty, *Rethinking Working-Class History: Bengal 1890–1940*, New Haven (Yale University Press) 1987; Frederick Cooper, *On the African Waterfront: Urban Disorder and the Transformation of Work in Colonial Mombasa*, New Haven (Yale University Press) 1987.

(11) この広範な研究に関しては，たとえば Wang Gungwu (ed.), *Global History and Migrations*, Boulder, CO (Westview Press) 1997; Natalie Zemon Davis, *Trickster Travels: A Sixteenth-Century Muslim between Worlds*, New York (Hill & Wang) 2006 ; Miles Ogborn (ed.), *Global Lives: Britain and the World 1550–1800*, Cambridge (Cambridge University Press) 2008; Marilyn Lake and Henry Reynolds, *Drawing the Global Colour Line: White Men's Countries and the International Challenge of Racial Equality*, Cambridge (Cambridge University Press) 2008 を参照のこと.

(12) Christopher L. Hill, *National History and the World of Nations: Capital State and the Rhetoric of History in Japan, France, and the United States*, Durham, NC (Duke University Press) 2008. 他の例については本書第 4 章，第 5 章を参照.

(13) Arif Dirlik, Performing the World: Reality and Representation in the Making of World Histor(ies), *Journal of World History* 16 (2005), 391–410, 引用は 396.

(14) Samuel Moyn and Andrew Sartori, Approaches to Global Intellectual History, in: Moyn and Sartori (eds.), *Global Intellectual History*, New York (Columbia University Press) 2013, 3–30.

(15) 非常に有意義な以下の議論を参照せよ．Jürgen Osterhammel, Globalizations, in: Jerry H. Bentley (ed.), *The Oxford Handbook of World History*, Oxford (Oxford University Press) 2011, 89–104.

(16) この二重の再帰性は，交差史（イストワール・クロワゼ）という概念の認識論的な核である．Michael Werner and Bénédicte Zimmermann, Beyond Comparison: Histoire Croisée and the Challenge of Reflexivity, *History & Theory* 45 (2006), 30–50 を参照のこと.

(17) Christopher Bayly, History and World History, in: Ulinka Rublack (ed.), *A Concise Companion to History*, Oxford (Oxford University Press) 2011, 13.

[第2章]

(1) Jan Assmann, *The Mind of Egypt: History and Meaning in the Time of the Pharaohs*, New York (Metropolitan Books) 2002, 151; Jan Assmann, Globalization, Universalism, and the Erosion of Cultural Memory, in: Aleida Assmann and Sebastian Conrad (eds.), *Memory in a Grobal Age: Discourses, Practices and Trajectories*, New York (Palgrave Macmillan) 2010, 121-137.

(2) J. A. S. Evans, *Herodotus, Explorer of the Past: Three Essays*, Princeton (Princeton University Press) 1991; Ernst Breisach, *Historiography: Ancient, Medieval and Modern*, Chicago (Chicago University Press) 1994.

(3) Trif Khaldi, *Islamic Historiography: The Histories of Mas'udi*, Albany, NY (State University of New York Press) 1975 を参照.

(4) Siep Stuurman, Herodotus and Sima Qian: History and the Anthropological Turn in Ancient Greece and Han China, *Journal of World History* 19 (2008), 1-40; Grant Hardy, *Worlds of Bronze and Bamboo: Sima Qian's Conquest of History*, New York (Colombia University Press) 1999 を参照.

(5) François Hartug, *Le Miroir d'Hérodote*, Paris (Gallimard) 2001; Q. Edward Wang, The Chinese World View, *Journal of World History* 10 (1999), 285-305; Q. Edward Wang, World History in Traditional China, *Storia della Storiografia* 35 (1999), 83-96.

(6) Arif Dirlik, Performing the World: Reality and Representation in the Making of World Histor(ies), *Journal of World History* 16 (2005), 391-410, 引用は407.

(7) 以下を参照. George Iggers and Q. Edward Wang, *A Global History of Modern Historiography*, New York (Pearson Longman) 2008; Daniel Woolf (ed.), *The Oxford History of Historical Writings*, 5 volumes, Oxford (Oxford University Press) 2011-12.

(8) Sanjay Subrahmaniyam, On World Historians in the Sixteenth Century, *Representations* 91 (2005), 26-57.

(9) Serge Gruzinski, *What Time is it There? America and Islam at the Dawn of Modern Times*, Cambridge (Polity Press) 2010, 73ページから引用.

(10) Subrahmaniyam, On World Historians, 37; Serge Gruzinski, *Les quatre partis du monde: Histoire d'une mondialisation*, Paris (Martinière) 2004.

(11) Gruzinski, *What Time is it There?*, 69.

(12) Jürgen Osterhammel, *Die Entzauberung Asiens: Europa und die asiatischen Reiche im 18. Jahrhundert*, München (C. H. Beck) 1998, 271-348. 以下も参照. Geoffrey C. Gunn, *First Globalization: The Eurasian Exchange 1500-1800*, Lanham, MD (Rowman & Littlefield) 2003, 145-168; John J. Clarke, *Oriental Enlightenment: The Encounter between Asian and Western Thought*, London

(Routledge) 1997.

(13) Johan van der Zande, August Ludwig Schlözer and the English Universal History, in: Stefan Berger, Peter Lambert and Peter Schumann (eds.), *Historikerdialoge: Geschichte, Mythos und Gedächtnis im deutsch-britischen kulturellen Austausch 1750–2000*, Göttingen (Vandenhoeck & Ruprecht) 2003, 135–156, 135ページから引用.

(14) Karen O'Brien, *Narratives of Enlightenment: Cosmopolitan History from Voltaire to Gibbon*, Cambridge (Cambridge University Press) 1997. ギボンについては, John G. A. Pocock, *Barbarism and Religion*, 5 volumes, Cambridge (Cambridge University Press) 1999–2011 も参照.

(15) たとえば, Michael Harbsmeier, World Histories before Domestication: The Writing of Universal Histories, Histories of Mankind and World Histories in Late Eighteenth-Century Germany, *Culture and History* 5 (1989), 93–131 を参照. 聖書的年代記の持続については, Suzanne L. Marchand, *German Orientalism in the Age of Empire: Religion, Race, and Scholarship*, Cambridge (Cambridge University Press) 2009 を参照.

(16) たとえば, Prasenjit Duara, *Rescuing History from the Nation: Questioning Narratives of Modern China*, Chicago (Chicago University Press) 1995 を参照.

(17) John L. Robinson, *Bartolomé Mitre, Historian of the Americas*, Washington, DC (University Press of America) 1982; E. Bradford Burns, Ideology in Nineteenth-Century Latin American Historiography, *The Hispanic American Historical Review* 58 (1978), 409–431.

(18) たとえば以下を参照. Stefan Tanaka, *Japan's Orient: Rendering Pasts into History*, Berkeley, CA (University of California Press) 1993; Gabriele Lingelbach, *Klio macht Karriere: Die Institutionalisierung der Geschichtswissenschaft in Frankreich und den USA in der zweiten Hälfte des 19. Jahrhunderts*, Göttingen (Vandenhoeck & Ruprecht) 2003.

(19) Reinhart Koselleck, *Futures Past: On the Semantics of Historical Time*, New York (Columbia University Press) 2004; Göran Blix, Charting the 'Transitional Period': The Emergence of Modern Time in the Nineteenth Century, *History and Theory* 45 (2006), 51–71. また, Stefan Berger, Introduction: Towards a Global History of National Historiographies, in: idem (ed.), *Writing the Nation: A Global Perspective*, Basingstoke (Palgrave Macmillan) 2007, 1–29 を参照.

(20) Susan Burns, *Before the Nation: Kokugaku and the Imagining of Community in Early Modern Japan*, Durham, NC (Duke University Press) 2003.

(21) Benjamin A. Elman, *From Philosophy to Philology: Intellectual Aspects of Change in Late Imperial China*, Cambridge, MA (Harvard University Press)

1984.

(22) Dominic Sachsenmaier, Global History, Pluralism, and the Question of Traditions, *New Global Studies* 3, no.3 (2009), article 3, 引用は 3-4.

(23) グローバルな歴史的視野についてはとくに, Dominic Sachsenmaier, *Global Perspectives on Global History: Theories and Approaches in a Connected World*, Cambridge (Cambridge University Press) 2011, 11-17 を参照. また, Daniel Woolf, *A Global History of History*, Cambridge (Cambridge University Press) 2011 も参照のこと.

(24) G. W. F. Hegel, *The Philosophy of History*, trans. J. Sibree, introduction C. J. Friedrich, New York (Dover Publications) 1956, 91(ヘーゲル/長谷川宏訳『歴史哲学講義(上下)』岩波文庫, 1994年); Duara, *Rescuing History from the Nation*.

(25) 伝統的な見方に関しては, Patrick O'Brien, Historiographical Traditions and Modern Imperatives for the Restoration of Global History, *Journal of Global History* 1 (2006), 3-39 を参照.

(26) Christopher L. Hill, *National History and the World of Nations: Capital State and the Rhetoric of History in Japan, France, and United States*, Durham, NC (Duke University Press) 2008.

(27) Rebecca E. Karl, Creating Asia: China in the World at the Beginning of the Twentieth Century, *American Historical Review* 103 (1998), 1096-1118, 引用は 1109.

(28) Karl Marx and Friedrich Engels, *The Communist Manifesto: A Modern Edition*, London (Verso) 1998, 39(カール・マルクス, フリードリヒ・エンゲルス/村田陽一訳『共産党宣言』大月書店, 2009年, 39-40ページ).

(29) Cemil Aydin, *The Politics of Anti-Westernism in Asia: Visions of World Order in Pan-Islamic and Pan-Asian Thought*, New York (Colombia University Press) 2007; Stephen N. Hay, *Asian Ideas of East and West: Tagore and His Critics in Japan, China, and India*, Cambridge, MA (Harvard University Press) 1970; Rustom Bharucha, *Another Asia: Rabindranath Tagore and Okakura Tenshin*, New Delhi (Oxford University Press) 2006.

(30) 私の解釈は, Ian Buruma and Avishai Margalit, *Occidentalism: The West in the Eyes of its Enemies*, New York (Penguin Books) 2004 に対する批判である.

(31) Prasenjit Duara, The Discourse of Civilization and Pan-Asianism, *Journal of World History* 12 (2001), 99-130; Andrew Sartori, *Bengal in Global Concept History: Culturalism in the Age of Capital*, Chicago (Chicago University Press) 2008.

(32) Michael Adas, Contested Hegemony: The Great War and the Afro-Asian

Assault on the Civilizing Mission Ideology, *Journal of World History* 15 (2004), 31–64; Dominic Sachsenmaier, Searching for Alternatives to Western Modernity, *Journal of Modern European History* 4 (2006), 241–259.

(33) Paul Costello, *World Historians and Their Goals: Twentieth-Century Answers to Modernism*, DeKalb, IL (Northern Illinois University Press), 1993.

(34) 以下は，ザクセンマイアーのみごとなまとめを参照した．Sachsenmaier, *Global Perspectives*, 25–28.

(35) William McNeill, *The Rise of the West: A History of the Human Community*, Chicago (University of Chicago Press) 1963. のちにマクニールは自分の代表作のヨーロッパ中心主義からくりかえし距離をとった．たとえば，idem, World History and the Rise and the Fall of the West, *Journal of World History* 9 (1988), 215–236. 同様の趣旨の大衆的な著作として他に，Eric Jones, *The European Miracle: Environments, Economies and Geopolitics in the History of Europe and Asia*, Cambridge (Cambridge University Press) 1981; David Landes, *Wealth and Poverty of Nations: Why Some Are So Rich and Some So Poor*, New York (W. W. Norton) 1999; Michael Mitterauer, *Why Europe? The Medieval Origins of Its Special Path*, Chicago (University of Chicago Press) 2010.

(36) Sachsenmaier, *Global Perspectives*, 184–191; Leif Littrup, World History with Chinese Characteristics, *Culture and History* 5 (1989), 39–64.

(37) Immanuel Wallerstein, *The Modern World-System*, 4 volumes, Berkeley, CA (University of California Press) 1974–2011（イマニュエル・ウォーラーステイン／川北稔訳『近代世界システム』第1-4巻，名古屋大学出版会，2013年）.

(38) アメリカ合衆国に関しては，Peter Novick, *That Noble Dream: The 'Objectivity Question' and the American Historical Profession*, New York (Cambridge University Press) 1988 を参照.

(39) Mark T. Berger, *Under Northern Eyes: Latin American Studies and US Hegemony in the Americas 1898–1980*, Bloomington, IN (Indiana University Press) 1995; Masao Miyoshi and Harry D. Harootunian (eds.), *Learning Places: The Afterlives of Area Studies*, Durham, NC (Duke University Press) 2002.

(40) Robert Young, *Postcolonialism: An Historical Introduction*, Oxford (Blackwell) 2001.

(41) Cristobal Kay, *Latin American Theories of Development and Underdevelopment*, London (Routledge) 1989.

(42) Gyan Prakash, Subaltern Studies as Postcolonial Criticism, *American Historical Review* 99 (1994), 1475–1490.

(43) Sachsenmaier, *Global Perspectives*, 45.

[第3章]

(1) Heinz-Gerhard Haupt and Jürgen Kocka (eds.), *Comparative and Transnational History: Central European Approaches and New Perspectives*, New York (Berghahn Books) 2009; Deborah Cohen and Maura O'Connor (eds.), *Comparison and History*, New York (Routledge) 2004.

(2) 比較という方法の最近の評価については以下を参照. George Steinmetz, Comparative History and Its Critics: A Genealogy and a Possible Solution, in: Prasenjit Duara, Viren Murthy and Andrew Sartori (eds.), *A Companion to Global Historical Thought*, Malden, MA (Wiley Blackwell) 2014, 412-436.

(3) Victor Lieberman, *Strange Parallels: Southeast Asia in Global Context, c. 800-1830. Vol. 1, Integration on the Mainland*, Cambridge (Cambridge University Press) 2003.

(4) Michael Werner and Bénédicte Zimmermann, Beyond Comparison: Histoire Croisée and the Challenge of Reflexivity, *History & Theory* 45 (2006), 30-50; Michel Espagne, Sur les limites du comparatisme en histoire culturelle, *Genèses: Sciences Sociales et Histoire* 17 (1994), 112-121; Sanjay Subrahmanyam, Connected Histories. Notes toward a Reconfiguration of Early Modern Eurasia, *Modern Asian Studies* 31 (1997), 735-762; Subrahmanyam, *Explorations in Connected History: From the Tagus to the Ganges*, Oxford (Oxford University Press) 2005.

(5) Kenneth Pomeranz, *The Great Divergence: Europe, China, and the Making of the Modern World Economy*, Princeton (Princeton University Press) 2000, 9(K. ポメランツ／川北稔監訳『大分岐——中国、ヨーロッパ、そして近代世界経済の形成』名古屋大学出版会, 2015年, 23ページ).

(6) Pomeranz, *The Great Divergence*, 297(ポメランツ『大分岐』305ページ).

(7) このようなグローバルな比較の一例として, Christopher L. Hill, *National History and the World of Nations: Capital, State, and the Rhetoric of History in Japan, France, and the United States*, Durham, NC (Duke University Press) 2008 を参照のこと. また本書第7章を参照.

(8) Patricia Clavin, Defining Transnationalism, *Contemporary European History* 14 (2005), 421-439; Gunilla Budde, Sebastian Conrad and Oliver Janz (eds.), *Transnationale Geschichte: Themen, Tendenzen und Theorien*, Göttingen (Vandenhoeck & Ruprecht) 2006; Pierre-Yves Saunier, *Transnational History*, Basingstoke (Palgrave Macmillan) 2013.

(9) Thomas Bender, *A Nation among Nations: America's Place in World History*, New York (Hill and Wang) 2006, 3, ix.

(10) Bender, *A Nation among Nations*, 4.

(11) Bender, *A Nation among Nations*, ix, 5.

(12) C. A. Bayly, in: AHR Conversation: On Transnational History, *American Historical Review* 111 (2006), 1441-1446, 引用は 1442.

(13) Ulrike Freitag and Achim v. Oppen (eds.), *Translocality-The Study of Globalising Phenomena from a Southern Perspective*, Leiden (Brill) 2010.

(14) 世界システム論の理論的原則の簡潔なまとめとしては，Immanuel Wallerstein, *World-Systems Analysis: An Introduction*, Durham, NC (Duke University Press) 2004（イマニュエル・ウォーラーステイン／山下範久訳『入門・世界システム分析』藤原書店，2006 年）を参照のこと．また，Wallerstein, *The Essential Wallerstein*, New York (The New York Press) 2000 も．Fernand Braudel, *The Perspective of the World* (*Civilization and Capitalism 15th - 18th Century*, volume 3), New York (HarperCollins) 1984.

(15) Immanuel Wallerstein, *The Modern World System*, 4 volumes, New York/Berkeley, CA (1974-2011)（ウォーラーステイン『近代世界システム』第 1-4 巻）.

(16) Janet Abu-Lughod, *Before European Hegemony: The World System A.D. 1250-1350*, Oxford (Oxford University Press) 1989（ジャネット・L. アブー＝ルゴド／佐藤次高，斯波義信，高山博，三浦徹訳『ヨーロッパ覇権以前——もうひとつの世界システム（上・下）』岩波書店，2001 年）; Andre Gunder Frank and Barry K. Gills (eds.), *The World System: Five Hundred Years or Five Thousand?*, London (Routledge) 1993.

(17) Wallerstein, *World-System Analysis*, 24（ウォーラーステイン『入門・世界システム分析』20 ページ）.

(18) Göran Therborn, Time, Space, and Their Knowledge: The Times and Place of the World and Other Systems, *Journal of World-Systems Research* 6 (2000), 266-284.

(19) Wolfgang Knöbl, *Die Kontingenz der Moderne: Wege in Europa, Asien und Amerika*, Frankfurt (Campus) 2007, 第 4 章.

(20) 世界システム論の伝統においてとくに刺激的な仕事は Giovanni Arrighi, *The Long Twentieth Century: Money, Power, and the Origins of Our Times*, London (Verso) 1994（ジョヴァンニ・アリギ／土佐弘之監訳『長い 20 世紀——資本、権力、そして現代の系譜』作品社，2009 年）である．

(21) たとえば Dale W. Tomich, *Through the Prism of Slavery: Labor, Capital, and World Economy*, Lanham, MD (Rowman & Littlefield) 2004 を見よ．

(22) 文化史におけるいくつかの影響力ある研究は，この拡大された空間をマルクス主義の影響によるとした．たとえば，Dipesh Chakrabarty, *Provincializing Europe: Postcolonial Thought and Historical Difference*, Princeton (Princeton University Press) 2000; Rebecca E. Karl, *Staging the World: Chinese National-*

*ism at the Turn of the Twentieth Century*, Durham, NC (Duke University Press) 2002; Andrew Sartori, *Bengal in Global Concept History: Culturalism in the Age of Capital*, Chicago (Chicago University Press) 2008; Andrew Zimmerman, *Alabama in Africa: Booker T. Washington, the German Empire, and the Globalization of the New South*, Princeton (Princeton University Press) 2010.

(23) Leela Gandhi, *Postcolonial Theory. A Critical Introduction*, New York (Columbia University Press) 1998; Robert Young, *Postcolonialism: An Historical Introduction*, Oxford (Blackwell) 2001.

(24) Nicholas Dirks, *Castes of Mind: Colonialism and the Making of Modern India*, Princeton (Princeton University Press) 2001; Bernard Cohn, *Colonialism and its Forms of Knowledge*, Princeton (Princeton University Press) 1996; Ann Laura Stoler, *Carnal Knowledge and Imperial Power: Race and the Intimate in Colonial Rule*, Berkeley, CA (University of California Press) 2002(アン・ローラ・ストーラー／永渕康之，水谷智，吉田信訳『肉体の知識と帝国の権力――人種と植民地支配における親密なるもの』以文社，2010年).

(25) Ashis Nandy, *The Intimate Enemy: Loss and Recovery of Self Under Colonialism*, Delhi (Oxford University Press) 1983, 63.

(26) Arif Dirlik, The Postcolonial Aura: Third World Criticism in the Age of Global Capitalism, in: Padmini Mongia (ed.), *Contemporary Postcolonial Theory: A Reader*, London (Hodder Arnold) 1996, 294-321; Sumit Sarkar, The Decline of the Subaltern in Subaltern Studies, in: *Writing Social History*, Delhi (Oxford University Press) 1997, 82-108.

(27) Johann P. Arnason, *Civilizations in Dispute: Historical Questions and Theoretical Traditions*, Leiden (Brill) 2004; Said Amir Arjomand and Edward A. Tiryakian (eds.), *Rethinking Civilizational Analysis*, London (Sage) 2004.

(28) 引用は S. N. Eisenstadt, Multiple Modernities, *Daedalus* 129 (2000), 1-29: 2-3. また以下も参照のこと．Dominic Sachsenmaier, Jens Riedel, and Shmuel N. Eisenstadt (eds.), *Reflections on Multiple Modernities: European, Chinese and Other Interpretations*, Leiden (Brill) 2002; Wolfgang Knöbl, *Spielräume der Modernisierung: Das Ende der Eindeutigkeit*, Weilerwist (Velbrück) 2001; Eliezer Ben-Rafael and Yitzak Sternberg (eds.), *Identity, Culture and Globalization*, Leiden (Brill) 2001.

(29) Tu Wei-Ming (ed.), *Confucian Traditions in East Asian Modernity: Moral Education and Economic Culture in Japan and the Four Mini-Dragons*, Cambridge, MA (Harvard University Press) 1996.

(30)「オルタナティブな近代」に関しては以下を参照．Dilip Parameshwar Gaonkar, On Alternative Modernities, in: Gaonkar (ed.), *Alternative Modernities*,

Durham, NC (Duke University Press) 2001, 1-23; Charles Taylor, Two Theories of Modernity, in: Gaonkar, *Alternative Modernities*, 172-196.

(31) 批判的視点からは Volker H. Schmidt, Multiple Modernities or Varieties of Modernity?, *Current Sociology* 54 (2006), 77-97; Arif Dirlik, *Global Modernity: Modernity in the Age of Global Capitalism*, Boulder CO (Paradigm Press) 2007; Timothy Mitchell, Introduction, in: *Questions of Modernity*, Minneapolis, MI (University of Minnesota Press) 2000, xi-xvii; Frederick Cooper, *Colonialism in Question*, Berkeley CA (University of California Press) 2005, 113-149 を参照. 世界システム論の視点からは, Stephen K. Sanderson (ed.), *Civilizations and World Systems: Studying World-Historical Change*, Walnut Creek, CA (AltaMira Press) 1995.

[第4章]

(1) たとえば, Raymond Grew (Hg), *Food in Global History*, Boulder, CO (Westview Press) 2000; Robert Finlay, *The Pilgrim Art: The Culture of Porcelain in World History*, Berkeley, CA (University of California Press) 2010; Alan Macfarlane and Gerry Martin, *Glass: A World History*, Chicago (Chicago University Press) 2002; Giorgio Riello, *Cotton: The Fabric that Made the Modern World*, Cambridge (Cambridge University Press) 2013 など.

(2) William McNeill, *The Rise of the West: A History of the Human Community*, Chicago (University of Chicago Press) 1963. 同様の主張としては, 以下を参照. Eric Jones, *The European Miracle: Environments, Economies and Geopolitics in the History of Europe and Asia*, Cambridge (Cambridge University Press) 1981; John M. Roberts, *The Triumph of the West*, Boston (Phoenix Press) 1985; David Landes, *The Wealth and Poverty of Nations: Why Some Are So Rich and Some So Poor*, New York (W. W. Norton) 1999.

(3) David Washbrook, Problems in Global History, in: Maxine Berg (ed.), *Writing the History of the Global: Challenges for the 21st Century*, Oxford (Oxford University Press) 2013, 21-31, 引用は 23.

(4) Andrew Sartori, *Bengal in Global Concept History: Culturalism in the Age of Capital*, Chicago (Chicago University Press) 2008 を参照.

(5) Martin Bernal, *Black Athena: The Afroasiatic Roots of Classical Civilization: The Fabrication of Ancient Greece 1785-1985,* volume 1, New Brunswick, NJ (Rutgers University Press) 1987 (マーティン・バナール/片岡幸彦訳『ブラック・アテナ——古代ギリシア文明アフロ・アジア的ルーツ I. 古代ギリシアの捏造 1785-1985』新評論, 2007年); Robert Bartlett, *The Making of Europe*, Princeton (Princeton University Press) 1994; Jack Goody, *The East in the West*,

Cambridge (Cambridge University Press) 1996.

(6) C. A. Bayly, "Archaic" and "modern" Globalization in the Eurasian and African Arena 1750-1850, in: A. G. Hopkins (ed.), *Globalization in World History*, New York (W. W. Norton) 2002, 47-68; また C. A. Bayly, *The Birth of the Modern World, 1780-1914*, Oxford (Blackwell) 2004 (ベイリ『近代世界の誕生(上・下)』)を参照.

(7) 同時性の発展に関しては, David Harvey, *The Condition of Postmodernity: An Enquiry into the Origins of Cultural Change*, Oxford (Blackwell) 1989 (デヴィッド・ハーヴェイ／吉原直樹訳『ポストモダニティの条件』青木書店, 1999年)を見よ.

(8) Serge Gruzinski, *What Time is it There? America and Islam at the Dawn of Modern Times*, Cambridge (Polity Press) 2010.

(9) John Darwin, Globe and Empire, in: Berg (ed.), *Writing the History of the Global*, 197-200, 引用は 198.

(10) Jerry H. Bentley, Globalization History and Historicizing Globalization, in: Barry K. Gills and William R. Thompson (eds.), *Globalization and Global History*, London (Routledge) 2006, 18-32, 引用は 29.

(11) William H. McNeill and John Robert McNeill, *The Human Web: A Bird's-Eye View of World History*, New York (W. W. Norton) 2003 (ウィリアム・H. マクニール, ジョン・R. マクニール／福岡洋一訳『世界史 I・II——人類の結びつきと相互作用の歴史』楽工社, 2015 年).

(12) Stefan Tanaka, *New Times in Meiji Japan*, Princeton (Princeton University Press), 2004.

(13) Washbrook, *Problems in Global History*, 28.

(14) Samuel Moyn and Andrew Sartorial, Approaches to Global Intellectual History, in: Moyn and Sartorial (eds.), *Global Intellectual History*, New York (Columbia University Press) 2013, 3-30, 引用は 21.

(15) Landes, *The Wealth and Poverty of Nations*, xxi.

(16) このような見方に関してはたとえば以下を参照. John M. Headley, *The Europeanization of the World: On the Origins of Human Rights and Democracy*, Princeton (Princeton University Press) 2008; Anthony Pagden, *Worlds at War: The 2,500-Year Struggle Between East and West*, Oxford (Oxford University Press) 2008; Toby E. Huff, *Intellectual Curiosity and the Scientific Revolution: A Global Perspective*, Cambridge (Cambridge University Press) 2010; Niall Ferguson, *Civilisation: The West and the Rest*, London (Allen Lane) 2011.

(17) Robert Young, *White Mythologies: Writing History and the West*, London (Routledge) 1990; Edward Said, *Culture and Imperialism*, New York (Alfred A.

Knopf) 1993（エドワード・サイード／大橋洋一訳『文化と帝国主義 1・2』みすず書房，1998，2001 年）．

(18) Sanjay Subrahmanyam, Hearing Voices: Vignettes of Early Modernity in South Asia 1400-1750, *Daedalus* 127, no. 3 (1998), 75-104, 引用は 99-100.

(19) Lynn Hunt, *Inventing Human Rights: A History*, New York (W.W. Norton) 2007（リン・ハント／松浦義弘訳『人権を創造する』岩波書店，2011 年）．

(20) Laurent Dubois, *Avengers of the New World: The Story of the Haitian Revolution*, Cambridge, MA (Harvard University Press) 2004.

(21) Samuel Moyn, *The Last Utopia: Human Rights in History*, Cambridge, MA (Harvard University Press) 2010; Roland Burke, *Decolonization and the Evolution of International Human Rights*, Philadelphia, PA (University of Pennsylvania Press) 2010.

(22) Martti Koskenniemi, *The Gentle Civilizer of Nations: The Rise and Fall of International Law 1870-1960*, Cambridge (Cambridge University Press) 2001; Anthony Anghie, *Imperialism, Sovereignty and the Making of International Law*, Cambridge (Cambridge University Press) 2005; Turan Kayaoglu, *Legal Imperialism: Sovereignty and Extraterritoriality in Japan, the Ottoman Empire, and China*, Cambridge (Cambridge University Press) 2010.

(23) これら 4 つのアプローチは，度合いは異なるものの，すべて Bardo Fassbender, Anne Peters, Simone Peter, and Daniel Högger (eds.): *The Oxford Handbook of the History of International Law*, Oxford (Oxford University Press) 2013 に表れている．

(24) Sebastian Conrad, Enlightenment in Global History: A Historiographical Critique, *American Historical Review* 117 (2012), 999-1027（ゼバスティアン・コンラート／浅田進史訳「グローバル・ヒストリーのなかの啓蒙（上・下）」『思想』1132 号，1134 号，2018 年）．

(25) この問題群への，きわめて暫定的ではあるが最初の介入は，Stein U. Larsen (ed.), *Fascism outside Europe: The European Impulse against Domestic Conditions in the Diffusion of Global Fascism*, Boulder, CO (Social Science Monographs) 2001 に見られる．

(26) Ernest Gellner, *Nations and Nationalism*, Oxford (Blackwell) 1983, 57（アーネスト・ゲルナー／加藤節監訳『民族とナショナリズム』岩波書店，2000 年，97 ページ）．ナショナリズム理論の概観については，Geoff Eley and Ronald Grigor Suny (eds.), *Becoming National: A Reader*, Oxford (Oxford University Press) 1996; Umut Özkirimth, *Contemporary Debates on Nationalism: A Critical Engagement*, Basingstoke (Palgrave Macmillan) 2005 を参照．

(27) Benedict Anderson, *Imagined Communities: Reflections on the Origins and*

*Spread of Nationalism*, Revised edition, London (Verso) 1991, 81 (ベネディクト・アンダーソン／白石隆，白石さや訳『定本　想像の共同体――ナショナリズムの起源と流行』書籍工房早山，2007年，136-137ページ).

(28) アンダーソンの概念に関する鋭い批判は，Manu Goswami, Rethinking the Modular Nation Form: Toward a Sociohistorical Conception of Nationalism, *Comparative Studies in Society and History* 44 (2002), 776-783を参照.

(29) Partha Chatterjee, *Nationalist Thought and the Colonial World: A Derivative Discourse*, Minneapolis, MI (University of Minnesota Press) 1993.

(30) Partha Chatterjee, *The Nation and its Fragments: Colonial and Post-Colonial Histories*, Princeton (Princeton University Press) 1993, 6. また Etienne Balibar, The Nation Form: History and Ideology, in: Balibar and Immanuel Wallerstein, *Race, Nation, Class: Ambiguous Identities*, London (Verso) 1991, 86-106 (エティエンヌ・バリバール，イマニュエル・ウォーラーステイン／若森章孝他訳『人種・国民・階級――「民族」という曖昧なアイデンティティ』唯学書房，2014年，157-194ページ)も参照.

(31) Sumit Sarkar, The Decline of the Subaltern in Subaltern Studies, in: *Writing Social History*, New Delhi (Oxford University Press) 1997, 82-108.

(32) ここでの批判は，Christopher L. Hill, *National History and the World of Nations: Capital, State, and the Rhetoric of History in Japan, France, and the United States*, Durham, NC (Duke University Press) 2008に示唆された.

(33) Sartori, *Bengal in Global Concept History*, 5.

(34) Rebecca E. Karl, *Staging the World: Chinese Nationalism at the Turn of the Twentieth Century*, Durham, NC (Duke University Press) 2002.

(35) Rebecca E. Karl, Creating Asia: China in the World at the Beginning of the Twentieth Century, *American Historical Review* 103 (1998), 1096-1118, 引用は1099.

(36) 他の事例として以下を参照. Manu Goswami, *Producing India: From Colonial Economy to National Space*, Chicago (University of Chicago Press) 2004; Sebastian Conrad, *Globalisation and Nation in Imperial Germany*, Cambridge (Cambridge University Press) 2010; Hill, *National History and the World of Nations*.

**[第5章]**

(1) 以下の議論は非常に有益である. Jürgen Osterhammel, Globalizations, in: Jerry H. Bentley (ed.), *The Oxford Handbook of World History*, Oxford (Oxford University Press) 2011, 89-104.

(2) グローバリゼーションという概念の歴史については，Olaf Bach, *Die Erfind-*

*ung der Globalisierung: Untersuchungen zu Entstehung und Wandel eines zeitgeschichtlichen Grundbegriffs*, Frankfurt am Main（Campus）2013 を参照.

(3) Michael D. Bordo, Alan M. Taylor and Jeffrey G. Williamson（eds.）, *Globalization in Historical Perspective*, Chicago（University of Chicago Press）2003; Anthony G. Hopkins, *Globalization in World History*, London（Pimlico）2002; Michael Lang, Globalization and its History, *Journal of Modern History* 78（2006）, 899–931; Jürgen Osterhammel and Niels P. Petersson, *Globalization: A Short History*, Princeton（Princeton University Press）2009.

(4) Adam McKeown, Periodizing Globalization, *History Workshop Journal* 63（2007）, 218–230, 引用は 219. ここまでの 4 つの引用も，McKeown, Periodizing Globalization, 218–219 より.

(5) Frederick Cooper, What is the Concept of Globalization Good for? An African Historian's Perspective, *African Affairs* 100（2001）, 189–213, 引用は 190.

(6) Andre Gunder Frank and Barry K. Gills（eds.）, *The World System: Five Hundred Years or Five Thousand?*, London（Routledge）1993.

(7) Jerry H. Bentley, Cross-Cultural Interaction and Periodization in World History, *American Historical Review* 101（1996）, 749–770, 引用は 749. Jerry H. Bentley, *Old World Encounters: Cross Cultural Contacts and Exchanges in Pre-Modern Times*, New York（Oxford University Press）1993 も参照のこと.

(8) William H. McNeill and John Robert McNeill, *The Human Web: A Bird's-Eye View of World History*, New York（Norton）2003（ウィリアム・H. マクニール，ジョン・R. マクニール『世界史 I・II』）.

(9)「つねに」「一度もない」「ときどき」という分類に関しては，Samuel Moyn and Andrew Sartori, Approaches to Global Intellectual History, in: Moyn and Sartori（eds.）, *Global Intellectual History*, New York（Columbia University Press）2013, 3–30 を参照.

(10) Michael Lang, Globalization and its History, *Journal of Modern History* 78（2006）, 899–931; David Held and Anthony McGrew, The Great Globalization Debate: An Introduction, in: Held and McGrew（eds.）, *The Global Transformations Reader*, Cambridge（Polity Press）2006.

(11) David Held et al., *Global Transformations: Politics, Economics and Culture*, Oxford（Blackwell）1999.

(12) 歴史区分の問題については以下を参照．Anthony G. Hopkins, The History of Globalization–and the Globalization of History? in: Hopkins（ed.）, *Globalization in World History*, London（Pimlico）2002, 21–46; Robbie Robertson, *The Three Waves of Globalization: A History of a Developing Global Consciousness*, London（Zed Books）2002.

(13) Kevin H. O'Rourke and Jeffrey G. Williamson, *Globalization and History: The Evolution of a Nineteenth-Century Atlantic Economy*, Cambridge, MA (MIT Press) 1999.

(14) Sandford Fleming, *International Meridian Conference: Recommendations Suggested*, Washington, DC (sine nomine) 1884, 6.

(15) Charles S. Maier, Consigning the Twentieth Century to History: Alternative Narratives for the Modern Era, *American Historical Review* 105 (2000), 807-831.

(16) Serge Gruzinski, *Les quatre parties du monde: Histoire d'une mondialisation*, Paris (La Martinière) 2004; Dennis O. Flynn and Arturo Giráldez, Born with a "Silver Spoon": The Origin of World Trade in 1571, *Journal of World History* 6 (1995), 201-221; Geoffrey Gann, *First Globalization: The Eurasian Exchange, 1500-1800*, Lanham, MD (Rowman & Littlefield) 2003.

(17) Raymond Grew, On the Prospect of Global History, in: Bruce Mazlish and Ralph Buultjens (eds.), *Conceptualizing Global History*, Boulder, CO (Westview Press) 1993, 227-249.

(18) Osterhammel, Globalizations, 91.

(19) 構造の概念をめぐる議論に関しては以下を参照. Anthony Giddens, *The Constitution of Society: Outline of the Theory of Structuration*, Cambridge (Polity) 1984; William H. Sewell Jr., *Logics of History: Social Theory and Social Transformation*, Chicago (University of Chicago Press) 2005. 循環の概念についてはエンセン・ホーが論じている. Engseng Ho, *The Graves of Tarim: Genealogy and Mobility across the Indian Ocean*, Berkeley, CA (University of California Press) 2006.

(20) Daniel R. Headrick, *Power over Peoples: Technology, Environments, and Western Imperialism, 1400 to the Present*, Princeton (Princeton University Press) 2009; Manuel Castells, *The Information Age: Economy, Society, and Culture*, 3 volumes, Oxford (Blackwell) 1996-98.

(21) John Darwin, *After Tamerlane: The Global History of Empire*, London (Penguin) 2007; Jane Burbank and Frederick Cooper, *Empires in World History: Power and the Politics of Difference*, Princeton (Princeton University Press) 2010.

(22) James Belich, *Replenishing the Earth: The Settler Revolution and the Rise of the Anglo-World, 1783-1939*, Oxford (Oxford University Press) 2009; Gary Magee and Andrew Thompson, *Empire and Globalisation: Networks of People, Goods and Capital in the British World, c.1850-1914*, Cambridge (Cambridge University Press) 2010.

(23) Kenneth Pomeranz and Steven Topik, *The World that Trade Created: Society, Culture, and the World Economy, 1400 to the Present*, Armonk, NY (M.E. Sharpe) 1999 (ケネス・ポメランツ, スティーヴン・トピック／福田邦夫, 吉田敦訳『グローバル経済の誕生——貿易が作り変えたこの世界』筑摩書房, 2013年).

(24) O'Rourke and Williamson, *Globalization and History*; Bordo, Taylor and Williamson, *Globalization in Historical Perspective*. 近年の理論的言明については, Kôjin Karatani, *The Structure of World History: From Modes of Production to Modes of Exchange*, Durham, NC (Duke University Press) 2014 (柄谷行人『世界史の構造』岩波現代文庫, 2015年).

(25) William H. Sewell Jr., A Theory of Structure: Duality, Agency, and Transformation, in: Sewell, *Logics of History*, 124-151.

(26) Andrew Sartori, Global Intellectual History and the History of Political Economy, in: Moyn and Sartori, *Global Intellectual History*, 110-133. この立場に対する批判については, 同書のモインとクーパーによる章を参照.

(27) Sanjay Subrahmanyam, Du Tage au Gange au XVIe siècle: une conjoncture millénariste à l'échelle eurasiatique, *Annales. Histoire, Sciences sociales* 56 (2001), 51-84, 引用は52.

(28) Thomas Kuhn, *The Structure of Scientific Revolutions*, Chicago (University of Chicago Press) 1962, 13 (トーマス・クーン／中山茂訳『科学革命の構造』みすず書房, 1971年, 16ページ); Michel Foucault, *The Order of Things: An Archaeology of the Human Sciences*, New York (Pantheon Books) 1970, 168 (ミシェル・フーコー／渡辺一民, 佐々木明訳『言葉と物——人文科学の考古学』新潮社, 1974年, 189ページ).

(29) John W. Meyer, John Boli, George M. Thomas, and Francisco O. Ramirez, World Society and the Nation-State, *American Journal of Sociology* 103 (1997), 144-181; Georg Krücken and Gili S. Drori (eds.), *World Society: The Writings of John W. Meyer*, Oxford (Oxford University Press) 2009.

(30) Jared Diamond, *Guns, Germs, and Steel: The Fates of Human Societies*, New York (W. W. Norton) 1997 (ジャレド・ダイアモンド／倉骨彰訳『銃・病原菌・鉄——1万3000年にわたる人類史の謎』草思社, 2012年); John Robert McNeill, *Mosquito Empires: Ecology and War in the Greater Caribbean, 1620-1914*, Cambridge (Cambridge University Press) 2010.

(31) Sewell, A Theory of Structure, 22.

(32) Charles Tilly, *Big Structures, Large Processes, Huge Comparisons*, New York (Russell Sage Foundation) 1984, 147.

(33) 経済, 政治, 軍事, イデオロギーのネットワークの重なり合う構造について整理しようとした試みとして傑出した仕事は Michael Mann, *The Sources of So-*

*cial Power*, 4 volumes, Cambridge (Cambridge University Press) 1986–2012.

(34) Ronald Findlay and Kevin O'Rourke, *Power and Plenty: Trade, War and the World Economy in the Second Millennium*, Princeton (Princeton University Press) 2007, 141 から引用.

(35) Jawaharlal Nehru, *Glimpses of World History* [1934], Oxford (Oxford University Press) 1985, 752. 交換と絡み合いを前景化させた印象的な総括的著作としては以下を参照. Felipe Fernandez-Armesto, *The World: A Brief History*, New York (Pearson Prentice Hall) 2007.

(36) 以下を参照. The special issue "The Global Middle Ages", *Literature Compass* 11 (2014); Oystein S. LaBianca and Sandra Arnold Scham (eds.), *Connectivity in Antiquity: Globalization as a Long Term Historical Process*, Sheffield (Equinox) 2006; Justin Jennings, *Globalizations and the Ancient World*, Cambridge (Cambridge University Press) 2010; Martin Pitts and Miguel John Versluys (eds.), *Globalization and Roman History: World History, Connectivity, and Material Culture*, Cambridge (Cambridge University Press) 2014.

(37) やや陶酔気味に, 過度に視点を広げて, グローバリゼーションを人類史の最初期にまであとづけようとした試みとして, Jan Nederveen Pieterse, Periodizing Globalization: Histories of Globalization, *New Global Studies* 6, no.2 (2012), Article 1, DOI: 10.1515/1940-0004.1174 がある.

(38) Siep Stuurman, Herodotus and Sima Qian: History and the Anthropological Turn in Ancient Greece and Han China, *Journal of World History* 19 (2008), 1–40.

**[第 6 章]**

(1) Jörg Döring and Tristan Thielmann (eds.), *Spatial Turn: Das Raumparadigma in den Kultur- und Sozialwissenschaften*, Bielefeld (Transcript) 2008; Barney Warf and Santa Arias (eds.), *The Spatial Turn: Interdisciplinary Perspectives*, London (Routledge) 2008.

(2) Kenneth Pomeranz, Histories for a Less National Age, *American Historical Review* 119 (2014), 1–22.

(3) グローバルな環境史に関しては以下を参照のこと. William McNeill, *Plagues and Peoples*, New York (Anchor) 1976; Joachim Radkau, *Nature and Power: A Global History of the Environment*, Cambridge (Cambridge University Press) 2008; John F. Richards, *The Unending Frontier: An Environmental History of the Early Modern World*, Berkeley, CA (University of California Press) 2003; John R. McNeill, *Something New Under the Sun: An Environmental History of the Twentieth Century*, New York (Norton) 2000; Edmund Burke III and Ken-

neth Pomeranz (eds.), *The Environment and World History*, Berkeley, CA (University of California Press) 2009; Corinna Unger and John R. McNeill (eds.), *Environmental Histories of the Cold War*, New York (Cambridge University Press) 2010.

(4) Marshall Hodgson, *Rethinking World History: Essays on Europe, Islam, and World History*, Cambridge (Cambridge University Press) 1993; Gagan Sood, Circulation and Exchange in Islamic Eurasia: A Regional Approach to the Early Modern World, *Past and Present* 212 (2011), 113–162; Joshua A. Fogel, *Articulating the Sinosphere: Sino-Japanese Relations in Space and Time*, Cambridge, MA (Harvard University Press) 2009. また以下を参照. David C. Kang, *East Asia before the West: Five Centuries of Trade and Tribute*, New York (Columbia University Press) 2010; Shu-mei Shih, *Visuality and Identity: Sinophone Articulations across the Pacific*, Berkeley, CA (University of California Press) 2007. Peregrine Horden and Nicholas Purcell, *The Corrupting Sea: A Study of Mediterranean History*, Oxford (Blackwell) 2000; William V. Harri (ed.), *Rethinking the Mediterranean*, Oxford (Oxford University Press) 2005.

(5) Daniel T. Rodgers, *Atlantic Crossings: Social Politics in a Progressive Age*, Princeton (Princeton University Press) 1998; Bernard Bailyn, *Atlantic History: Concept and Contours*, Cambridge, MA (Harvard University Press) 2005; Jeremy Adelman, *Sovereignty and Revolution in the Iberian Atlantic*, Princeton (Princeton University Press) 2006; Jack P. Greene and Philip D. Morgan (eds.), *Atlantic History: A Critical Appraisal*, Oxford (Oxford University Press) 2009.

(6) Sugata Bose, *A Hundred Horizons: The Indian Ocean in the Age of Global Empire*, Cambridge, MA (Harvard University Press) 2006; Thomas R. Metcalf, *Imperial Connections: India in the Indian Ocean Arena, 1860–1920*, Berkeley, CA (University of California Press) 2007; Claude Markovits, *The Global World of Indian Merchants, 1750–1947: Traders of Sind from Bukhara to Panama*, Cambridge (Cambridge University Press) 2000; 浜下武志『近代中国の国際的契機——朝貢貿易システムと近代アジア』東京大学出版会, 1999年.

(7) Paul Gilroy, *The Black Atlantic: Modernity and Double-Consciousness*, Cambridge, MA (Harvard University Press) 1993(ポール・ギルロイ/上野俊哉, 毛利嘉孝, 鈴木慎一郎訳『ブラック・アトランティック——近代性と二重意識』月曜社, 2006年); および, 洗練さでは劣るが, Jace Weaver, *The Red Atlantic: American Indigenes and the Making of the Modern World, 1000–1927*, Chapel Hill, NC (University of North Carolina Press) 2014.

(8) Xinru Liu, *The Silk Road in World History*, Oxford (Oxford University Press) 2010; Christopher I. Beckwith, *Empires of the Silk Road: A History of

*Central Eurasia from the Bronze Age to the Present*, Princeton (Princeton University Press) 2009.

(9) Dominic Sachsenmaier, Recent Trends in European History: The World beyond Europe and Alternative Historical Spaces, *Journal of Modern European History* 7 (2009), 5-25.

(10) 総合的な研究として，以下を参照．Markus P. M. Vink, Indian Ocean Studies and the "New Thalassology", *Journal of Global History* 2 (2007), 41-62; Michael N. Pearson, *The Indian Ocean*, London (Routledge) 2003.

(11) Denys Lombard, *Le carrefour javanais: Essai d'histoire globale*, 3 volumes, Paris (Ècole des Hautes Études en Sciences Sociales) 1990; Charles King, *The Black Sea: A History*, New York (Oxford University Press) 2004; Matt Matsuda, The Pacific, *American Historical Review* 111 (2006), 758-780; Katrina Gulliver, Finding the Pacific World, *Journal of World History* 22 (2011), 83-100; R. Bin Wong, Between Nation and World: Braudelian Regions in Asia, *Review* 26 (2003), 1-45; Sunil Amrith, *Crossing the Bay of Bengal: The Furies of Nature and the Fortunes of Migrants*, Cambridge, MA (Harvard University Press) 2013.

(12) Takeshi Hamashita, *China, East Asia and the Global Economy: Regional and Historical Perspectives*, ed. by Linda Grove and Mark Selden, New York (Routledge) 2008; 溝口雄三，濱下武，平石直昭，宮嶋博史編『アジアから考える』全7巻，東京大学出版会，1993-94; John Lee, Trade and Economy in Preindustrial East Asia, c. 1500-c. 1800: East Asia in the Age of Global Integration, *Journal of Asian Studies* 58 (1999), 2-26; 杉原薫『アジア太平洋経済圏の興隆』大阪大学出版会，2003年．

(13) これらのアプローチのうちのいくつかは，海洋史の分野を変容させるようにもなっている． Eric Tagliacozzo, *Secret Trades, Porous Borders: Smuggling and States Along a Southeast Asian Frontier, 1865-1915*, New Haven, CT (Yale University Press) 2005; Ulrike Freitag, *Indian Ocean Migrants and the Reform of Hadhramaut*, Leiden (Brill) 2003.

(14) George E. Marcus, Ethnography in/of the World System: The Emergence of Multi-Sited Ethnography, *Annual Review of Anthropology* 24 (1995), 95-117.

(15) Gregory T. Cushman, *Guano and the Opening of the Pacific World: A Global Ecological History*, Cambridge (Cambridge University Press) 2013.

(16) Engseng Ho, *The Graves of Tarim: Genealogy and Mobility across the Indian Ocean*, Berkeley, CA (University of California Press) 2006.

(17) David Northrup, *Indentured Labor in the Age of Imperialism, 1834-1922*, Cambridge (Cambridge University Press) 1995; Jan Lucassen (ed.), *Global La-*

*bour History: A State of the Art*, Bern (Peter Lang) 2006; Marcel van der Linden, *Workers of the World: Essays Toward a Global Labor History*, Leiden (Brill) 2008.

(18) Sidney W. Mintz, *Sweetness and Power: The Place of Sugar in Modern History*, New York (Viking) 1985(シドニー・W. ミンツ／川北稔, 和田光弘訳『甘さと権力——砂糖が語る近代史』平凡社, 1988年); Christine M. Du Bois, Chee Beng Tan, and Sidney W. Mintz, *The World of Soy*, Chicago (University of Illinois Press) 2008; Alan Macfarlane and Gerry Martin, *Glass: A World History*, Chicago (Chicago University Press) 2002; Robert Finlay, *The Pilgrim Art: The Culture of Porcelain in World History*, Berkeley, CA (University of California Press) 2010; Sven Beckert, *Empire of Cotton: A Global History*, New York (Knopf) 2014.

(19) Steven Topik, Carlos Marichal, and Zephyr Frank (eds.), *From Silver to Cocaine: Latin American Commodity Chains and the Building of the World Economy*, Durham, NC (Duke University Press) 2006; Jeremy Prestholdt, *Domesticating the World: African Consumerism and the Genealogies of Globalization*, Berkeley, CA (University of California Press) 2008. また以下も参照のこと. Arjun Appadurai (ed.), *The Social Life of Things: Commodities in Cultural Perspective*, Cambridge (Cambridge University Press) 1986.

(20) Charles Maier, Transformations of Territoriality, 1600–2000, in: Gunilla Budde, Sebastian Conrad, and Oliver Janz (eds.), *Transnationale Geschichte: Themen, Tendenzen, Theorien*, Göttingen (Vandenhoeck & Ruprecht) 2006, 24–36.

(21) Manuel Castells, *The Rise of the Network Society*, volume 1: *The Information Age: Economy, Society, and Culture*, Oxford (Blackwell) 1996, 146.

(22) Castells, *The Information Age*, 77.

(23) Tom Standage, *The Victorian Internet: The Remarkable Story of the Telegraph and the Nineteenth Century's Online Pioneers*, New York (Walker) 1999. また, 以下も参照のこと. Dwayne R. Winseck and Robert M. Pike, *Communication and Empire: Media, Markets, and Globalization, 1860–1930*, Durham, NC (Duke University Press) 2007; Daniel R. Headrick, *Power over Peoples: Technology, Environments, and Western Imperialism, 1400 to the Present*, Princeton (Princeton University Press) 2009.

(24) 膨大な文献から2冊だけ挙げるなら, 以下を参照. Azyumardi Azra, *The Origins of Islamic Reformism in Southeast Asia: Networks of Malay-Indonesian and Middle Eastern "Ulama" in the Seventeenth and Eighteenth Centuries*, Honolulu, HI (University of Hawaii Press) 2004; Gary Magee and Andrew Thompson, *Empire and Globalisation: Networks of People, Goods and Capital*

*in the British World, c.1850–1914*, Cambridge (Cambridge University Press) 2010.

(25) E. Natalie Rothman, *Brokering Empire: Trans-Imperial Subjects between Venice and Istanbul*, Ithaca, NY (Cornell University Press) 2012; Francesca Trivellato, *The Familiarity of Strangers: The Sephardic Diaspora, Livorno, and Cross-Cultural Trade in the Early Modern Period*, New Haven, CT (Yale University Press) 2009; Sebouh David Aslanian, *From the Indian Ocean to the Mediterranean: The Global Trade Networks of Armenian Merchants from New Julfa*, Berkeley, CA (University of California Press) 2011.

(26) Manuel Castells, Toward a Sociology of the Network Society, *Contemporary Sociology* 29 (2000), 693–699.

(27) Bruno Latour, *Reassembling the Social: An Introduction to Actor-Network Theory*, Oxford (Oxford University Press) 2005, 237(ブリュノ・ラトゥール／伊藤嘉高訳『社会的なものを組み直す――アクターネットワーク理論入門』法政大学出版会，2019年，450ページ).

(28) Latour, *Reassembling the Social*, 238(ラトゥール『社会的なものを組み直す』，453ページ).

(29) Latour, *Reassembling the Social*, 137(ラトゥール『社会的なものを組み直す』，260ページ).

(30) ラトゥールに影響を受け，異なる縮尺をつないだ研究として，Timothy Mitchell, *Carbon Democracy: Political Power in the Age of Oil*, London (Verso) 2011.

(31) Donald R. Wright, *The World and a Very Small Place in Africa: A History of Globalization in Niumi, the Gambia,* second Edition, Armonk, NY (M.E. Sharpe) 2004.

(32) Natalie Zemon Davis, *Trickster Travels: A Sixteenth-Century Muslim between Worlds*, New York (Hill & Wang) 2006, 12–13.

(33) このジャンルの他の例として，以下を参照のこと．Tony Ballantyne and Antoinette Burton (eds.), *Moving Subjects: Gender, Mobility and Intimacy in an Age of Global Empire*, Champaign, IL (University of Illinois Press) 2009; Desley Deacon, Penny Russell, and Angela Woollacott (eds.), *Transnational Lives: Biographies of Global Modernity, 1700–Present*, Basingstoke (Palgrave Macmillan) 2010; Miles Ogborn (ed.), *Global Lives: Britain and the World, 1550–1800*, Cambridge (Cambridge University Press) 2008; Linda Colley, *The Ordeal of Elizabeth Marsh: A Woman in World History*, New York (Pantheon) 2007; David Lambert and Alan Lester (eds.), *Colonial Lives Across the British Empire: Imperial Careering in the Long Nineteenth Century*, Cambridge (Cam-

bridge University Press) 2006; Tonio Andrade, A Chinese Farmer, Two African Boys, and a Warlord: Toward a Global Microhistory, *Journal of World History* 21 (2010), 573-591; Sanjay Subrahmanyam, *Three Ways To Be Alien: Travails and Encounters in the Early Modern World*, Waltham, MA (Brandeis University Press) 2011; Emma Rothschild, *The Inner Life of Empires: An Eighteenth-Century History*, Princeton (Princeton University Press) 2011.

(34) Anne Gerritsen, Scales of a Local: The Place of Locality in a Globalizing World, in: Douglas Northrop (ed.), *A Companion to World History*, Oxford (Wiley-Blackwell) 2012, 213-226, 引用は 224. Anthony G. Hopkins (ed.), *Global History: Interactions between the Universal and the Local*, New York (Palgrave) 2006. も参照のこと.

(35) Sho Konishi, Reopening the "Opening of Japan": A Russian-Japanese Revolutionary Encounter and the Vision of Anarchist Progress, *American Historical Review* 112 (2007), 101-130; Konishi, *Anarchist Modernity: Cooperatism and Japanese-Russian Intellectual Relations in Modern Japan*, Cambridge, MA (Harvard University Press) 2013.

(36) Adam McKeown, What are the Units of World History?, in: Northrop, *Companion to World History*, 79-93, 引用は 83.

(37) マクロ地域の事例としては以下を参照. Martin W. Lewis and Kären E. Wigen, *The Myth of Continents: A Critique of Metageography*, Berkeley, CA (University of California Press) 1997. 東アジアの事例としては, Sebastian Conrad and Prasenjit Duara, Viewing Regionalisms from East Asia, *American Historical Association Pamphlet* 2013.

(38) Duncan Bell, Making and Taking Worlds, in: Samuel Moyn and Andrew Sartori (eds.), *Global Intellectual History*, New York (Columbia University Press) 2013, 254-279.

(39) Arif Dirlik, Performing the World: Reality and Representation in the Making of World Histor(ies), *Journal of World History* 16 (2005), 391-410, 引用は 406.

(40) Pomeranz, Histories for a Less National Age; Sebouh David Aslanian, Joyce E. Chaplin, Ann McGrath, and Kristin Mann, "AHR Conversation: How Size Matters: The Question of Scale in History," *American Historical Review* 118 (2013), 1431-1472.

(41) Roland Robertson, Glocalization: Time-space and homogeneity-heterogeneity, in: Mike Featherstone, Scott M. Lash, and Roland Robertson (eds.), *Global Modernities*, London (Sage) 1995, 25-44, 引用は 35.

(42) Jacques Revel (ed.), *Jeux d'échelles: Le micro-analyse à l'expérience*, Paris

(Seuil-Gallimard) 1996.

(43) Andrew Zimmerman, A German Alabama in Africa: The Tuskegee Expedition to German Togo and the Transnational Origins of West African Cotton Growers, *American Historical Review* 110 (2005), 1362-1398, 1380ページから引用．また以下も参照のこと．Zimmerman, *Alabama in Africa: Booker T. Washington, the German Empire, and the Globalization of the New South*, Princeton (Princeton University Press) 2010.

［第７章］

(1) David Armitage, What's the Big Idea? Intellectual History and the Longue Durée, *History of European Ideas* 38 (2012), 493-507, 引用は 493.

(2) Daniel L. Smail and Andrew Shryock, History and the "Pre," *American Historical Review* 118 (2013), 709-737, 引用は 713.

(3) Daniel L. Smail, In the Grip of Sacred History, *American Historical Review* 110 (2005), 1336-1361; Smail, *On Deep History and the Brain*, Berkeley, CA (University of California Press) 2008; Andrew Shryock and Daniel L. Smaill (eds.), *Deep History: The Architecture of Past and Present*, Berkeley, CA (University of California Press) 2011.

(4) David Christian, *Maps of Time: An Introduction to Big History*, Berkeley, CA (University of California Press) 2004; Fred Spier, *The Structure of Big History: From the Big Bang Until Today*, Amsterdam (Amsterdam University Press) 1996; Fred Spier, *Big History and the Future of Humanity*, Oxford (Wiley-Blackwell) 2010; Cynthia Stokes Brown, *Big History: From the Big Bang to the Present*, New York 2007; Michael Cook, *Brief History of the Human Race*, New York (Norton) 2003; David Christian, Cynthia Stokes Brown, and Craig Benjamin, *Big History: Between Nothing and Everything*, New York (McGraw-Hill) 2013.

(5) Jared Diamond, *Guns, Germs, and Steel: The Fates of Human Societies*, New York (W. W. Norton) 1997(ダイアモンド『銃・病原菌・鉄(上・下)』).

(6) William McNeill, Foreword, in: Christian, *Maps of Time*, xv.

(7) David Christian, Contingency, Pattern and the S-curve in Human History, *World History Connected*, October 2009, par. 12. Online URL: <http://worldhistoryconnected.press.illinois.edu/6.3/christian.html> [accessed 17 March 2014].

(8) Diamond, *Guns, Germs, and Steel*, 26 (ダイアモンド『銃・病原菌・鉄(上・下)』, 上 46 ページ).

(9) Julia Adeney Thomas, History and Biology in the Anthropocene: Problems of

Scale, Problems of Value, *American Historical Review* 119 (2014), 1587-1607 より，引用は 1587.

(10) David Christian, The Return of Universal History, *History and Theory*, Theme Issue 49 (2010), 6-27.

(11) Ian Morris, *Why the West Rules - for Now: The Patterns of History, and What they Reveal about the Future*, New York (Farrar, Straus and Giroux) 2010, 582(イアン・モリス／北川知子訳『人類５万年――文明の興亡(上・下)』筑摩書房，2014 年，下 309 ページ).

(12) Fernand Braudel, Histoire et Sciences sociales: La longue durée, *Annales ESC* 4 (1958), 725-753; Reinhart Koselleck, *Zeitschichten: Studien zur Historik*, Frankfurt (Suhrkamp) 2002.

(13) Kenneth Pomeranz, Teleology, Discontinuity and World History: Periodization and Some Creation Myths of Modernity, *Asian Review of World Histories* 1 (2013), 189-226.

(14) Jo Guldi and David Armitage, *The History Manifesto*, Cambridge (Cambridge University Press) 2014(ジョー・グルディ，デイヴィッド・アーミテイジ／平田雅博，細川道久訳『これが歴史だ！――21 世紀の歴史学宣言』刀水書房，2017 年).

(15) Jürgen Osterhammel, Vergangenheiten: Über die Zeithorizonte der Geschichte, unpublished manuscript.

(16) Sebastian Conrad, Remembering Asia: History and Memory in Post-Cold War Japan, in: Aleida Assmann and Sebastian Conrad (eds.), *Memory in a Global Age*, London (Palgrave Macmillan) 2010, 163-177.

(17) Christopher L. Hill, *National History and the World of Nations: Capital, State, and the Rhetoric of History in Japan, France, and the United States*, Durham, NC (Duke University Press) 2008, 71.

(18) John E. Wills, *1688: A Global History*, New York (W. W. Norton) 2002, 112. 以下も参照. Olivier Bernier, *The World in 1800*, New York (Wiley) 2000; Christian Caryl, *Strange Rebels: 1979 and the Birth of the 21st Century*, New York (Basic Books) 2013.

(19) Erez Manela, *The Wilsonian Moment: Self-Determination and the International Origins of Anticolonial Nationalism*, Oxford (Oxford University Press) 2007. 同書に対する反応は，ウサマ・マクディシの熱烈な書評(Ussama Makdisi in *Diplomatic History* 33 (2009), 133-137)からレベッカ・E. カールの冷淡なもの(Rebecca E. Karl in *American Historical Review* 113 (2008), 1474-1476)まで幅広い.

(20) この問題についてはカルロ・ギンズブルグの以下の論文も参照のこと. Carlo

Ginzburg, Microhistory: Two or Three Things That I Know about It, *Critical Inquiry* 20 (1993), 10-35 (「ミクロストーリア」カルロ・ギンズブルグ『糸と痕跡』164-205 ページ); Siegfried Kracauer, *History: The Last Things before the Last*, New York (M. Wiener) 1969 (ジークフリート・クラカウアー／平井正訳『歴史――永遠のユダヤ人の鏡像』せりか書房, 1977 年).

(21) Spier, *The Structure of Big History*, 18.

(22) Janet L. Abu-Lughod, *Before European Hegemony: The World System, A.D. 1250-1350*, Oxford (Oxford University Press) 1989, 12 (J. L. アブー＝ルゴド『ヨーロッパ覇権以前(上・下)』上 13 ページ).

(23) Kenneth Pomeranz, *The Great Divergence: China, Europe, and the Making of the Modern World Economy*, Princeton (Princeton University Press) 2000, 23, 12, 207(ポメランツ『大分岐』39, 27, 219 ページ).

(24) Dipesh Chakrabarty, The Climate of History: Four Theses, *Critical Inquiry* 35 (2009), 197-222; Thomas, History and Biology in the Anthropocene.

(25) Anthony Giddens, *The Constitution of Society: Outline of the Theory of Structuration*, Cambridge (Polity) 1984(アンソニー・ギデンズ／門田健一訳『社会の構成』勁草書房, 2015 年).

[第 8 章]

(1) Fred Spier, Big History, in: Douglas Northrop (ed.), *A Companion to World History*, Oxford (Wiley-Blackwell) 2012, 171-184, 引用は 173.

(2) Dario Castiglione and Iain Hampsher-Monk (eds.), *The History of Political Thought in National Context*, Cambridge (Cambridge University Press) 2011.

(3) ひとつの類型論として, 以下を参照. John M. Hobson, *The Eurocentric Conception of World Politics: Western International Theory 1760-2010*, Cambridge (Cambridge University Press) 2012.

(4) Robert B. Marks, *The Origins of the Modern World: A Global and Ecological Narrative*, Lanham, MD (Rowman & Littlefield) 2002, 8.

(5) 目立った例としては, William McNeill, *The Rise of the West: A History of the Human Community*, Chicago (University of Chicago Press) 1963; Eric Jones, *The European Miracle: Environments, Economies and Geopolitics in the History of Europe and Asia*, Cambridge (Cambridge University Press) 1981; David Landes, *The Wealth and Poverty of Nations: Why Some Are So Rich and Some So Poor*, New York (W. W. Norton) 1999.

(6) Arnold J. Toynbee, *A Study of History, Vol. 12: Reconsiderations*, London (Oxford University Press) 1961, 630 (アーノルド・トインビー／下島連他訳『歴史の研究』全 25 巻, 「歴史の研究」刊行会, 1966-72 年, XXIII 1170 ページ).

(7) Vinay Lal, Provincializing the West: World History from the Perspective of Indian History, in: Benedikt Stuchtey and Eckhardt Fuchs (eds.), *Writing World History, 1800-2000*, Oxford (Oxford University Press) 2003, 271-289, 引用は 283.
(8) 洞察に満ちた批判として以下を参照. Sho Konishi, Reopening the "Opening of Japan": A Russian-Japanese Revolutionary Encounter and the Vision of Anarchist Progress, *American Historical Review* 112 (2007), 101-130.
(9) Robert Bartlett, *The Making of Europe*, Princeton (Princeton University Press) 1994; Jack Goody, *The East in the West*, Cambridge (Cambridge University Press) 1996; John M. Hobson, *The Eastern Origins of Western Civilisation*, Cambridge (Cambridge University Press) 2004.
(10) Jerry H. Bentley, *Shapes of World History in Twentieth-Century Scholarship*, Washington, DC (American Historical Association) 1996, 4-5.
(11) Dipesh Chakrabarty, Postcoloniality and the Artifice of History: Who Speaks for "Indian" Pasts?, *Representations* 37 (1992), 1-26, 引用は 1.
(12) こうした神話―歴史として以下を参照. Gavin Menzies, *1421: The Year China Discovered the World*, London (Bantam) 2003(ギャヴィン・メンジーズ／松本剛史訳『1421――中国が新大陸を発見した年』ヴィレッジブックス, 2007年); Menzies, *1434: The Year a Magnificent Chinese Fleet Sailed to Italy and Ignited the Renaissance*, London (HarperCollins) 2008.
(13) Andre Gunder Frank, *ReOrient: Global Economy in the Asian Age*, Berkeley, CA (University of California Press) 1998(アンドレ・グンダー・フランク／山下範久訳『リオリエント――アジア時代のグローバルエコノミー』藤原書店, 2000年).
(14) Chakrabarty, Postcoloniality and the Artifice of History, 3.
(15) Larry Wolff, *Inventing Eastern Europe: The Map of Civilization on the Mind of the Enlightenment*, Stanford, CA (Stanford University Press) 1994. 他に Dominic Sachsenmaier, Recent Trends in European History: The World beyond Europe and Alternative Historical Space, *Journal of Modern European History* 7 (2009), 5-25.
(16) Arif Dirlik, Thinking Modernity Historically: Is "Alternative Modernity" the Answer?, *Asian Review of World Histories* 1 (2013), 5-44.
(17) Santiago Castro-Gómez, *La Hybris del Punto Cero*, Bogotá (Editorial pontificia Universidad Javeriana) 2005; Walter Mignolo, Epistemic Disobedience, Independent Thought and Decolonial Freedom, *Theory, Culture & Society* 26 (2009), 159-181, 引用は 160.
(18) Douglas Northrop, Introduction: The Challenge of World History, in:

Northrop, *Companion to World History*, 1-12, 引用は 4.

(19) Dominic Sachsenmaier, *Global Perspectives on Global History: Theories and Approaches in a Connected World*, Cambridge (Cambridge University Press) 2011, 1-10.

(20) Arif Dirlik, Performing the World: Reality and Representation in the Making of World Histor(ies), *Journal of World History* 16 (2005), 391-410.

(21) Maghan Keita, *Race and the Writing of History: Riddling the Sphinx*, Oxford (Oxford University Press) 2000.

(22) Martin Bernal, *Black Athena: The Afroasiatic Roots of Classical Civilization*, New Brunswick, NJ (Rutgers University Press) 1987 (バナール『ブラック・アテナ』); Valentin Y. Mudimbe, *The Invention of Africa: Gnosis, Philosophy, and the Order of Knowledge*, Bloomington, IN (Indiana University Press) 1988; Paul Gilroy, *The Black Atlantic: Modernity and Double-Consciousness*, Cambridge, MA (Harvard University Press) 1993 (ギルロイ『ブラック・アトランティック』); Joseph C. Miller, History and Africa/Africa and History, *American Historical Review* 104 (1999), 1-32.

(23) Steven Feierman, African Histories and the Dissolution of World History, in: Robert H. Bates, V. Y. Mudimbe, and Jean O'Barr (eds.), *Africa and the Disciplines: The Contributions of Research in Africa to the Social Sciences and Humanities*, Chicago (University of Chicago Press) 182-216, 引用は 198.

(24) 以下を参照. Arif Dirlik, Thinking Modernity Historically: Is "Alternative Modernity" the Answer?, *Asian Review of World Histories* 1 (2013), 5-44.

(25) Cheikh Anta Diop, *Civilization or Barbarism: An Authentic Anthropology*, New York (Lawrence Hill) 1991; Molefe Kete Asante, *The Afrocentric Idea*, Philadelphia, PA (Temple University Press) 1998; Ama Mazama (ed.), *The Afrocentric Paradigm*, Trenton, NJ (Africa World Press) 2003. 批判的評価に関しては以下を参照. Stephen Howe, *Afrocentrism: Mythical Pasts and Imagined Homes*, London (Verso) 1998.

(26) Ahmed Ibrahim Abushouk, World History from an Islamic Perspective: The Experience of the International Islamic University Malaysia, in: Patrick Manning (ed.), *Global Practice in World History: Advances Worldwide*, Princeton (Markus Wiener) 2008, 39-56.

(27) Ashis Nandy, History's Forgotten Doubles, *History and Theory* 34 (1995), 44-66.

(28) 川勝平太『日本文明と近代西洋「鎖国」再考』NHK ブックス, 1991 年.

(29) Sachsenmaier, *Global Perspectives on Global History*, 200-206.

(30) Sachsenmaier, *Global Perspectives on Global History*.

(31) Ricardo Duchesne, *The Uniqueness of Western Civilization*, Leiden (Brill) 2011, x.

(32) たとえば以下のような例. John M. Headley, *The Europeanization of the World: On the Origins of Human Rights and Democracy*, Princeton (Princeton University Press) 2008; Anthony Pagden, *Worlds at War: The 2,500-Year Struggle between East and West*, Oxford (Oxford University Press) 2008; Toby E. Huff, *Intellectual Curiosity and the Scientific Revolution: A Global Perspective*, Cambridge (Cambridge University Press) 2010.

(33) Gary B. Nash, Charlotte A. Crabtree, and Ross E. Dunn, *History on Trial: Culture Wars and the Teaching of the Past*, New York (Vintage Books) 2000; Jill Lepore, *The Whites of Their Eyes: The Tea Party's Revolution and the Battle over American History*, Princeton (Princeton University Press) 2010.

(34) George Thompson and Jerry Combee, *World History and Cultures in Christian Perspective*, Pensacola FL (A Beka Book) 1997. 以下も参照. Frances R. A. Paterson, *Democracy and Intolerance: Christian School Curricula, School Choice, and Public Policy*, Bloomington, IN (Phi Delta Kappa) 2003.

(35) Niall Ferguson, *Civilisation: The West and the Rest*, London (Allen Lane) 2011, preface to the UK edition.

(36) このような学術的な協働に関して, 以下を参照. Molefe Keta Asante, Yoshitaka Miike, and Jing Yin (eds.), *The Global Intercultural Communication Reader*, 2nd edition, New York (Routledge) 2013. 歴史的視点から見た文化的独自性の擁護者たちのトランスナショナルな対話に関しては, 以下を参照. Dominic Sachsenmaier, Searching for Alternatives to Western Modernity, *Journal of Modern European History* 4 (2006), 241-259.

(37) Arif Dirlik, Thinking Modernity Historically: Is "Alternative Modernity" the Answer?, *Asian Review of World Histories* 1 (2013), 5-44, 引用は 15.

(38) この方向での期待される進展として, 日本の哲学者竹内好の論文「方法としてのアジア」に示された初期の考察のうえに築かれた多くの試みを参照. (English as: Asia as Method, in: Yoshimi Takeuchi, *What is Modernity? Writings of Takeuchi Yoshimi*, edited, translated and with an introduction by Richard Calichman, New York (Columbia University Press) 2005, 149-165. たとえば Arif Dirlik, Revisioning Modernity: Modernity in Eurasian Perspectives, *Inter-Asia Cultural Studies* 12 (2011), 284-305; Kuan-hsing Chen, *Asia as Method: Toward Deimperialization*, Durham, NC (Duke University Press) 2010; Wang Hui, The Politics of Imagining Asia: A Genealogical Analysis, *Inter-Asia Cultural Studies* 8 (2007), 1-33.

(39) Arif Dirlik, *Culture and History in Post-Revolutionary China: The Perspec-*

*tive of Global Modernity*, Hong Kong (Chinese University of Hong Kong Press) 2011.

(40) Jean Comaroff and John Comaroff, Theory from the South: A Rejoinder, *Cultural Anthropology*, March 2012, https://culanth.org/fieldsights/series/theory-from-the-south. 以下も参照. Marcelo C. Rosa, Theories of the South: Limits and Perspectives of an Emergent Movement in Social Sciences, *Current Sociology* (February 2014), 1-17, https://citeseerx.ist.psu.edu/viewdoc/download?doi=10.1.1.868.2674&rep=rep1&type=pdf で閲覧可能.

[第 9 章]

(1) Barry K. Gills and William R. Thompson, Globalization, Global Histories and Historical Globalities, in: Gills and Thompson (eds.), *Globalization and Global History*, London (Routledge) 2006, 1-17, 引用は 2.

(2) たとえばヘイドン・ホワイトがきっかけとなった論争については以下を参照. Hayden V. White, *Metahistory: The Historical Imagination in Nineteenth-Century Europe*, Baltimore, MD (Johns Hopkins University Press) 1973 (ヘイドン・ホワイト/岩崎稔監訳『メタヒストリー——一九世紀ヨーロッパにおける歴史的想像力』作品社, 2017 年).

(3) Nelson Goodman, *Ways of Worldmaking*, New York (Hackett) 1978 (ネルソン・グッドマン/菅野盾樹, 中村雅之訳『世界制作の方法』みすず書房, 1987 年). Goodman, Realism, Relativism, and Reality, *New Literary History* 14 (1983), 269-272, 引用は 269.

(4) Sanjay Krishnan, *Reading the Global: Troubling Perspectives on Britain's Empire in Asia*, New York (Columbia University Press) 2007, 2, 4.

(5) Krishnan, *Reading the Global*, 4.

(6) Thomas Friedman, *The World is Flat*, New York (Farrar, Straus and Giroux) 2005 (トーマス・フリードマン/伏見威蕃訳『フラット化する世界(上・中・下)』日本経済新聞出版社, 2006-10 年).

(7) Samuel Huntington, *The Clash of Civilizations and the Remaking of World Order*, New York (Simon & Schuster) 1996 (サミュエル・ハンチントン/鈴木主税訳『文明の衝突』集英社, 1998 年); Robert D. Kaplan, *The Coming Anarchy*, New York (Random House) 2000; またまったく異なった角度から, Anna Lowenhaupt Tsing, *Frictions: An Ethnography of Global Connection*, Princeton (Princeton University Press) 2004.

(8) Antonio Negri and Michael Hardt, *Empire*, Cambridge, MA (Harvard University Press) 2000 (アントニオ・ネグリ, マイケル・ハート/水嶋一憲, 酒井隆史, 浜邦彦, 吉田俊実訳『〈帝国〉——グローバル化の世界秩序とマルチチュー

ドの可能性』以文社，2003年）.

(9) Nathalie Karagiannis and Peter Wagner (eds.), *Varieties of World-Making: Beyond Globalization*, Liverpool (Liverpool University Press) 2007.

(10) Wang Gungwu (ed.), *Global History and Migrations*, Boulder, CO (Westview Press) 1997; Patrick Manning, *Migration in World History*, New York (Routledge) 2005; Dirk Hoerder, *Cultures in Contact: World Migrations in the Second Millennium*, Durham, NC (Duke University Press) 2002.

(11) これは以下のような移動研究のすべてに共通する問題である．Linda Basch, Cristina Blanc-Szanton, and Nina Glick Schiller (eds.), *Nations Unbound: Transnational Projects, Postcolonial Predicaments and Deterritorialized Nation-States*, New York 1994; Stephen Greenblatt et al., *Cultural Mobility: A Manifesto*, Cambridge (Cambridge University Press) 2009.

(12) 近代の移民の「制作」については以下を参照．Adam McKeown, *Melancholy Order: Asian Migration and the Globalization of Borders*, New York (Columbia University Press) 2008.

(13) John Darwin, *After Tamerlane: The Global History of Empire*, London (Penguin Books) 2007, 23.

(14) Jane Burbank and Frederick Cooper, *Empires in World History: Power and the Politics of Difference*, Princeton (Princeton University Press) 2010, 2-3.

(15) Pekka Hämäläinen, *The Comanche Empire*, New Haven (Yale University Press) 2008.

(16) Karl Jacoby, Indigenous Empires and Native Nations: Beyond History and Ethnohistory in Pekka Hämäläinen's *The Comanche Empire*, *History and Theory* 52 (2013), 60-66, 引用は 63.

(17) John Tutino, Globalizing the Comanche Empire, *History and Theory* 52 (2013), 67-74.

(18) Gyan Prakash, Subaltern Studies as Postcolonial Criticism, *American Historical Review* 99 (1994), 1475-1490; Vinayak Chaturvedi (ed.), *Mapping Subaltern Studies and the Postcolonial*, London (Verso) 2000.

(19) Stefano Varese, Indigenous Epistemologies in the Age of Globalization, in: Juan Poblete (ed.), *Critical Latin American and Latino Studies*, Minneapolis, MI (University of Minnesota Press) 2002, 138-153; Madina V. Tlostanova and Walter D. Mignolo, *Learning to Unlearn: Decolonial Reflections from Eurasia and the Americas*, Columbus, OH (Ohio State University Press) 2012.

(20) Republic of South Africa, Department of Science and Technology, *Indigenous Knowledge Systems*, Pretoria (Government Printer) 2006.

(21) John Makeham, Disciplining Tradition in Modern China: Two Case Studies,

*History and Theory* 51 (2012), 89-104.

(22) Benjamin Elman, *On Their Own Terms: Science in China, 1550-1900*, Cambridge, MA (Harvard University Press) 2005. 刺激的な立場として以下も参照. Min Ou-Yang, There is no Need for *Zhongguo Zhexue* to be Philosophy, *Asian Philosophy* 22 (2012), 199-223.

(23) たとえば以下を参照. Wang Hui, *Zhongguo xiandai sixiang de xingqi (The Rise of Modern Chinese Thought)*, 4 volumes, Beijing (Sanlian Shudian) 2004 (汪暉／石井剛訳『近代中国思想の生成』岩波書店, 2011年). この線での議論の要旨は Wang Hui, *China from Empire to Nation-State*, Cambridge, MA (Harvard University Press) 2014.

(24) Arif Dirlik, Guoxue/National Learning in the Age of Global Modernity, *China Perspectives* 1 (2011), 4-13 を参照.

(25) Dipesh Chakrabarty, *Provincializing Europe: Postcolonial Thought and Historical Difference*, Princeton (Princeton University Press) 2000, 16.

(26) C.A. Bayly, The Empire of Religion, in: Bayly, *The Birth of the Modern World, 1780-1914*, Oxford (Blackwell) 2004, 325-365 (ベイリ『近代世界の誕生(上・下)』下 438-492 ページ); Tomoko Masuzawa, *The Invention of World Religions: Or, How European Universalism was Preserved in the Language of Pluralism*, Chicago (Chicago University Press) 2005 (増澤知子／秋山淑子, 中村圭志訳『世界宗教の発明――ヨーロッパ普遍主義と多元主義の言説』みすず書房, 2015年); Jason Ānanda Josephson, *The Invention of Religion in Japan*, Chicago (Chicago University Press) 2012.

(27) Margrit Pernau, Whither Conceptual History? From National to Entangled Histories, *Contributions to the History of Concepts* 7 (2012), 1-11; Carol Gluck and Anna Lowenhaupt Tsing (eds.), *Words in Motion: Towards a Global Lexicon*, Durham, NC (Duke University Press) 2009.

(28) John F. Richards, Early Modern India and World History, *Journal of World History* 8 (1997), 197-209, 引用は 197. グローバル・ヒストリーにおける初期近代に関する議論については以下を参照. Lynn Struve, Introduction, in: Struve (ed.), *The Qing Formation in World Historical Time*, Cambridge, MA (Harvard University Press) 2004, 1-54.

(29) Dipesh Chakrabarty, The Muddle of Modernity, *American Historical Review* 116 (2011), 663-675, 引用は 672.

(30) Christopher L. Hill, Conceptual Universalization in the Transnational Nineteenth Century, in: Samuel Moyn and Andrew Sartori (eds.), *Global Intellectual History*, New York (Columbia University Press) 2013, 134-158; Sebastian Conrad, Enlightenment in Global History: A Historiographical Critique, *Ameri-*

*can Historical Review* 117 (2012), 999-1027 (コンラート「グローバル・ヒストリーのなかの啓蒙(上・下)」).

(31) Arif Dirlik, Is There History After Eurocentrism? Globalism, Postcolonialism, and the Disavowal of History, in: Dirlik, *Postmodernity's Histories: The Past as Legacy and Project*, Lanham, MD (Rowman & Littlefield) 2000, 63-90, 引用は 72.

[第 10 章]

(1) Sven Beckert, The Travails of Doing History from Abroad, *American Historical Review* 119 (2014), 817-823, 引用は 821.

(2) Friedrich von Schiller, The Nature and Value of Universal History: An Inaugural Lecture [1789], *History and Theory* 11 (1972), 321-334, 引用は 327.

(3) 羽田正『新しい世界史へ——地球市民のための構想』岩波新書, 2011 年, 3-16 ページ; Jerry H. Bentley, Myths, Wagers, and Some Moral Implications of World History, *Journal of World History* 16 (2005), 51-82; Dominic Sachsenmaier, World History as Ecumenical History?, *Journal of World History* 18 (2007) 465-490.

(4) Sugata Bose and Kris Manjapra (ed.), *Cosmopolitan Thought Zones: South Asia and the Global Circulation of Ideas*, New York (Palgrave Macmillan) 2010. 以下も参照. Carol A. Breckenridge, Sheldon Pollock, Homi K. Bhabha, and Dipesh Chakrabarty (eds.), *Cosmopolitanism*, Durham, NC (Duke University Press) 2000; Pheng Cheah and Bruce Robbins (eds.), *Cosmopolitics: Thinking and Feeling Beyond the Nation*, Minneapolis (University of Minnesota Press) 1998; Kwame Appiah, *Cosmopolitanism: Ethics in a World of Strangers*, New York (Norton) 2006; Gerard Delanty, *The Cosmopolitan Imagination: The Renewal of Critical Social Theory*, Cambridge (Cambridge University Press) 2009.

(5) Sachsenmaier, *Global Perspectives*, 213-231; Luo Xu, Reconstructing World History in the People's Republic of China since the 1980s, *Journal of World History* 18 (2007), 325-350.

(6) Arif Dirlik, Performing the World: Reality and Representation in the Making of World Histor(ies), *Journal of World History* 16 (2005), 391-410.

(7) Karen Ho, Situating Global Capitalisms: A View from Wall Street Investment Banks, *Cultural Anthropology* 20 (2005), 68-96, 引用は 69; 以下も参照. Stuart Alexander Rockefeller, Flow, *Current Anthropology* 52 (2011), 557-578; Augustine Sedgewick, Against Flows, *History of the Present* 4 (2014), 143-170.

(8) Fernando Coronil, Towards a Critique of Globalcentrism: Speculations on

Capitalism's Nature, *Public Culture* 12 (2000), 351–374.

(9) Immanuel Wallerstein, Eurocentrism and its Avatars: The Dilemmas of Social Science, *New Left Review* 226 (1997), 93–107.

(10) Arif Dirlik, Globalization Now and Then: Some Thoughts on Contemporary Readings of Late 19th/Early 20th Century Responses to Modernity, *Journal of Modern European History* 4, No. 2 (2006), 137–157, 引用は 154; Arif Dirlik, Confounding Metaphors, Inventions of the World: What Is World History For?, in: Benedikt Stuchtey and Eckhardt Fuchs (eds.), *Writing World History, 1800–2000,* Oxford (Oxford University Press) 2003, 91–133.

(11) Jürgen Osterhammel, Globalizations, in: Jerry H. Bentley (ed.), *The Oxford Handbook of World History*, Oxford (Oxford University Press) 2011, 89–104.

(12) Dipesh Chakrabarty, *Provincializing Europe: Postcolonial Thought and Historical Difference*, Princeton (Princeton University Press) 2000, 28.

(13) Patrick Manning, *Navigating World History: Historians Create a Global Past*, New York (Palgrave Macmillan) 2003(パトリック・マニング／南塚信吾, 渡邊昭子訳『世界史をナビゲートする——地球大の歴史を求めて』彩流社, 2016年); Dominic Sachsenmaier, *Global Perspectives on Global History: Theories and Approaches in a Connected World*, Cambridge (Cambridge University Press) 2011.

(14) Stefan Berger and Chris Lorenz (eds.), *Nationalizing the Past: Historians as Nation Builders in Modern Europe*, Basingstoke (Palgrave Macmillan) 2010; Stefan Berger (ed.), *Writing the Nation: Global Perspectives*, Basingstoke (Palgrave Macmillan) 2006; Toyin Falola, Nationalism and African Historiography, in: Q. Edward Wang and Georg G. Iggers (eds.), *Turning Points in History: A Cross Cultural Perspective*, Rochester, NY (University of Rochester Press) 2002, 209–231; Georg G. Iggers and Q. Edward Wang, The Appeal of Nationalist History around the World, in: Iggers and Wang, *A Global History of Modern Historiography*, Harlow (Pearson) 2008, 194–249.

(15) Eckhardt Fuchs and Benedikt Stuchtey (eds.), *Across Cultural Borders: Historiography in Global Perspective*, Lanham, MD (Rowman & Littlefield) 2002; Stuchtey and Fuchs, *Writing World History*; Q. Edward Wang and Franz L. Fillafer (eds.), *The Many Faces of Clio: Cross-Cultural Approaches to Historiography*, New York (Berghahn) 2007; Douglas Northrop (ed.), *A Companion to World History*, Oxford (Wiley-Blackwell) 2012, 389–526.

(16) Vinay Lal, Provincializing the West: World History from the Perspective of Indian History, in: Benedikt Stuchtey and Eckhardt Fuchs (eds.), *Writing World History, 1800–2000,* Oxford (Oxford University Press) 2003, 271–289,

引用は 278-279.

(17) Dominic Sachsenmaier, Some Reflections on the Nature of Global History, Toynbee Prize Foundation, URL: https://toynbeeprize.org/posts/some-reflections-on-the-nature-of-global-history/.

(18) イタリアの例としては, Laura Di Fiore and Marco Meriggi, *World history. Le nuove rotte della storia*, Rome (Laterza) 2011; ベルギーでは Eric Vanhaute, *Wereldgeschiedenis: Een inleiding*, Ghent (Academia Press) 2008; ドイツでは Sebastian Conrad, Andreas Eckert and Ulrike Freitag (eds.), *Globalgeschichte: Theorien, Ansätze, Themen*, Frankfurt (Campus) 2007; スイスでは Jérôme David, Thomas David and Barbara Lüthi (eds.), *Globalgeschichte/Histoire Globale/Global History*, Zurich (Chronos) 2007; フランスでは Philippe Beaujard, Laurent Berger and Philippe Norel (eds.), *Histoire globale, mondialisations et capitalisme*, Paris (La Découverte) 2009; 韓国では Cho Ji-hyŏng and Kim Yong-Woo (eds.), *Chigusa ŭi tojŏn: ŏddŏgge yurŏpchungsimjuŭi rŭl nŏmŏsŏl kŏtinga*, Seoul (Sŏhaemunjip) 2010; 日本では水島司『グローバル・ヒストリー入門』山川出版社, 2010 年.

(19) Benedict Anderson, *Under Three Flags: Anarchism and the Anti-Colonial Imagination*, London (Verso) 2005, 5(ベネディクト・アンダーソン/山本信人訳『三つの旗のもとに——アナーキズムと反植民地主義的想像力』NTT 出版, 2012 年, 7 ページ).

(20) John Darwin, *After Tamerlane: The Global History of Empire*, London (Penguin) 2007.

(21) Kenneth Pomeranz, *The Great Divergence: Europe, China, and the Making of the Modern World Economy*, Princeton (Princeton University Press) 2000 (ポメランツ『大分岐』).

(22) John-Paul A. Ghobrial, The Secret Life of Elias of Babylon and the Uses of Global Microhistory, *Past & Present* 222 (2014), 51-93, 引用は 59.

(23) James C. Scott, *The Art of Not Being Governed: An Anarchist History of Upland Southeast Asia*, New Haven (Yale University Press) 2009 (ジェームズ・C. スコット/佐藤仁監訳『ゾミア——脱国家の世界史』みすず書房, 2013 年).

(24) アルジュン・アパデュライやウルフ・ハナーツによって大衆化したフローというメタファーに関する批判として, 以下を参照. Stuart A. Rockefeller, Flow, *Current Anthropology* 52 (2011), 557-578.

(25) Valeska Huber, *Channelling Mobilities: Migration and Globalisation in the Suez Canal Region and Beyond*, Cambridge (Cambridge University Press) 2013.

(26) Londa Schiebinger, *Plants and Empire: Colonial Bioprospecting in the At-*

*lantic World*, Cambridge, MA (Harvard University Press) 2007 (ロンダ・シービンガー／小川眞里子，弓削尚子訳『植物と帝国——抹殺された中絶薬とジェンダー』工作舎，2007年); Robert N. Proctor and Londa Schiebinger (eds.), *Agnotology: The Making and Unmaking of Ignorance*, Stanford, CA (Stanford University Press) 2008. 以下も参照. Anna L. Tsing, *Friction: An Ethnography of Global Connection*, Princeton (Princeton University Press) 2004.

(27) Stefan Zweig, *Die Welt von gestern: Erinnerungen eines Europäers*, Frankfurt am Main (Fischer) 1970, 465(シュテファン・ツヴァイク／原田義人訳『昨日の世界 I・II』みすず書房，1999年，II 605-606ページ).

(28) Richard Drayton, Where Does the World Historian Write From? Objectivity, Moral Conscience and the Past and Present of Imperialism, *Journal of Contemporary History* 46 (2011), 671-685.

(29) たとえば，John E. Wills, *1688: A Global History*, New York (W. W. Norton) 2002; Miles Ogborn (ed.), *Global Lives: Britain and the World 1550-1800*, Cambridge (Cambridge University Press) 2008.

(30) Anthony Giddens, *The Constitution of Society: Outline of the Theory of Structuration*, Cambridge (Polity) 1984 (ギデンズ『社会の構成』).

(31)「アングローバリゼーション」についてはFerguson, *Empire*, xxii. 帝国とグローバルの連関についてのもっとまじめな分析としては以下を参照. Gary Magee and Andrew Thompson, *Empire and Globalisation: Networks of People, Goods and Capital in the British World, c.1850-1914*, Cambridge (Cambridge University Press) 2010.

(32) Sujit Sivasundaram, *Islanded: Britain, Sri Lanka, and the Bounds of an Indian Ocean Colony*, Chicago (Chicago University Press) 2013.

(33) 本節の全体の趣旨はフレデリック・クーパーの立場と矛盾しないが，この点に関する私の意見は彼とは異なる. Frederick Cooper, What is the Concept of Globalization Good For? An African Historian's Perspective, *African Affairs* 100 (2001), 189-213.

(34) グローバル・ヒストリーの広がりの概観については以下を参照. Patrick Manning (ed.), *Global Practice in World History: Advances Worldwide*, Princeton, NJ (Markus Wiener) 2008; Dominic Sachsenmaier, *Global Perspectives on Global History: Theories and Approaches in a Connected World*, Cambridge (Cambridge University Press) 2011. また以下も参照のこと. Luke Clossey and Nicholas Guyatt, It's a Small World After All: The Wider World in Historians' Peripheral Vision, *Perspectives* (May 2013).